PABLO A. DEIROS

LA ACCIÓN DEL ESPÍRITU SANTO EN LA HISTORIA

Las Lluvias Tempranas (años 100-550)

CARIBE

Un Sello de Editorial Caribe

Editorial Caribe una division de Thomas Nelson Publishers

© **1998 Editorial Caribe**

E-Mail: editorial@editorialcaribe.com
www.editorialcaribe.com

ISBN: 0-89922-395-8

Impreso en EE.UU.
Printed in the USA

CONTENIDO

PREFACIO

El Señor ... os ha dado la primera lluvia a su tiempo, y
hará descender sobre vosotros lluvia temprana y tardía
como al principio.   Joel 2.23

Existe una continuidad dinámica entre la misión
de Jesús y la misión de la iglesia. Todos los
evangelios sinópticos, que describen el ministerio
de Jesús, tienen un final que indica el rumbo de
la misión de la iglesia (Mateo 28.19-20; Marcos 16.15; Lucas
24.45-48). En el caso particular de Lucas, esta continuidad
histórica de la misión de Jesús en la Iglesia es afirmada con
mayor énfasis. En las últimas líneas de su Evangelio, Lucas
recuerda la promesa de Jesús: «He aquí, yo enviaré la promesa
de mi Padre sobre vosotros; pero quedaos vosotros en la ciudad
de Jerusalén, hasta que seáis investidos de poder desde lo alto»
(Lucas 24.49). Es haciendo referencia a esta misma promesa
que Lucas comienza su relato de las primeras experiencias
misioneras de la iglesia. «Y estando juntos, les mandó que no
se fueran de Jerusalén, sino que esperasen la promesa del Padre,
la cual, les dijo, oísteis de mí» (Hechos 1.4).

El elemento conectivo entre ambas misiones —la de Jesús
y la de la iglesia es el Espíritu Santo. El mismo Espíritu Santo
que obró poderosamente a lo largo del ministerio de Jesús
(Lucas 3.16,22; 4.1,14), es el que opera en la Iglesia y la llena de
poder para ir al mundo con el testimonio del evangelio del Reino
(Hechos 1.8). Como señala Yves M.J. Congar: «Para los Hechos

de los apóstoles, el Espíritu Santo es esencialmente el principio dinámico del testimonio que asegura la expansión de la Iglesia».[1]

Es precisamente esta continuidad histórico-carismática del ministerio de Jesús en la misión de la Iglesia, el tema central de este libro. El eje hermenéutico de esta historia es la acción del Espíritu Santo, discernida a partir de sus manifestaciones poderosas y sobrenaturales. Tales manifestaciones comprenden milagros, señales, prodigios y maravillas. Pero también, y especialmente, tienen que ver con la confrontación con el reino de las tinieblas, el choque de poderes, la guerra espiritual en todos sus niveles, y de manera particular, la liberación de personas demonizadas en el nombre de Jesús y por la operación del Espíritu Santo. De particular significación es la consideración de la práctica de los dones espirituales, ya que el ejercicio de los mismos es evidencia palmaria de la operación del Espíritu en la Iglesia. Como herramientas fundamentales para la edificación de la Iglesia y testimonio de la presencia del Reino de Dios en la historia, los dones carismáticos son un elemento testimonial valioso de la acción del Espíritu Santo en la historia.

Este libro es el resultado directo de mi propio peregrinaje espiritual y ministerial. Por haber sido formado en una tradición evangélica no carismática, fue necesario un largo proceso de lucha personal hasta descubrir la vigencia y valor de las manifestaciones del Espíritu arriba mencionadas. Sin embargo, guiado por la Palabra de Dios y enseñado por el Espíritu Santo, no solo llegué a conocer de primera mano el poder de Dios, sino a reconocer también que su acción poderosa no quedó circunscripta a los tiempos bíblicos. Por mi experiencia personal, descubrí y sigo descubriendo cada día, que la acción del Espíritu sigue siendo la misma que la que testifica Lucas en el libro de los Hechos. Por mi investigación de la historia, aprendí

---

1. Yves M.J. Congar, *El Espíritu Santo*, Editorial Herder, Barcelona, 1983, p. 71.

y sigo aprendiendo cada día, que la acción del Espíritu está
testificada de manera continuada a lo largo del tiempo, toda
vez que los cristianos han estado dispuestos a ser fieles a la
misión encomendada por Jesús.

Un trabajo de este tipo no puede llevarse a cabo de manera
solitaria. Reconozco la enorme contribución que los estudios
de otros historiadores han hecho a mi propia investigación. El
lector encontrará mencionados a algunos de ellos en la biblio-
grafía que acompaña a este volumen. De gran valor ha sido el
dictado de un seminario de posgrado sobre el tema de este libro
en el Seminario Internacional Teológico Bautista de Buenos
Aires. Las discusiones en clase y el aporte de mis estudiantes
han sido sumamente enriquecedores.

Sobre todas las cosas, este estudio ha sido de mucha
bendición para mi vida y ministerio. Mientras aprendía a echar
mano del poder y autoridad espirituales que nos han sido dados
por Jesús para el cumplimiento de nuestro ministerio (Hechos
1.8), fui leyendo de una manera diferente los documentos de
la historia antigua del cristianismo. Comencé a ver cosas que
antes no veía. Y me dí cuenta de que había una historia que no
había sido narrada: la acción poderosa del Espíritu Santo en
medio de su pueblo. Con oración y temblor me propuse
recuperar tales hechos, utilizando la metodología de Lucas, es
decir, «escribir la historia de los hechos sucedidos ..., tal y como
nos los enseñaron quienes, habiéndolos visto desde el comienzo, recibieron el encargo de anunciar el mensaje» (Lucas 1.1-2,
VP).

Si estas páginas sirven no solo para llenar una curiosidad
histórica, sino para despertar en el lector un anhelo ferviente
por ser lleno del Espíritu Santo, procurar los mejores dones
espirituales, estar abierto a ser utilizado por el Señor para
producir milagros, señales y prodigios, y confrontar con victoria a las huestes de maldad, consideraré satisfecho mi deseo
y oración. Quien inicia o profundiza este proceso de vivir su
fe cristiana en un plano sobrenatural y carismático puede estar
seguro, como demuestran las páginas que siguen, que lo hace
acompañado de una compañía de muchísimos santos que

supieron dar lugar a la operación del Espíritu Santo en sus vidas, y a través de ellos, en el mundo. «Por eso, nosotros, teniendo a nuestro alrededor tantas personas que han demostrado su fe, dejemos a un lado todo lo que nos estorba y el pecado que nos enreda, y corramos con fortaleza la carrera que tenemos por delante» (Hechos 12.1, VP).

Dr. Pablo A. Deiros
Buenos Aires, Argentina

INTRODUCCIÓN

s correcto considerar a Pentecostés, según Hechos 2, como el día de nacimiento de la iglesia cristiana. Sin embargo, Pentecostés fue posible solo gracias a la resurrección de Cristo. La presencia viva del Señor a través del Espíritu Santo, que otorgaba a sus seguidores el poder necesario para testificar de Él en todo el mundo, es lo que constituye a la Iglesia (Hechos 1.8). Hasta el advenimiento del Espíritu, los discípulos no habían testificado de la resurrección del Señor. Por lo tanto, un elemento fundamental del mensaje del evangelio fue incorporado a la proclamación fervorosa de aquellos seguidores de Jesús.

En Pentecostés se cumplieron las promesas de Dios a su pueblo (Hechos 2.17; véase Joel 2.28-32). También se hicieron realidad las promesas de Jesús (Lucas 24.49; Hechos 1.4-5; véase Juan 15.26; 16.7; 20.22). La entrega del Espíritu Santo a diez de los Doce en la noche del día de la resurrección (Judas había desertado y Tomás estaba ausente), según Juan 20.22, parece contradecir el relato en Hechos 1.4-8 y 2.4. El Evangelio de Juan no se preocupa mucho en cuanto a fechas, sino que su propósito es mostrar que el Espíritu Santo es el don del Cristo resucitado. Hechos coincide con este concepto (2.33), pero seguramente está acertado en fechar la dación del Espíritu Santo algunas semanas después de la resurrección.

La venida del Espíritu Santo se hizo evidente a través de fenómenos físicos audibles («estruendo») y visuales («lenguas como de fuego»); fenómenos espirituales («fueron todos llenos del Espíritu Santo»); y fenómenos intelectivos («comenzaron a hablar en otras lenguas»). Esto último es lo que más ha captado el interés de los estudiantes de la Biblia.

El uso de «todos» (gr. *pantes*) en el pasaje indica que todos los integrantes del grupo recibieron el Espíritu Santo y hablaron en otras lenguas o idiomas. Estas «lenguas» (*glossais*) son diferentes de las que Pablo menciona en 1 Corintios 12 y 14. Las lenguas de Corinto eran ininteligibles a menos que se las interpretara, y eran el resultado de una experiencia de carácter emocional y extático. Su propósito era la edificación espiritual y personal de los creyentes (1 Corintios 14.4). En cambio las lenguas de Pentecostés eran inteligibles y su propósito era la comunicación del evangelio a los incrédulos. Para Lucas, ellas simbolizaban el alcance mundial del mensaje cristiano (Hechos 2.8-11).

Sin embargo, lo más importante en aquel día no fueron las lenguas o idiomas con los que los creyentes testificaron, sino su mensaje y el entusiasmo con que lo comunicaron. La venida del Espíritu Santo significó una inyección de gozo. La fe no es una cuestión meramente intelectual, sino que tiene que ver con toda la persona, incluidas las emociones. En realidad, la fe cristiana es el resultado de la experiencia cristiana. No puede haber una auténtica fe cristiana, si no hay previamente una experiencia personal con Cristo. El testimonio del apóstol Juan es, precisamente, que son los hechos redentores de Cristo y las señales concretas de los mismos los que mueven a la fe en Él como el Mesías y el Hijo de Dios. Dice Juan en relación con las señales que hizo Jesús, algunas de las cuales él registró en su Evangelio: «Éstas se han escrito para que creáis que Jesús es el Cristo, el Hijo de Dios, y para que creyendo, tengáis vida en su nombre» (Juan 20.31). Además, la venida del Espíritu Santo significó el cumplimiento de las promesas del Señor y el fin de la espera. Desde ese momento en adelante los discípulos debían hablar del Cristo vivo. El don del Espíritu significaba también que tendrían un poder sobrenatural para hacerlo. El gozo emocional de todos modos no fue lo más importante, sino este nuevo poder para testificar, para sanar, para confrontar los poderes de las tinieblas, y para soportar el rechazo.

Los discípulos todavía no tenían claro hacia dónde les llevaría la experiencia de Pentecostés. Pero en los siglos que siguieron, los cristianos miraron a aquel evento como la clave para la definición de la naturaleza de la Iglesia y el cumplimiento de su misión. Como observaría más tarde Clemente de Roma: «Habiendo recibido sus órdenes, y estando plenamente seguros por la resurrección de nuestro Señor Jesucristo, y establecidos en la palabra de Dios, con la plena seguridad que da el Espíritu Santo, partieron a proclamar que el Reino de Dios estaba cerca».[1] El libro de los Hechos presenta a los apóstoles como personas que salieron al cumplimiento de su misión equipados con el Espíritu Santo.[2] Fue esta participación activa del Espíritu la que lo constituye en el protagonista principal de la primera expansión del cristianismo. Su obra poderosa a través de los apóstoles, testificada por el libro de los Hechos, fue clave para el crecimiento tan notable de la fe cristiana. Los agentes de esta tarea fueron personas preñadas del Espíritu Santo. Como señalara Tomás de Aquino, fueron personalidades penetradas y configuradas por el Espíritu Santo.[3]

Parece evidente, cuando uno lee los relatos en el libro de los Hechos y considera el testimonio de los Padres Apostólicos, que aquellos hombres y mujeres disponían y ejercitaban un poder sobrenatural que les venía del Espíritu Santo, y que explica la efectividad sorprendente de su testimonio cristiano. El destacado historiador Kenneth S. Latourette llama la atención sobre este hecho, cuando afirma: «Los discípulos, como otros hombres y cristianos de todos los siglos, continuaban siendo humanos. Sin embargo, en ellos hubo un poder, una vida que les vino por medio de Jesús, el cual obraba una transformación moral y espiritual. Aquel poder y aquella vida

---

1. Clemente de Roma, *Carta a los Corintios*, 42.3.
2. W. Mundle, «Das Apostelbild der Apostelgeschichte», *Zeitschrift für die neutestamentliche Wissenschaft* 27 (1928): 36-54.
3. Antoine Lemonnyer, «Les Apôtres comme docteurs de la foi d'après S. Thomas», *Mélanges Thomistes* (1923): 153-173.

resultaron contagiosos. El relato de la operación de aquel poder y aquella vida en los siglos siguientes es la historia del cristianismo.[4]

Hasta aquí la mayoría de los evangélicos guarda bastante consenso en cuanto a la obra y manifestaciones del Espíritu Santo. Pero, ¿qué pasó después de que el último apóstol murió? ¿Qué ocurrió a partir del final de la era apostólica? ¿Qué manifestaciones de la acción y poder del Espíritu Santo se pueden encontrar con posterioridad a la redacción de los escritos apostólicos y después de la formación del canon neotestamentario?

Algunos estudiosos encuentran suficientes testimonios a lo largo de toda la historia del cristianismo, como para insistir en que el Espíritu Santo, como agente de la obra redentora de Dios, ha continuado operando de la misma manera en que lo hizo en tiempos neotestamentarios. Su fe en el Espíritu Santo como Dios en acción los lleva a ver, a lo largo de los siglos, indicios ciertos de las manifestaciones poderosas de la obra del Espíritu. No son pocos los que subscribirían las afirmaciones de Charles Williams:

La historia de la cristiandad es la historia de una operación. Es una operación del Espíritu Santo hacia Cristo, bajo las condiciones de nuestra humanidad; y fue nuestra humanidad la que dio la señal, como ocurrió, para esa operación. El comienzo visible de la Iglesia es en Pentecostés, pero eso es solo un resultado de su comienzo —y fin— real en los cielos.[5]

No se puede entender la historia del cristianismo y la supervivencia y transmisión de la fe cristiana sin tomar en

4. Kenneth S. Latourette, *Historia del cristianismo*, 2 vols. Casa Bautista de Publicaciones, El Paso, 1959, 1:95.
5. Charles Williams, *The Descent of the Dove: The History of the Holy Spirit in the Church*, Meridian Books, Nueva York, 1956, 1.

cuenta la operación sobrenatural del Espíritu Santo en la
Iglesia y a lo largo de la historia. Si se deja de lado tal
operación y no se evalúan convenientemente sus múltiples
manifestaciones, la fe cristiana queda vacía de contenido y
pierde su razón de ser. Lo que es peor: la Iglesia como
expresión poderosa de la acción del Espíritu termina siendo
impotente, débil o muerta.

No obstante, hoy como ayer, hay quienes niegan la continuidad histórica de la acción maravillosa del Espíritu Santo, tal
como está testificada en el primer período de la historia del
cristianismo, y según está documentada especialmente en el
libro de los Hechos. Y otros, si bien no niegan tal acción
poderosa, sí la limitan conforme a cánones hermenéuticos y
prejuicios propios, ajenos a lo que aprendemos del Espíritu y
de su acción según el Nuevo Testamento. En un sentido, es
correcta la afirmación de un especialista en este tema, como es
Henry Barclay Swete: «Cuando el estudiante de la literatura
cristiana temprana pasa del Nuevo Testamento a los escritores
poscanónicos, nota una pérdida de poder tanto literario como
espiritual ... Los gigantes espirituales de la era apostólica son
sucedidos por hombres de menor estatura y de más pobre
capacidad».[6] Sin embargo, este hecho no es suficiente argumento para negar rotundamente toda manifestación del Espíritu en los siglos que siguieron a la era apostólica. Que el calibre
espiritual de los agentes humanos de la misión en tiempos
postapostólicos haya resultado comparativamente inferior al
de los primeros testigos de la fe, no es un hecho que anule
sumariamente la acción y manifestación del Espíritu Santo.

Por otro lado, se ha señalado que la mayoría de los
sucesores de los apóstoles y muchos de los padres de la iglesia
antigua no mencionan con la frecuencia que sería de esperar

---

6. Henry Barclay Swete, *The Holy Spirit in the Ancient Church: A Study
   of Christian Teaching in the Age of the Fathers*, Macmillan, Londres,
   1912, p. 3.

los diversos carismas que se mencionan en el Nuevo Testamento.[7] Aquí conviene considerar lo que Eusebius A. Stephanou señala, cuando arguye que ese aparente silencio en cuanto a los carismas no sugiere su ausencia ni falta de ejercicio en la iglesia antigua, del mismo modo que la falta de referencias a ciertos libros del Nuevo Testamento no es evidencia de su rechazo como no inspirados. «No podemos lógicamente esperar que un maestro o pastor incluyera la totalidad de las creencias y prácticas cada vez que tomaba la pluma para escribir».[8]

En realidad, la clave de esta cuestión no es la falta de evidencias de la acción del Espíritu Santo a lo largo de la historia, sino nuestra ignorancia de las mismas. Casi todos los cristianos afirmarán su fe en el Espíritu y utilizarán su nombre, pero no tendrán muy en claro su conocimiento de Él y mucho menos de su acción a través de los siglos. Stanley M. Burgess concluye: «El Espíritu ha sido siempre el "lado oscuro de la luna" en la teología cristiana. Su persona ha sido ignorada por mucho tiempo y su obra no ha sido muy reconocida».[9]

Si lo que señala Burgess es cierto respecto de la teología cristiana, lo es muchísimo más en relación con la historiografía cristiana. El Espíritu Santo ha sido el gran ausente en los estudios de historia del cristianismo. Si la obra de Lucas, en lugar de llevar por título «Los Hechos del Espíritu Santo», como debiera, ha sido injusta y equivocadamente titulada «Los

---

7. La expresión «padres de la iglesia» se refiere especialmente a aquellos escritores cristianos que se caracterizaron por expresar sus enseñanzas dentro de lo que se consideraba era la doctrina ortodoxa («sana doctrina») de la Iglesia. Se destacaron por su santidad de vida, la aprobación colectiva de sus escritos y su antigüedad. Por «antigüedad» se entiende el período que va desde fines del primer siglo hasta Gregorio el Grande (604) o Isidoro de Sevilla (636) en Occidente, y Juan Damasceno (749) en el este.

8. Eusebius A. Stephanou, «The Charismata in the Early Church Fathers», *The Greek Orthodox Theological Review* 21, Summer 1976, 125-146.

9. Stanley M. Burgess, *The Holy Spirit: Ancient Christian Tradition* Hendrickson Publishers, Peabody, Mass. 1994, 1.

Hechos de los Apóstoles», los historiadores que le siguieron desde Eusebio de Cesarea en adelante han cometido el mismo error. En lugar de honrar a quien da sentido y poder a la Iglesia, se han limitado a dar gloria y lustre a obispos y reyes, papas y monjes, y a exaltar el desarrollo de instituciones y organizaciones humanas.

Este desplazamiento del Espíritu Santo y su rol protagónico como capacitador de la Iglesia en el cumplimiento de su misión de proclamar el advenimiento del Reino de Dios, se ha debido a muchos factores, entre los cuales cabe mencionar las conclusiones a las que ha llegado el cesacionismo y el dispensacionalismo.

El cesacionismo

El concepto cesacionista afirma que los dones espirituales enumerados por el apóstol Pablo en 1 Corintios 12 y otros carismas y manifestaciones del Espíritu Santo no permanecieron en ejercicio en la Iglesia a partir de fines del primer siglo. Este concepto cesacionista comienza a aparecer una vez que el cristianismo logra asentarse y ganar reconocimiento en el ámbito del Imperio Romano. A medida que la Iglesia fue creciendo en poder y autosuficiencia con el respaldo del Estado (desde Constantino en adelante), fue perdiendo poco a poco su confianza en lo sobrenatural y milagroso. La iglesia comenzó a descansar más y más en el ritual y los sacramentos como las expresiones más adecuadas de la fe cristiana, y en la introducción del fetichismo y el sacerdotalismo como administradores del poder divino.

El movimiento de renovación representado por el montanismo, hacia fines del segundo siglo, significó un intento por recuperar el ejercicio de los dones del Espíritu y volver a la confianza en su poder. Pero el montanismo fue condenado como hereje por la iglesia ya establecida. La causa principal de este rechazo no fue el ejercicio de los carismas, sino la aparente pretensión de Montano de que sus declaraciones eran iguales en autoridad a las de las Escrituras. Como reacción al montanismo y sus supuestos excesos, muchos comenzaron a afirmar que los carismas más sensacionales habían terminado con el completamiento del canon escriturario. Esta fue la opinión de Agustín de Hipona (354-430) y de muchos otros teólogos en los siglos que siguieron. Sobre la cuestión de las lenguas, dice Agustín:

> En los comienzos de la Iglesia, el Espíritu Santo cayó sobre los creyentes, y ellos hablaron con lenguas no aprendidas, según el Espíritu les daba que hablasen. Esto fue una señal, adecuada para ese tiempo: todas las lenguas del mundo eran un significado adecuado del Espíritu Santo, porque el evangelio de Dios iba a tener su curso a través de toda lengua en todas las partes de la tierra. La señal fue dada y luego pasó. Nosotros ya no esperamos que aquellos sobre quienes la mano es impuesta para que puedan recibir el Espíritu Santo, hablarán con lenguas. Cuando impusimos nuestras manos sobre estos «infantes», los recién nacidos miembros de la Iglesia, ninguno de vosotros (pienso) esperó ver si ellos hablarían con lenguas, o viendo que no lo hicieron, tuvo la perversidad de argüir que ellos no habían recibido el Espíritu Santo, porque si ellos lo hubieran recibido, habrían hablado en lenguas como sucedió al principio.[10]

En cuanto a los otros dones extraordinarios del Espíritu, la «teoría cesacionista» de Agustín tuvo mucha influencia sobre las generaciones subsiguientes de teólogos. Agustín afirma: «¿Por qué, se pregunta, los milagros no ocurren en nuestros días, así como ocurrieron en tiempos anteriores? Yo podría responder que ellos fueron necesarios entonces, antes de que el mundo llegara a creer, en orden a ganar la fe del mundo.[11]

---

10. Citado en Warren Lewis, *Witnesses to the Holy Spirit,* Judson Press, 1978, 121.
11. *Ibid.,* p. 122.

De esta manera, la cesación de los carismas se transformó en una parte de la teología clásica de la Iglesia.

Vinson Synan comenta sobre el particular:

> La exagerada reacción al montanismo, que llevó a la creencia de que los carismas terminaron con la edad apostólica continuó hasta tiempos modernos. Si bien la Iglesia Católica Romana dejó la puerta abierta para los milagros en las vidas de ciertos santos (algunos pocos de los cuales se dice que hablaron en lenguas y produjeron milagros de sanidad), la iglesia tendió más y más a enseñar que los milagros de la edad apostólica terminaron con la iglesia temprana. Con la institucionalización de la Iglesia, los carismas menos espectaculares de gobierno, administración y enseñanza pasaron al frente como los dones más aceptables al alcance de la jerarquía.[12]

La teoría cesacionista recibió su expresión clásica con Juan Crisóstomo, en el siglo IV, a través de sus homilías sobre 1 Corintios 12. Este gran predicador no negaba el ejercicio de los dones en la iglesia de tiempos neotestamentarios, pero sí dejaba en claro que tales carismas habían terminado hacía tiempo. Confesando su ignorancia sobre el tema, Crisóstomo escribió en relación con 1 Corintios 12.4-11:

> Todo este lugar es muy oscuro: pero la oscuridad es producida por nuestra ignorancia de los hechos a los que se hace referencia y a su cesación, siendo que como tales solían ocurrir, pero ahora ya no tienen lugar. ¿Y por qué no ocurren ahora? Porque, mirad ahora, la causa de la oscuridad también ha producido en nosotros otra pregunta: esto es, ¿por qué ocurrieron entonces, y ahora no lo

---

12. Vinson Synan, *In the Latter Days: The Outpouring of the Holy Spirit in the Twentieth Century*, Servant Books, Ann Arbor, MI, 1984, 28.

hacen más?... Bien, ¿qué fue lo que pasó entonces? Quienquiera que era bautizado hablaba inmediatamente en lenguas y no solo con lenguas, sino que muchos también profetizaban, y algunos hacían muchas obras maravillosas... pero más abundante que ninguna otra cosa era el don de lenguas entre ellos.[13]

Los reformadores del siglo XVI respondieron a la demanda de los católicos romanos de presentar milagros como evidencias de autenticidad, utilizando los argumentos clásicos elaborados por Agustín y Crisóstomo. Para los protestantes del siglo XVI, todas las manifestaciones sobrenaturales del Espíritu Santo habían cesado. Desde la Reforma en adelante, entonces, destacados teólogos protestantes popularizaron el concepto de que la obra del Espíritu Santo y sus manifestaciones quedaron reducidas a la predicación y enseñanza de la Palabra de Dios. Según ellos, los dones, señales, prodigios, milagros y maravillas dejaron de tener vigencia antes de que el primer siglo terminara. La acción poderosa del Espíritu quedaba reducida, de este modo, a una tarea de iluminación de la Palabra por Él inspirada. Según Lutero:

El Espíritu Santo es enviado de dos maneras. En la iglesia primitiva Él fue enviado de una manera visible y manifiesta. Es así como descendió sobre Jesús en el Jordán en la forma de una paloma (Mateo 3.16), y sobre los apóstoles y otros creyentes en la forma de fuego (Hechos 2.3). Este fue el primer envío del Espíritu Santo; esto fue necesario en la iglesia primitiva, que tenía que establecerse con señales visibles por causa de los incrédulos, como testifica Pablo. 1 Corintios 14.22: «Las lenguas son para señal, no para los que creen sino para los incrédulos». Pero más tarde, cuando

---

13.   Juan Crisóstomo, *Homilías sobre las Epístolas de Pablo a los Corintios*, Homilía 29.1.

la Iglesia hubo sido reunida y confirmada por estas señales, no hubo necesidad de que continuara este envío visible del Espíritu Santo.[14]

Esta era la posición de Martín Lutero, quien abiertamente rechazó a los *Schwärmer* o entusiastas de sus días. Estos entusiastas insistían en el ejercicio y la vigencia de algunos dones espirituales, especialmente el de profecía, y enseñaban que la «voz interior» del Espíritu debía ser más seguida que la «voz exterior» de las Escrituras.[15] Siguiendo el énfasis luterano sobre la *sola scriptura*, Adolf von Harnack señala que dones como el de profecía cesaron con el establecimiento del canon. Dice él:

> El Nuevo Testamento, si bien no todo al mismo tiempo, puso fin a la situación en la que era posible para cualquier cristiano bajo la inspiración del Espíritu dar revelaciones o instrucciones autoritativas. Del mismo modo, previno la creencia en las creaciones fantasiosas con las que tales hombres enriquecieron la historia del pasado, y destruyó sus pretensiones de leer el futuro. Así como la creación del canon, si bien no de manera tajante y rápida, fijó el período de la producción de los hechos sagrados, del mismo modo descalificó para la fe pública toda pretensión de profecía cristiana.[16]

Esta oposición o confrontación entre Escritura y Espíritu, que termina por afirmar que la profecía inspirada no puede coexistir con un canon escriturario inspirado, ha sido sostenida por muchos autores, con posterioridad a la Reforma. Según algunos, toda inspiración del Espíritu terminó una vez que las

---

14. Citado en Lewis, *Witnesses to the Holy Spirit*, 173.
15. Latourette, *Historia del cristianismo*, 2:72.
16. Adolf von Harnack, *History of Dogma*, 7 vols. Russell and Russell, Nueva York, 1958, 2:53.

escrituras del Nuevo Testamento quedaron terminadas y su canon fue establecido.[17]

La fuerte convicción de Lutero y del protestantismo en general sobre la autoridad de la Biblia ha continuado hasta nuestros días entre los evangélicos. Pero en algunos casos, el énfasis sobre la proclamación de la Palabra ha ido acompañado de un concepto cesacionista en cuanto a los dones y otras manifestaciones del Espíritu Santo. Se afirma que las señales, prodigios y maravillas que ocurrieron durante el primer siglo cristiano, según testifica el Nuevo Testamento, ya no ocurren o han dejado de ser necesarios. Se dice que con el completamiento de los escritos neotestamentarios y la fijación de su canon ya tenemos todo lo que hace falta para la fe y la práctica cristianas. Por otro lado, tales manifestaciones carismáticas quizás fueron necesarias para autenticar los comienzos del testimonio cristiano en el mundo, pero al haber encontrado su lugar en la historia, el cristianismo ya no requiere de tales demostraciones de poder. Su poder ahora está en el testimonio fiel de la Iglesia, en conformidad con la Palabra escrita en la Biblia.

Vinson Synan concluye: «A través de los siglos, entonces, la cristiandad, en sus ramas católica romana y protestante, adoptó el concepto de que los dones sobrenaturales y espectaculares del Espíritu habían terminado con la iglesia temprana y que, con el completamiento del canon inspirado de las escrituras, jamás volverían a ser necesarios».[18]

Como se indicó, esta posición ha tenido voceros desde la Reforma hasta nuestros días.

Entre los más recientes cabe mencionar a Benjamín B. Warfield (1851-1921), profesor de teología en el Seminario Teológico de Princeton. Warfield se oponía terminantemente a todo tipo de experiencia religiosa que pretendiera algún

---

17. Véase Edwin Cyril Blackman, *Marcion and His Influence*, SPCK, Londres, 1948, p. 33-35; y Robert M. Grant, *The Letter and the Spirit*, Macmillan, Nueva York, 1957, p. 75.

18. Synan, *In the Latter Days*, 30.

grado de revelación o inspiración divina. De igual modo,
descalificaba el ejercicio de todo don espiritual especial. Para
él este tipo de experiencias eran pobres substitutos subjetivos
de la autoridad e integridad de las Escrituras. Warfield admitía
que se podía caracterizar a la iglesia apostólica como una iglesia
en la que operaban los milagros y otras manifestaciones del
Espíritu. Pero, se pregunta: «¿Cuánto tiempo continuó este
estado de cosas?» Su respuesta es:

> Esta fue la peculiaridad característica de específicamente la
> iglesia apostólica, y, por lo tanto, pertenecía exclusivamen-
> te a la edad apostólica... Estos dones... fueron distintiva-
> mente la autenticación de los apóstoles. Fueron parte de
> las credenciales de los apóstoles como los agentes autori-
> zados de Dios para la fundación de la Iglesia. Su función,
> pues, los confina distintivamente a la iglesia apostólica, y
> necesariamente pasaron con ella.[19]

Según Warfield, si hubo algún tipo de manifestación de tipo
sobrenatural, esta no debe ser considerada como acción del
Espíritu Santo, sino como supersticiones propias de la cultura
greco-romana pagana inyectadas dentro de la iglesia. Si bien es
cierto que muchas supersticiones paganas se introdujeron en la
Iglesia alrededor y antes del año 200, esto no es un argumento
convincente para descalificar la validez y operación de los dones
y manifestaciones del Espíritu para ese tiempo, ni fundamento
para afirmar que los mismos cesaron con el fin de la era apostólica. Como se verá más adelante, los operaciones del Espíritu
fueron muy importantes en el período apostólico, pero no
estuvieron limitadas al mismo. Lo que Pablo afirma en 1 Corintios
13.8-12, no fundamenta la cesación de los carismas con el fin de
la era apostólica o el completamiento del canon, como afirma
Warfield, sino que señala a la Segunda Venida de Cristo como

19. Benjamin B. Warfield, *Counterfeit Miracles*, Charles Scribner's Sons,
Nueva York, 1918, 5-6.

el tiempo cuando la necesidad del ministerio de los dones llegará a su fin. La información histórica sugiere que el flujo inicial de la obra poderosa del Espíritu sobrevivió a los apóstoles por varias generaciones.

No obstante, los voceros del cesacionismo han insistido en negar todo testimonio de manifestaciones externas o internas de la acción del Espíritu Santo, como espúreo o falso. En un libro muy apreciado como de especial valor en cuanto a la doctrina del Espíritu Santo desde una perspectiva evangélica, su autor, George Smeaton, se pregunta:

> ¿Se le garantiza a la Iglesia que espere algunas revelaciones inmediatas o visiones proféticas adicionales, después de que el canon de la Escritura fue cerrado? La Iglesia antigua, en contra de los montanistas, respondió en la negativa. No se trató de la cuestión de lo que Dios puede hacer, sino de si Él comunica algunas revelaciones adicionales del consejo de su voluntad, además de la palabra escrita. Y la discusión de esta cuestión con los montanistas ancló a la Iglesia en la convicción de que es temerario e injustificable esperar cualquier manifestación extra del Espíritu de Dios, y que las revelaciones inmediatas deben ser vistas más bien como emanando del adversario disfrazado de ángel de luz. Al argumento de que la Iglesia debe gozar de los dones milagrosos extraordinarios, y de que ella los ha perdido por su propia falta y a través de su propia incredulidad, la respuesta entonces dada fue que los dones extraordinarios jamás fueron prometidos a la Iglesia como una herencia permanente, con posterioridad al cierre del canon. Y ese tipo de argumento ha sido confirmado por la experiencia inquebrantable de casi dos milenios, que testifican que ellos fueron quitados, y que no deben ser considerados como perdidos por su propia falta.[20]

---

20. George Smeaton, *The Doctrine of the Holy Spirit*, The Banner of Truth Trust, Londres, 1961, 266-267.

La conclusión de Smeaton (que publicó su libro por primera vez en 1882) ha ejercido una notable influencia en los medios evangélicos y en su interpretación de la vigencia de las manifestaciones del Espíritu Santo. Algunos historiadores, sin mucho análisis crítico y guiados por preconceptos o planteos *a priori* (como el dispensacionalismo), han llegado a conclusiones similares. A principios de siglo, Samuel G. Green escribió:

> Cuando emergemos en el segundo siglo, estamos, en buena medida, en un mundo cambiado. Ya no está vigente la autoridad apostólica en la comunidad cristiana; los milagros apostólicos han pasado... No podemos dudar de que había un propósito divino en separar la era de la inspiración y los milagros del tiempo subsiguiente, con una línea de límite tan amplia y definida.[21]

En realidad, más que un testimonio de cesación de los carismas, lo que encontramos en los padres de la iglesia es evidencia del creciente choque entre un orden eclesiástico en proceso de institucionalización y el espíritu de profecía inspirada y otros dones espirituales que luchaban por sobrevivir. En otros términos, lo que vemos es el testimonio siempre presente, a lo largo de toda la historia del cristianismo, de la tensión entre lo objetivo y lo subjetivo de la fe, entre el dogma doctrinal y la experiencia religiosa, entre el dominio de la razón y la vivencia de la fe. No obstante, como se verá más adelante, «antes de Juan Crisóstomo (A.D. 347-407) en el este y Agustín de Hipona (A.D. 354-430) en el oeste, ningún padre de la iglesia sugirió que alguno o todos los carismata fueron solo para la iglesia del primer siglo».[22]

---

21. Samuel G. Green, *Handbook of Church History: From the Apostolic Era to the Dawn of the Reformation*, Religious Tract Society, Londres, 1907, 22.
22. Burgess, *Ancient Christian Traditions*, 14.

El dispensacionalismo

En el último siglo, los argumentos cesacionistas han estado ligados fundamentalmente a una aproximación dispensacionalista de la historia. El dispensacionalismo es esa corriente teológica que interpreta la historia humana como dividida en diferentes etapas o dispensaciones. Cada una de ellas es caracterizada con matices particulares. En cada dispensación, Dios actúa de manera diferente. Como doctrina teológica plenamente articulada, el dispensacionalismo es relativamente reciente. Generalmente viene acompañado de una escatología premilenialista. El dispensacionalismo moderno ha sido desarrollado por J. Nelson Darby (1800-1882), uno de los fundadores de la denominación de los hermanos libres, a principios del siglo pasado. Esta corriente se popularizó en los círculos conservadores y fundamentalistas de los Estados Unidos, gracias a las anotaciones de Cyrus Ingerson Scofield (1843-1921) y C.C. Ryrie en sus correspondientes ediciones de la Biblia, y sus muchas publicaciones. También encontró eco en el Seminario Teológico de Dallas (Texas) y en el Instituto Bíblico Moody (Chicago).

Dentro del marco dispensacionalista, el rol de Dios y lo sobrenatural es plenamente reconocido. En este sentido, este acercamiento es «evangélico», con una alta valoración de la doctrina de la revelación de Dios en las Escrituras. Es precisamente por el hecho de que los milagros y carismas del Espíritu en la Biblia son tomados con tanta seriedad, que la teoría dispensacionalista considera que los mismos están ausentes en la Iglesia hoy.

El argumento dispensacionalista sobre las manifestaciones del Espíritu Santo es básicamente el siguiente. Dios adopta una estrategia y una metodología diferentes en las diversas eras o dispensaciones de la historia. Estas dispensaciones son descritas con gran detalle, y entre los dispensacionalistas se da una gran variedad en cuanto a su número y las líneas divisorias entre ellas. Sin embargo, un elemento común a las varias interpretaciones es una aguda división entre la era neotestamentaria o dispensación apostólica y el resto de la historia de la iglesia. Esta línea divisoria marca el límite entre lo milagroso y lo no milagroso.

Los dispensacionalistas, que sostienen un concepto cesacionista, enseñan que Dios utilizó las señales sobrenaturales y los milagros con el propósito de establecer su iglesia y autenticar la predicación del evangelio por los apóstoles. Las señales, prodigios y milagros del Espíritu, en consecuencia, estuvieron limitados a ese período particular de la historia. Los así llamados «dones extraordinarios» cesaron con la muerte del último apóstol, allá por los años 100 a 150. Según otros, tal cesación ocurrió cuando el canon de las Escrituras fue completado en el tercer o cuarto siglo.

Con increíble ingenuidad histórica y con una exégesis deficiente, las palabras de 1 Corintios 13.10 son tomadas para fundamentar esta posición: «Mas cuando venga lo perfecto (el canon de las Sagradas Escrituras), entonces lo que es en parte (los dones y manifestaciones del Espíritu) se acabará». Está demás decir que muchos exégetas modernos están convencidos de que «lo perfecto» (*téleios*) se refiere a encontrarse cara a cara con Jesucristo en su Segunda Venida y no al cierre del canon escriturario, como arbitrariamente arguyen algunos dispensacionalistas.

Como ya se indicó, tanto Lutero como Calvino afirmaron la cesación de los milagros. Parece ser que ambos estaban interesados, por un lado, en contrarrestar los excesos de los radicales anabautistas, que pretendían tener revelaciones «extra-bíblicas» especiales. Por el otro lado, querían rechazar las pretensiones supuestamente supersticiosas de los católicos romanos, que afirmaban la realidad de milagros sobrenaturales asociados a determinados santuarios o reliquias de santos.

Sin embargo, la cuestión no está lo suficientemente clara. El propio Lutero dio testimonio de la sanidad milagrosa de Felipe Melanchton, después de que él había orado personalmente por la restauración de su amigo. Calvino, en el prefacio de sus *Instituciones*, le escribe al rey católico de Francia, Francisco I, que los protestantes también tienen milagros para mostrar. Dice el reformador ginebrino: «Porque nosotros no nos inventamos otro nuevo evangelio, mas retenemos aquel mismo para confirmación de cuya verdad sirven todos los milagros que alguna vez Cristo o sus discípulos hicieron... Así que no nos faltan milagros y muy ciertos, y de quien ninguno se debe mofar».[23]

En general, alguna forma de semi-dispensacionalismo prevaleció en la mayoría de las filas protestantes. Esto sirvió como una explicación por las diferencias marcadas entre la vida de las iglesias de los tiempos neotestamentarios y las iglesias de otros períodos históricos. Calvino mismo sostenía una postura cesacionista. Según él: «Al presente ha cesado aquella gracia de sanar enfermos, como también los demás milagros que el Señor quiso prolongar durante algún tiempo para hacer la predicación del evangelio —que entonces era nueva admirable— siempre».[24] De modo que el reformador ginebrino indicaba que dones como el de sanidad y otros poderes milagrosos habían sido concedidos temporariamente por el Señor a sus seguidores, para hacer que la nueva predicación del evangelio resultase maravillosa. «Nada nos queda a nosotros al presente», agregaba él, «ya que no nos es concedida la administración de las [tales] virtudes».[25]

En el cristianismo posterior a la Reforma, se presenta una clara excepción con el fundador del metodismo, Juan Wesley (1703-1788), quien rechazó el concepto de que la declinación en la manifestación de algunos de los dones del Espíritu se debía al hecho de que ya no había necesidad de ellos, en razón de que todo el mundo era cristiano. Precisamente, una teoría popular durante el siglo XVIII fue que este era el caso. Wesley, más bien, consideró que esta cesación estaba asociada a la pobre condición espiritual de la Iglesia, cuyo amor se había

---

23. Juan Calvino, *Institución de la religión cristiana*, Nueva Creación, Buenos Aires y Grand Rapids, Mich, 1988, xxx-xxxi.
24. *Ibid.*, libro 4, cap. 19.18.
25. *Ibid.*

enfriado y que solo conservaba las formas muertas del cristianismo. Incluso, Wesley escribió una réplica al tratado de Conyers Middleton (1683-1750), que argumentaba en favor de la cesación de los dones extraordinarios del Espíritu, citando los milagros entre los hugonotes franceses del Cevennes y otros ejemplos contemporáneos.[26]

No obstante, el espíritu general del dispensacionalismo finalmente prevaleció también en el metodismo, la rama más joven e importante del protestantismo de aquel entonces. Con el tiempo, la falta de sanidades y milagros extraordinarios llegó a ser considerada como una virtud que otorgaba una forma de fe más alta o superior, una fe «pura» que no necesita de manifestaciones asombrosas del Espíritu Santo, es decir, una fe que no necesita «ver para creer».

Más tarde, se construyó una «doctrina» (dispensacionalismo) para confirmar y justificar la experiencia contemporánea de la Iglesia. La Biblia misma no ofrece indicios de divisiones en términos de dispensaciones. Tampoco justifica la división de los dones espirituales en permanentes y temporarios. Y mucho menos afirma que prodigios, señales, maravillas y milagros tengan alguna fecha de cesación.

Debido a su idea preconcebida de que las manifestaciones sobrenaturales del Espíritu Santo ya no ocurren, los dispensacionalistas son frecuentemente los primeros en denunciar como fraudulento, falso o demoníaco a cualquier fenómeno de tal índole que se atribuya a la acción del Espíritu. Para ellos, todas

---

26. Véase Conyers Middleton, *A Free Inquiry into the Miraculous Powers Which Are Supposed to Have Subsisted in the Christian Church from the Earliest Ages Through Several Successive Centuries, by Which It Is Shown That We Have No Sufficient Reason to Believe, Upon the Authority of the Primitive Fathers, That Any Such Powers Were Continued to the Church, After the Days of the Apostles*, Sherwood and Co., Londres, 1748. Y también su *Introductor Discourse*, Londres, 1747. Sobre la reacción de Wesley hacia Middleton, véase Frederick J. Snell, *Wesley and Methodism*, Charles Scribner's Sons, Nueva York, 1900, 151-155.

las sanidades, milagros, prodigios y maravillas que puedan suceder son falsos y no deben ser atribuidos a la operación del Espíritu Santo, pues tal obra sobrenatural ha cesado hace ya mucho tiempo. De hecho que con tal postura no dejan de prestar un buen servicio a la Iglesia, al advertirnos contra la credulidad y la aceptación ingenua de cualquier fenómeno sobrenatural como obra del Espíritu. Pero en su rechazo de toda posibilidad de acción poderosa del Espíritu Santo en el día de hoy, desafortunadamente son culpables de tirar la naranja junto con la cáscara.

Destacados pastores y maestros han seguido, sin mayor consideración crítica, estas conclusiones, generalmente ligando su discusión con la experiencia montanista y su descalificación histórica. Así hace W.A. Criswell, quien afirma que los dones milagrosos y sobrenaturales de los apóstoles cesaron con la muerte de estos. «Cuando los apóstoles murieron, los dones maravillosos concedidos a ellos también murieron».[27] Criswell fundamenta esta afirmación en lo que, según él, dicen «los libros de historia». Conforme esos mismos libros, ya no había dones espirituales ni manifestaciones del Espíritu Santo en los días de Policarpo, Papias, y otros, es decir, en los días de los discípulos de los apóstoles. Y el montanismo no fue sino un intento fallido de restauración de tales manifestaciones sobrenaturales.

Para Criswell, «los libros de historia» han dejado claras dos conclusiones. La primera tiene que ver con la finalidad de las Escrituras. Al quedar cerrado el texto y el canon bíblicos, la obra del Espíritu Santo se limita a una acción de iluminación, sin conceder nuevas revelaciones. La segunda tiene que ver con la cesación de los dones milagrosos concedidos a los apóstoles. Al argumento montanista de que los dones y señales debían continuar por siempre, las iglesias respondieron que jamás se le prometió a la iglesia que esas manifestaciones serían su herencia permanente. Según Criswell:

---

27. W.A. Criswell, *The Holy Spirit in Today's World*, Zondervan, Grand Rapids, 1967, 18.

Después del cierre del canon, y después de la muerte de los apóstoles, esos poderes maravillosos, tales como la capacidad de resucitar a los muertos, cesaron. La obra del Espíritu Santo se tornó primariamente la obra de iluminación de la Palabra de Dios, regeneración del alma, y formación de la vida y mente de Cristo en el corazón del creyente individual.[28]

Más recientemente, este tipo de argumentación cesacionista-dispensacionista ha encontrado en John F. MacArthur a un vocero muy influyente. En su ataque al movimiento carismático, MacArthur arguye que los apóstoles fueron una casta muy especial, y que no tuvieron sucesores. Sus nombres son únicos, su oficio es único, su ministerio es único y los milagros que hicieron son únicos. «La era de los apóstoles y lo que ellos hicieron es pasado. Nada semejante será visto nuevamente hasta que Dios hable nuevamente en su Reino (véase Hechos 2.17-21; Apocalipsis 11)». Según él, pues, la era apostólica fue única y terminó. Tres veces en una sola página afirma esto, y declara: «Lo dice la historia, lo dice Jesús, lo dice la teología, y el Nuevo Testamento mismo testifica del hecho». Y agrega: «Lo que sucedió entonces no debía ser la norma para las generaciones siguientes de cristianos».[29]

¿Qué dice la historia del cristianismo?

A partir de Pentecostés, la historia del cristianismo registra múltiples instancias de manifestaciones del Espíritu Santo. El testimonio de estas manifestaciones es bastante abundante. No obstante, la comprensión de cada una de ellas, como evidencias de la operación del Espíritu, no siempre es clara. Por cierto, no todas las manifestaciones de carácter carismático que se

---

28. *Ibid.*, 19.
29. John F. MacArthur, *The Charismatics: A Doctrinal Perspective*, Zondervan, Grand Rapids, 1979, 83. Hay traducción castellana de este libro.

dieron ocurrieron dentro de un contexto regido por una fe católica u ortodoxa. Algunas estuvieron asociadas a herejías que la cristiandad católica (en el sentido del cristianismo histórico, ortodoxo y universal) rechazó firmemente. Pero en otros casos, las expresiones pentecostales fueron conforme a las pautas bíblicas y en el marco de la sana doctrina neotestamentaria.

La información bíblica no puede ayudarnos en este estudio histórico, ya que consideraremos el desarrollo posterior a los apóstoles. Pero la Biblia sí debe servirnos como norma para evaluar cada movimiento. Lo que nos interesa en este libro es rastrear en la historia de los primeros cuatro siglos de testimonio cristiano, aquellas manifestaciones poderosas del Espíritu Santo, que son similares a las que testifican los documentos del Nuevo Testamento. Por cierto, se trata de aquellas operaciones que son muy anteriores al surgimiento del pentecostalismo y el movimiento carismático y de renovación, pero que también están testificadas a lo largo de toda la historia del cristianismo. Estas realidades en la vida y experiencia de la Iglesia a través de los siglos no siempre han recibido suficiente atención por parte de los historiadores, si es que se le ha prestado alguna atención. Es sorprendente cómo se ha historiado acerca de concilios, papas, obispos y grandes teólogos y eclesiásticos, pero no se ha prestado atención al Espíritu Santo y su acción a través del tiempo. El nacimiento del pentecostalismo en la primera parte de este siglo y su vigoroso crecimiento ha provocado un nuevo interés por los fenómenos «entusiastas» y «carismáticos» en la historia del cristianismo. Igual efecto ha tenido más recientemente el surgimiento del movimiento carismático, la creciente influencia de las «iglesias de la tercera ola», y lo que se conoce hoy como las iglesias del nuevo paradigma apostólico o de la reforma apostólica.

La impresión sorprendente que queda, una vez que se analiza la evidencia de las fuentes primarias de la historia del cristianismo, es que la acción del Espíritu Santo, a lo largo de los siglos inmediatamente posteriores a los tiempos apostólicos, es la misma que la que testifican las páginas del Nuevo

Testamento. Aun admitiendo la evidente diferencia que existe entre el testimonio neotestamentario de esa obra y el inmediato posterior a la era apostólica, sorprende, por ejemplo, la profunda consciencia que la iglesia postapostólica tenía de las manifestaciones del Espíritu. Esto es así si se toma en cuenta los hechos de poder sobrenatural atribuidos a la operación del Espíritu Santo, tales como los milagros y prodigios. Como bien observa Harold Remus: «Considerando las creencias acerca del milagro, la afirmación de que "nada hay imposible para Dios" es prominente en el cristianismo temprano».[30]

Los carismas, especialmente el de profecía, continuaron a lo largo del período postapostólico y después del establecimiento del canon. Si hubo alguna declinación en su ejercicio, esto resultó del proceso de institucionalización de la Iglesia y de la creciente autoridad de los obispos, que comenzaron a concentrar en ellos el ejercicio de todos los dones y, en particular, el don profético.[31]

Hacia fines del segundo siglo, comienzan a verse las primeras manifestaciones del inexorable proceso de institucionalización de la Iglesia. Este proceso tuvo enormes consecuencias sobre la manera en que los creyentes interpretaron la acción del Espíritu Santo. Como señala Harold Remus:

Lo que había sido aceptable para el naciente cristianismo del primer siglo en Grecia y Asia Menor, donde las nuevas

30. Harold Remus, *Pagan-Christian Conflict Over Miracle in the Second Century* The Philadelphia Patristic Foundation, Cambridge, Mass., 1983, 86. Además de las referencias en el Antiguo Testamento (Job 42.2) y en el Nuevo Testamento (Mateo 19.26; Marcos 10.27; 14.36; Lucas 1.37: 18.27; Romanos 4.21), véase los escritores del siglo I y II citados en Henry Chadwick, «Origen, Celsus, and the Resurrection of the Body», *Harvard Theological Review* 41, April 1948, 84; y Robert M. Grant, *Miracle and Natural Law in Graeco-Roman and Early Christian Thought North-Holland Publishing Co., Amsterdam, 1952, 127-134.*

31. Véase James L. Ash, Jr., «The Decline of Ecstatic Prophecy in the Early Church», Theological Studies 36, junio 1976, 250.

revelaciones y manifestaciones y declaraciones neumáticas no eran extrañas, la forma de gobierno era fluida, y la relación con la cultura greco-romana y el Imperio todavía estaban en buena medida indefinidas, es inaceptable para el cristianismo troncal en la segunda mitad del segundo siglo a medida que este procuraba acomodarse a esa cultura y al Imperio y colocaba cada vez más la autoridad divina y la posesión del Espíritu en sus líderes que estaban en línea con la sucesión de los apóstoles.[32]

No obstante, Everett R. Kalin ha demostrado que los Padres Apostólicos entendían que la obra de inspiración del Espíritu Santo no había cesado con el cierre del canon bíblico.[33] Este autor señala que, si bien los Padres afirman la inspiración divina de las Escrituras, también indican que otros escritos cristianos estaban inspirados. El canon era único, pero no porque fuese el único escrito inspirado. Obispos, monjes, mártires, concilios, intérpretes de la Biblia, diversos dones proféticos y varios otros aspectos de la vida de la Iglesia también eran considerados como inspirados.[34] Kalin concluye que la iglesia antigua no distinguía entre la edad apostólica y los siglos subsiguientes en cuanto a la obra del Espíritu Santo. La iglesia antigua, dice él:

Se veía como viviendo bajo la inspiración contínua del Espíritu Santo que fue derramado en Pentecostés. Tomó seriamente la promesa dada en el capítulo 16 del Evangelio

---

32. Remus, *Pagan-Christian Conflict over Miracle*, 180-181.
33. Everett R. Kalin, «The Inspired Community: A Glance at Canon History», *Concordia Theological Monthly* 43, septiembre 1971, 541-549. La frase «Padres Apostólicos» se refiere a los escritores de fines del primer siglo y del siglo II que siguieron inmediatamente a los redactores del Nuevo Testamento. Su audiencia y propósito se parecen mucho a los de las epístolas pastorales de las escrituras canónicas y algunas de sus obras fueron alguna vez consideradas parte del Nuevo Testamento.
34. *Ibid.*, 547.

de Juan: «Cuando venga el Espíritu de verdad, Él os guiará a toda la verdad». Aquella comunidad no creía que la canonización de las Escrituras había cancelado esa promesa. Los cristianos primitivos no tenían problema en creer que los documentos del Nuevo Testamento fueron dados por inspiración de Dios. Después de todo, ellos sabían que tales documentos surgieron de su propia vida de confesión de Jesucristo bajo la dirección del Espíritu, y se reconocían como una comunidad inspirada.[35]

En un tiempo cuando la doctrina del Espíritu Santo no estaba todavía elaborada, «la conciencia cristiana se daba cuenta de la importancia enorme de la obra cumplida por el Espíritu en la vida de la Iglesia y de sus miembros».[36] Esta conclusión no solo surge de la consideración objetiva de la evidencia histórica, sino también de un cambio en el planteo teológico y hermenéutico sobre la cuestión.

Desde el punto de vista teológico, cabe plantear la cuestión del carácter apostólico de la misión de la Iglesia. Los cesacionistas, en general, afirman la terminación del ministerio apostólico con la muerte del último de los apóstoles. Con ello terminan por negar tácitamente el carácter apostólico de la Iglesia de Jesucristo. La Iglesia hoy cuenta con una autoridad apostólica, que emana de una doble fuente: su sujeción a la autoridad de las Escrituras apostólicas del Nuevo Testamento y su vivencia del poder apostólico por la operación del Espíritu Santo. La Iglesia, como fuerza del Espíritu, predica el mensaje apostólico registrado en las páginas bíblicas con denuedo, mientras el Señor acompaña y autentica su palabra con las señales y milagros de la acción sobrenatural del Espíritu Santo. No hay razón lógica para pensar que hoy las cosas son diferentes de ayer, cuando el Señor que predicamos y a quien servimos «es el mismo ayer, y hoy, y por los siglos» (Hebreos 13.8).

---

35. *Ibid.*
36. Swete, *The Holy Spirit in the Ancient Church*, 6.

Por otro lado, el carácter apostólico de la misión de la Iglesia no quedó limitado a un determinado número de personas que vivieron hace dos mil años atrás. Las necesidades humanas siguen siendo las mismas y tan demandantes como entonces. Y la respuesta de la fe no ha cambiado. Las personas hoy siguen necesitando salvación, sanidad, liberación, consejo sabio, dirección y esperanza, todo lo cual puede ser satisfecho por la obra del Espíritu Santo a través de los testigos de Cristo. Limitar su acción a una tarea de iluminación de las Escrituras es pensar que Él solo tiene que ver con la satisfacción de necesidades intelectuales y no con la totalidad de la vida humana. Una comprensión integral del evangelio demanda de la afirmación de una acción integral y poderosa del Espíritu Santo, tal como ocurrió en los días neotestamentarios.

Además, es necesario un nuevo planteo hermenéutico. El cesacionismo está ligado estrechamente con ciertas aproximaciones a la historia y a la Palabra de Dios. El fundamentalismo, el dispensacionalismo, el racionalismo, el liberalismo teológico, el cientificismo, el humanismo secularizado, entre otros planteos, han descalificado la acción del Espíritu Santo en base a esquemas teóricos apriorísticos, conforme a su particular visión de la realidad y de la fe cristiana. En todos estos casos, todo lo subjetivo y que se manifiesta en el plano de la experiencia queda descalificado por definición. De manera sumaria, cualquier experiencia que no encaja en ciertos cánones preestablecidos es calificada de fraude, engaño, fantasía, histeria o exceso emocional, cuando no se la encasilla como manifestación demoníaca.

Quienes critican con acidez la convicción y práctica de los que afirman la vigencia de los carismas y otras manifestaciones del Espíritu y las condenan como «subjetivismo», no siempre aplican la misma agudeza crítica para evaluar sus propias presuposiciones subjetivas. Como señala Stanley M. Burgess:

> Los cesacionistas protestantes han estado influidos por el Iluminismo, o la Edad de la Razón, que ha llevado a muchos a negar la validez de cualquier cosa en la historia cristiana

que cae fuera de las categorías aceptadas de la racionalidad.
Esto ha resultado en una «limpieza» de la historia religiosa,
purgándola de toda traza de «entusiasmo» o conducta no
racional y de todos los informes de lo sobrenatural. El
resultado ha sido lo que yo llamo una «demitologización»
de los santos —un intento de negar los muchos relatos en
la tradición cristiana que están llenos con daciones carismáticas, milagros, señales y maravillas.37

Este libro que está en manos del lector representa el
intento de leer el pasado, pero desde una perspectiva diferente,
procurando recuperar el testimonio escondido, negado, mar-
ginado y distorsionado de la acción del Espíritu de Dios a lo
largo de la historia del cristianismo, y particularmente del
cristianismo de los primeros cinco siglos después de los apóstoles. No obstante, la tarea no es fácil. Muchas fuentes son
prejuiciosas en un sentido u otro. Los historiadores pro-caris-
máticos suelen ver antecedentes a su movimiento en cualquier
hecho o fenómeno. Quienes se oponen, solo ven los aspectos
negativos de los fenómenos apuntados. Así, mientras los primeros describen a un período como de gran despertar espiritual, sus oponentes lo ven como un tiempo de división y
confusión para las iglesias, cuando no como un período de
dominio satánico y de fanatismo religioso. Evidentemente,
estas son posiciones extremas. Hay historiadores que han
asumido posturas más balanceadas.38

---

37. Stanley M. Burgess, «Proclaiming the Gospel with Miraculous Gifts in
the Postbiblical Early Church», en *The Kingdom and the Power, ed.* por
Gary S. Greig y Kevin N. Springer Regal Books, Ventura, California,
1993, 279.

38. Véase E. Glenn Hinson, «A Brief History of Glossolalia», en *Glossolalia: Tongue Speaking in Biblical, Historical, and Psychological Perspective*, por Frank Stagg, E. Glenn Hinson y Wayne E. Oates, Abingdon
Press, Nashville, 1967, 45-75; Morton T. Kelsey, *Tongue Speaking: An
Experiment in Spiritual Experience*, Garden City, N.Y., Doubleday,
1964; y L.D. Hart, «A Critique of American Pentecostal Theology»,

E. Glenn Hinson, un destacado historiador bautista, ha presentado una interesante periodización histórica para las manifestaciones del Espíritu en la era postapostólica, siguiendo la imagen de la lluvia que se desarrolla en Joel 2.23-32.[39] En este libro, que es el primero de una trilogía que el autor espera producir, tomaremos, como esquema histórico general, sus cuatro períodos de lluvias tempranas, gran sequía, lluvias tardías y lluvias recientes. No obstante, modificaremos las fechas y períodos sugeridos por Hinson, para ajustarlos a nuestra propia comprensión del desarrollo histórico y el cumplimiento de la profecía bíblica. Por razones de espacio, nos concentraremos en los primeros cinco siglos de testimonio cristiano posteriores a los apóstoles, es decir, en el período de las lluvias tempranas. Es el propósito del autor continuar la investigación y seguir el desarrollo histórico de los períodos siguientes en futuras publicaciones.

Mi sincero deseo es que, después de recorrer las páginas que siguen, el lector alabe con acción de gracias al Señor por la presencia activa de su Espíritu Santo en y a través de su pueblo a lo largo de los dos milenios de testimonio cristiano en el mundo. Si la presente investigación sirve para que caigan las escamas de los ojos de algún hermano o hermana en Cristo, que todavía no conoce el poder de la acción de Dios, tal como se pone de manifiesto por la operación de su Espíritu, me sentiré sumamente satisfecho y gozoso. El Espíritu Santo mismo ha sido muy paciente conmigo para enseñarme, a lo largo de largos años de aridez y esterilidad, que «Jesucristo es el mismo ayer, y hoy, y por los siglos» (Hebreos 13.8). El Espíritu también me ha enseñado que Él mismo, como «el otro Jesús» tampoco ha cambiado en su manera de obrar.

Ph.D. Dissertation, Southern Baptist Theological Seminary, Louisville, Kentucky, 1978.

39. E. Glenn Hinson, «The Significance of Glossolalia in the History of Christianity», en *Speaking in Tongues: Let's Talk About It*, ed. por E. Mills, Word Books, Waco, Texas, 1973, p. 61-80. Véase especialmente, 73. Véase también Hinson, «A Brief History of Glossolalia», 45-75.

1

LOS PADRES APOSTÓLICOS

l Evangelio de Marcos termina con una declaración sorprendente sobre los carismas que acompañan a los que confían en el Señor: «Y estas señales seguirán a los que creen: En mi nombre echarán fuera demonios; hablarán nuevas lenguas; tomarán en las manos serpientes, y si bebieren cosa mortífera, no les hará daño; sobre los enfermos pondrán sus manos, y sanarán» (Marcos 16.17-18). Si es cierto, como afirman algunos eruditos, que estos versículos no pertenecen al texto original, sino que fueron agregados en la primera mitad del segundo siglo, de todos modos son una valiosa evidencia postapostólica y extrabíblica de que en muchas iglesias se ejercitaban tales dones y ministerios, como expresión del poder del Espíritu Santo.

La iglesia primitiva no alardeaba de los dones del Espíritu ni los discutía: los practicaba. Como indica Yves M. J. Congar en su obra monumental: «La iglesia de los orígenes fue plenamente consciente de encontrarse bajo la acción del Espíritu

Santo y de estar llena de sus dones».[1] Como bien señalara a
comienzos de siglo A.J. Mason: «Este fue, de hecho, el atractivo
principal de la Iglesia en días tempranos: era considerada como
el hogar de la gracia y la santidad, y en consecuencia, de la
salvación. En la iglesia, y en ninguna otra parte, podían las
personas estar seguras de encontrar al Espíritu de Dios».[2] En
aquellos tiempos se entendía que el Espíritu Santo, como
Sabiduría divina, obraba incluso inspirando las vidas de algunos sabios griegos de la antigüedad.[3]

Pero el centro de la acción del Espíritu Santo era la iglesia.
Era allí donde el Espíritu se manifestaba a través de los dones
de profecía y de sanidades, y mediante la expulsión de demonios. La presencia y obra del Espíritu Santo era evidente en la
iglesia. El Espíritu de vida y el Evangelio eran su «columna y
fundamento», según Ireneo. Es el Espíritu quien viene sobre la
iglesia como un águila volando, para protegerla con sus alas y
concederle todos sus dones.[4] Él es el mismo «Espíritu que trajo
a la unidad a tribus distantes» y quien nos permite llevar fruto
de vida al regarnos con su lluvia celestial. «El Señor, que recibió
al Espíritu como un don de su Padre, Él mismo lo confiere
también sobre aquellos que participan de Él, enviando al
Espíritu Santo sobre toda la tierra».[5]

No obstante, los padres apostólicos, al igual que los
apologistas, estaban confrontando a la cultura pagana y hostil
del segundo siglo. Cualquier fenómeno sobrenatural, que a
juicio de los opositores paganos fuese irracional, o supersticio-
so a sus ojos, pondría en evidencia a la Iglesia frente a la
sociedad, que ya tenía prejuicios de sobra en contra de ellos.

---

1. Congar, *El Espíritu Santo*, p. 92.
2. Arthur James Mason, «Conceptions of the Church in Early Times», en
   Essays on the Early History of the Church and the Ministry, ed. por
   H.B. Swete, Macmillan, Londres, 1918, p. 33.
3. Véase, e.g., el caso de Sócrates según Justino Mártir, *Segunda apología*,
   p. 10.
4. Ireneo, *Contra herejías*, p. 3.11.8.
5. *Ibid.*, 3.17.2.

Quizás esto explique por qué en los documentos que se produjeron en el siglo que siguió al ministerio de los apóstoles no hay la abundancia de referencias a las manifestaciones del Espíritu que sería de esperar.

A pesar de esto, se encuentran numerosas referencias en los escritores cristianos de esa época al ejercicio de los carismas y las manifestaciones del Espíritu.[6]

De igual modo, llama la atención el lugar que el Espíritu Santo ocupa, especialmente como inspirador del ministerio de los padres apostólicos. Particularmente, por sobre todos los dones del Espíritu, se destaca el de profecía. La mayor parte de las menciones tienen que ver con el «espíritu profético» y su adecuado ejercicio en la iglesia.

Por otro lado, las herejías y grupos disidentes pusieron un fuerte énfasis en los aspectos sobrenaturales de la fe. En algunos casos, sus exageraciones mayores estuvieron asociadas a auténticos dones del Espíritu, especialmente el de profecía. En otros casos, los motivos de condena fueron énfasis excesivos en experiencias sobrenaturales, como visiones, sueños o milagros. Sea como fuere, se trató generalmente de prácticas de la iglesia llevadas a extremos. Lamentablemente, la incidencia de las herejías y las facciones llevaron a algunos al ejercicio temeroso de muchos dones, y a otros al rechazo de las acciones sobrenaturales del Espíritu Santo.

En el tiempo inmediatamente posterior a los apóstoles, los padres apostólicos son una fuente documental fecunda en relación con las manifestaciones del Espíritu Santo. Sin embargo, cabe hacernos la pregunta, ¿qué es lo que estamos buscando cuando nos preguntamos sobre las operaciones sobrenaturales del Espíritu Santo, según los padres apostólicos? Si nos aproximamos al testimonio histórico con las listas de dones de 1 Corintios 12, Romanos 12 ó Efesios 4.11 probablemente pondremos una limitación arbitraria al material que tenemos por delante. De hecho, cuando comparamos estas listas de

---

6. Kelsey, *Tongue Speaking*, p. 33-34.

manifestaciones carismáticas con otros materiales neotestamentarios, como los que se encuentran en Hechos y Hebreos,
descubrimos bastante imprecisión y fluidez. Incluso si preten-
demos ser exhaustivos, deberemos reconocer que vamos a
encontrar que algunos dones parecen ser más prominentes que
otros. Seguramente, como siempre suele ocurrir, las manifestaciones más dramáticas llamarán mucho más la atención que
aquellas otras menos espectaculares.

Es así que nos encontraremos con informes de la vigencia
y ejercicio de dones espirituales como los mencionados en el
Nuevo Testamento. En estos casos, tendremos que pesar la
evidencia histórica y medir su valor y pertinencia para nuestro
estudio. En otras ocasiones, consideraremos el testimonio de
personas que manifiestan tener experiencias espirituales carismáticas que parecen similares a las del Nuevo Testamento, si
bien no son exactamente iguales. Nuevamente, será necesario
hacer una cuidadosa evaluación, para constatar la continuidad
de las operaciones carismáticas de tiempos apostólicos a la era
de los padres apostólicos.

Sea como fuere, veremos que la calidad del material disponible no es la misma en todos los casos. Algunos son testimonios
excelentes, y otros parecen sumamente débiles. No obstante, la
conclusión a la que podemos arribar a partir de un análisis
detallado y meticuloso de la evidencia testimonial de los padres
apostólicos es que la iglesia del segundo siglo era distintivamente
carismática. Como afirma Ronald A.N. Kydd, «lo que surge de
un estudio de las fuentes es el cuadro de una iglesia que es
fuertemente carismática hasta aproximadamente el año 200».[7]

Los cristianos primitivos vivían intensamente la experiencia de la dirección del Espíritu Santo y se sometían a su poder
para llevar a cabo su misión de ganar al mundo para Cristo. El
Señor glorificado ejercía su autoridad sobre la Iglesia a través
del Espíritu Santo. Y esto era motivo de gozo y alabanza.

---

7. Ronald A.N. Kydd, *Charismatic Gifts in the Early Church* Hendrickson
Publishers, Peabody, Mass. 1984, p. 4.

Tal es el testimonio que se transpira en los escritos de los primeros padres de la Iglesia, a quienes se conoce como los padres apostólicos. Su testimonio es valioso porque fueron personas asociadas o directamente relacionadas con los apóstoles, de quienes, se supone, derivaron su enseñanza y práctica. Sus escritos son contemporáneos con los escritos canónicos y representan la continuidad de la doctrina y práctica de la iglesia neotestamentaria.

En las páginas que siguen vamos a enumerar a las principales fuentes patrísticas, siguiendo una secuencia más o menos cronológica en base a su aparición, sin tomar muy en cuenta su alineación en términos de la tradición teológica que representan o su ubicación geográfica.

Odas de Salomón

Antes de terminar el primer siglo apareció un escrito anónimo bajo el título *Odas de Salomón*.[8] Cuando Rendel Harris las sacó a luz en 1909 después de siglos de estar en el limbo, el interés de los estudiosos se vio notablemente despertado. Según James H. Charlesworth, se trata del himnario cristiano más antiguo que se conoce.[9] John H. Bernard, por

---

8. Las *Odas de Salomón* son, en el terreno de la literatura poética cristiana primitiva, el descubrimiento más importante, después del hallazgo de la *Didaché*. Su autor es desconocido, al igual que su carácter. Lo más probable es que expresen las creencias, prácticas y esperanzas de la cristiandad oriental o palestina. Son himnos de alabanza, que reflejan una profunda espiritualidad, similar a la de Juan e Ignacio y libre de todo pensamiento especulativo. Probablemente fueron escritas en Siria a fines del primer siglo o comienzos del siglo II. Para el texto, véase James Rendel Harris y A. Mingana, *The Odes and Psalms of Solomon*, 2 vols. The University Press, Manchester 1916-1920. Para selecciones del texto, véase E.C.E. Owen, *Some Authentic Acts of the Early Martyrs* Oxford University Press, Oxford 1927; y Swete, *The Holy Spirit in the Ancient Church*, pp. 415-418.

9. James H. Charlesworth, ed. y trad., *The Odes of Solomon*, Texts and Translations 13 Scholars Press, Chico, California 1977, vii. Ver también

otro lado, señala que son himnos bautismales para el uso en la adoración pública.[10] Estas odas ponen de manifiesto una gozosa alabanza por la acción del Espíritu Santo. Este documento es particularmente rico y fresco en cuanto a señalar la manifestación poderosa del Espíritu, de quien dice: «Este es el Espíritu del Señor, que no miente, que enseña a los hijos de los hombres a conocer sus caminos».[11] Y agrega: «Como la mano se mueve sobre el arpa, y las cuerdas hablan, así habla en mis miembros el Espíritu del Señor, y yo hablo por su amor».[12] Aparentemente lo que motiva tal exaltación y gozo son dones de revelación y profecía.

Las expresiones del poeta reflejan su conocimiento personal del don profético. La consciencia profética se ve reflejada claramente en pasajes como: «El [el Espíritu Santo] me ha llenado con palabras de verdad, para que pueda hablar lo mismo. Y como el fluir de aguas, así fluye la verdad de mi boca, y mis labios manifiestan sus frutos».[13] El autor considera que el mensaje que tiene para compartir está inspirado por el Espíritu y depende de Él para darlo. Dice él: «Oh, Señor, por amor a aquellos que son deficientes, no me prives de tu palabra».[14] Más adelante señala: «Enséñame los salmos de tu

---

Idem, "The Odes of Solomon: Not Gnostic", Catholic Biblical Quarterly 31 (1969): pp. 357-369.

10. John H. Bernard, The Odes of Solomon, Text and Studies 8.3 Cambridge University Press, Cambridge 1912, p. 42.

11. Odas de Salomón, 3.12.

12. Ibid., 6.1-2.

13. Ibid., 12.1-2.

14. Ibid., 18.4. Con respecto a este verso, Harris comenta lo siguiente: «El escritor de este Salmo habla como un profeta, que ha conocido la visitación divina, y ha sentido su efecto tanto en la mente como en el cuerpo, en la disipación del error y en la sanidad de la enfermedad. El ora por una continuidad del don celestial por amor de la gente necesitada a quien él da su mensaje». Harris y Mingana, The Odes and Psalms of Solomon, 2.297-298. Hay otros pasajes en los que el poeta parece ser también un profeta: Odas de Salomón, 2.1-2; 7.18; 14.8; 16.5 y 40.2.

verdad, para que pueda producir fruto en ti: y abre para mí el arpa de tu Santo Espíritu, para que con todas sus notas pueda alabarte, oh Señor».[15] En este caso, la referencia sería a diversos géneros de lenguas. Un caso similar puede ser la siguiente expresión, si bien no se hace una mención explícita del Espíritu: «Derramé alabanza al Señor porque soy suyo: y hablaré su canción santa, porque mi corazón es con Él. Porque su arpa está en mis manos, y las odas de su paz no se silenciarán».[16]

Las *Odas* parecen hablar de la unción del Espíritu Santo en expresiones como estas: «Fui vestido con la cubierta de tu Espíritu, y tú quitaste de mí mi traje de piel».[17] «Como las alas de las palomas sobre sus polluelos, y las bocas de sus polluelos hacia sus bocas, así también las alas del Espíritu están sobre mi corazón. Mi corazón se deleita y salta, como el bebé que salta en el seno de su madre».[18] «Yo descansé en el Espíritu del Señor: y ella [el Espíritu] me elevó a lo alto: y me hizo pararme sobre mis pies en la altura del Señor, delante de su perfección y de su gloria, mientras yo estaba alabando [a él] por la composición de sus canciones. Ella [el Espíritu][19] me puso delante del rostro del Señor; y si bien soy un hijo de hombre, fui llamado el Iluminado, el hijo de Dios».[20]

El poeta expresa su experiencia de renovación espiritual en el Espíritu en estos términos: «Porque tu mano derecha me levantó y quitó la enfermedad de mí: y llegué a ser poderoso en la verdad, y santo por tu rectitud . . . y me hice admirable por el nombre del Señor, y fui justificado por su bondad, y su paz es por siempre y siempre. Aleluya».[21] En otro verso, el autor parece referirse a la llenura del Espíritu Santo, al señalar:

---

15. *Ibid.*, 14.8.
16. *Ibid.*, 26.1-3.
17. *Ibid.*, 25.8.
18. *Ibid.*, 28.1-3.
19. El original siríaco dice «ella». Debe notarse que en la literatura siríaca primitiva era común hablar del Espíritu Santo como femenino.
20. *Ibid.*, 36.1-3.
21. *Ibid.*, 25.9-11.

«El altísimo me circuncidó por su Espíritu Santo, luego descubrió mi ser interior hacia él, y me llenó de su amor. Y su circuncición fue mi salvación».[22]

El poema está lleno de «aleluyas», especialmente asociados a la acción poderosa del Espíritu Santo. Una hermosa estrofa canta de las aguas de vida, que fluyen abundantemente de debajo del templo, y que crecen en su caudal a medida que avanzan hasta cubrir la faz de toda la tierra, trayendo salud, fruto y vida eterna.[23] ¿No es esta una excelente manera de describir poéticamente el fluir poderoso del Espíritu de Dios en la vida del creyente y de la Iglesia? No es extraño, pues, que la estrofa termine con un estridente «aleluya».

Las *Odas* representan un buen material documental para nuestro estudio, porque reflejan el derramamiento del Espíritu en la vida de alguien cautivado por Dios. Según R.M. Grant, estos versos son como «los salmos» individuales mencionados en 1 Corintios 14.26.[24] Si es así, estos poemas representan la experiencia de un cristiano que está hablando en obediencia a los impulsos del Espíritu Santo. Dice el poeta: «Y aguas parlantes se acercaron a mis labios de la fuente del Señor con plenitud. Y yo bebí y fui embriagado con el agua de vida que no muere».[25] En estas palabras, el autor parece referirse al Espíritu Santo y a la experiencia de la unción, que muchas veces se manifiesta con un estado de pérdida de control físico, similar al de la embriaguez (cf. Hechos 2.13).

Indudablemente, el autor de las *Odas* es alguien que conocía bien la experiencia del obrar poderoso del Espíritu Santo en su vida y ministerio. Su lenguaje es el de un profeta lleno del Espíritu. Él y las personas a quienes dirige sus poemas tenían la expectativa de que Dios se involucrara activamente

---

22. *Ibid.*, 11.2-3.
23. *Ibid.*, 6.7-17.
24. Robert M. Grant, «The Odes of Solomon and the Church of Antioch», *Journal of Biblical Literature* 63 (1944): p. 368.
25. *Odas de Salomón*, 11.6-7. Cf. Juan 7.38-39.

en sus vidas. Seguramente la iglesia de la que este creyente formaba parte compartía su entusiasmo al ser inspirados por el Espíritu y pronunciar palabra profética y ejercer otros dones de revelación. Como concluye Kydd: «El clima religioso que existía donde *Las Odas* fueron escritas debe haber sido muy favorable al ministerio de los dones».[26]

Clemente de Roma (¿40?-100)

Clemente fue el tercer obispo de la ciudad de Roma, entre los años 91 al 100. Una tradición muy antigua le atribuye una *Carta a los corintios*, que «escribió en nombre de la iglesia en Roma». La carta gozó de mucho prestigio en la antigüedad. Eusebio la llama «epístola grande y maravillosa», y agrega que era «leída en voz alta a los adoradores reunidos en días tempranos, como lo es en nuestros propios días».[27] Clemente escribió esta carta para hacer frente a un conflicto generado en la iglesia de Corinto, allá por el año 95. Por las expresiones de Clemente, parece ser que la iglesia en Corinto no aprendió muy bien las lecciones que el apóstol Pablo quiso enseñarle a través de sus cartas. Aparentemente, la congregación continuó enfrentando las mismas dificultades que el apóstol había procurado ayudarle a superar.

El problema era que había algunos creyentes que sostenían tener ciertos dones espirituales que, a su juicio, no recibían un adecuado reconocimiento, especialmente de parte de los líderes de la congregación. Eran personas que se consideraban espiritualmente fuertes (38.2), y que se jactaban de revelaciones o conocimientos (*gnosis*) sobrenaturales, pero que no parecían ser muy humildes (48.5-6). Quizás también hablaban en lenguas, pero lo hacían con arrogancia (21.5; 57.2).

Siguiendo a Orígenes, Eusebio identifica a Clemente con el personaje mencionado por Pablo como «colaborador mío»

---

26. Kydd, *Charismatic Gifts in the Early Church*, p. 25.
27. Eusebio, *Historia eclesiástica*, 3.16.

(Filipenses 4.3). Veinticinco años después de la caída de Jerusalén, una generación más tarde de los horrores de la persecución de Nerón en Roma, y mientras en Asia empezaban a vivirse las vicisitudes de la persecución de Domiciano y Juan escribía su Apocalipsis en Patmos, Clemente les escribe a los corintios y los exhorta a mantener «la unidad del Espíritu».

No obstante, llama la atención que Clemente «no dé la misma prominencia que Pablo al lugar del Espíritu en la vida cristiana normal, ni sugiera que la iglesia de Corinto de su día estuviera experimentando una vida en el Espíritu como la que describe el Apóstol en 1 Corintios 12 hasta 14».[28] Con algo de nostalgia, en su carta, Clemente les recuerda a los corintios que en otros tiempos «una profunda y abundante paz fue concedida a todos . . . y vino sobre todos un pleno derramamiento del Espíritu Santo».[29]

En su amonestación contra el divisionismo y la disensión, Clemente les pregunta: «¿Por qué hay entre vosotros estas contiendas y estallidos de pasión y facciones y divisiones y guerras? ¿No tenemos todos nosotros un solo Dios, y un Cristo, y un Espíritu de gracia que fue derramado sobre nosotros, y un llamamiento en Cristo?»[30] Para Clemente, el Espíritu Santo era una persona viva y activa. El afirma su fe trinitaria al declarar: «Dios vive, y el Señor Jesucristo vive, y el Espíritu Santo, quienes son a la vez la fe y la esperanza de los elegidos».[31] Por eso, era necesario que los corintios aprendieran de una buena vez que eran un cuerpo cristiano, cuya unidad debían preservar. Y para ello, la mejor regla era: «Cada uno debe estar sujeto a su prójimo, conforme al don especial [carisma] que ha recibido».[32] De este modo, el Espíritu estaba sobre ellos, así como había estado con sus predecesores en la fe, que habían hablado a través del Espíritu.

---

28. Burgess, *Ancient Christian Traditions*, p. 17.
29. Clemente de Roma, *Carta a los corintios*, p. 2.2.
30. *Ibid.*, 46.5-6.
31. *Ibid.*, 58.2.
32. *Ibid.*, 38.1.

Es interesante la mención que hace Clemente del «don especial» (en el original griego se usa una forma del vocablo *charisma*). A la luz del contexto, el vocablo es utilizado con un significado similar al que tiene en pasajes neotestamentarios como Romanos 12.6 y 1 Corintios 12.4. Se trata de habilidades inusuales que Dios da a las personas para ayudarles a ministrar a otros. Clemente está hablando acerca de cómo deben conducirse los cristianos en la iglesia. En su carta (37.5 a 38.1a) ilustra esto haciendo una comparación entre la iglesia y el cuerpo humano. «La cabeza», dice, «no es nada sin los pies, así como los pies no son nada sin la cabeza». Así como los miembros del cuerpo no pueden funcionar aislados, de igual modo la efectividad de la iglesia se ve comprometida cuando sus miembros no tiran juntos. Clemente está arguyendo en favor de la unidad y el cuidado mutuo. Y es justo en el medio de esta argumentación que coloca su mención de los dones espirituales. Según él, estos dones son importantes para ayudar a los creyentes a funcionar como un cuerpo. Los dones tienen sentido cuando se utilizan para servir a otros y edificar el Cuerpo de Cristo. Son dados como un medio para bendecir a otros y cumplir la misión.

En estos conceptos, Clemente se muestra muy cerca del apóstol Pablo. Indudablemente que en relación con los dones espirituales, Clemente tenía ideas similares a las que Pablo desarrolló en 1 Corintios 12 y 14 y en Romanos 12. Parece claro, según el contenido de la carta de Clemente, que los dones del Espíritu Santo estaban vigentes en la iglesia de Roma, a fines del primer siglo.

También parece evidente que esta iglesia conocía por experiencia lo que significa andar por el Espíritu y ser obediente a sus direcciones. Clemente hace solo diez referencias al Espíritu Santo en su *Carta a los corintios*, y en más de la mitad de las mismas pone un énfasis particular sobre el Espíritu Santo como el inspirador de las Escrituras, especialmente del Antiguo Testamento.[33] En un pasaje dice: «Mirad cuidadosamente en

---

33. Son frecuentes las expresiones: «El Espíritu Santo dice», «El Espíritu Santo dijo», «la Sagrada Escritura ... es inspirada por el Espíritu Santo»,

las Escrituras, que son las verdaderas declaraciones del Espíritu Santo».[34] Pero también la obra de inspiración del Espíritu Santo opera en la vida cotidiana de la iglesia neotestamentaria. Según él, los apóstoles gozaron de la misma inspiración que los profetas, ya que «salieron con una convicción plena, que era del Espíritu Santo». Ellos «probaron» a los obispos y diáconos, a quienes designaron para su ministerio «por el Espíritu».[35] Pablo mismo les había escrito años antes bajo la inspiración del Espíritu Santo, e incluso, la iglesia en Roma no dudaba que su propia carta, en esta ocasión, también estaba bajo la influencia del Espíritu.[36]

Ignacio de Antioquía (¿40?-117)

Ignacio sirvió como obispo de Antioquía a principios del segundo siglo, en época del emperador Trajano. Hacia el año 117, murió como mártir en la ciudad de Roma. En su viaje como prisionero a la capital del imperio, unos quince o veinte años después que Clemente escribiera su epístola, el obispo de Siria exhortó a los creyentes a guardarse de las herejías y los alentó en su fe. Con este propósito escribió siete cartas: cinco a las iglesias de la provincia de Asia; una a la iglesia de Roma, hacia donde se dirigía; y otra a su amigo Policarpo, obispo de Esmirna. Estas cartas, escritas en algún momento entre los años 98 y 117 mientras era llevado a Roma, gozaron de considerable autoridad y difusión durante muchos años. Ignacio fue un fervoroso cristiano, imaginativo y espontáneo, que con sus escritos documenta un importante capítulo de la historia del cristianismo. Sus cartas transpiran convicción y poder espiritual.

Las cartas de Ignacio han concentrado la atención de los eruditos durante muchos años y han sido sometidas al escrutinio

---

y «Cristo se dirige a nosotros a través de su Espíritu Santo». *Ibid.*, 13.1; 16.2; 45.2; 22.1.

34. *Ibid.*, 45.1.
35. *Ibid.*, 42.3-4.
36. *Ibid.*, 47.3; 63.2.

más meticuloso. No obstante, si bien sus escritos han sido considerados desde los más diversos ángulos de análisis, no se ha prestado suficiente atención a su testimonio en cuanto a la acción del Espíritu Santo en sus días. Y sin embargo, como obispo y siervo de Dios, Ignacio es una fuente riquísima en cuanto a las manifestaciones del Espíritu. El mismo era un profeta con un gran aprecio por los dones del Espíritu Santo.

Ignacio fue discípulo de los apóstoles y, por lo tanto, un importante testigo de su enseñanza. En su *Carta a los efesios*, Ignacio señala que «aquellos que profesan ser de Cristo son conocidos no solo por lo que dicen, sino por lo que practican». Y agrega que «es mejor para una persona callar y ser [cristiana] que hablar y no serlo».[37] No obstante, en su *Carta a los filadelfos* se refiere al don de profecía. Quizás expresa su propia experiencia al manifiestar que se sentía movido por el Espíritu al hablar según el Espíritu le daba palabra. En un notable pasaje, que parece referirse al don de profecía, señala:

> Puede que haya algunos que querían engañarme según la carne, pero el Espíritu no puede ser engañado, porque viene de Dios. Porque «Él sabe de dónde viene y a dónde va», y expone lo que es secreto. Cuando estuve con vosotros clamé, levantando mi voz —fue la voz de Dios— «Prestad atención al obispo, al presbiterio y los diáconos». Hubo quienes supusieron que yo decía esto porque sabía de antemano de las divisiones que ciertas personas harían. Pero Aquel en quien estoy ligado es mi testigo de que lo que supe no era de carne humana, sino del Espíritu que predicó por mis labios: «No hagáis nada aparte del obispo; guardad vuestros cuerpos como si fuesen templo de Dios; valorad la unidad; huid del cisma; imitad a Jesucristo así como Él imitó a su Padre».[38]

---

37. Ignacio de Antioquía, *Carta a los efesios*, 14.2-15.1.
38. Ignacio de Antioquía, *Carta a los filadelfos*, 7.1-2.

Aparentemente, según estas palabras, el mismo Ignacio pensaba que había hablado proféticamente en esa ocasión. Es interesante que, antes de transmitir el mensaje, dice: «clamé, levantando mi voz —fue la voz de Dios». En días de Ignacio, en contextos religiosos tanto cristianos como paganos, se consideraba como la característica de un profeta inspirado que hablara en voz bien alta. Se suponía que alguien que hablaba bajo el control de la divinidad debía hacerlo en el volumen más alto posible. De modo que, en el caso de Ignacio, no se trata de un detalle insignificante, sino de una evidencia clara de que él estaba profetizando bajo el control del Espíritu Santo.

Otro detalle interesante tiene que ver con su respuesta a aquellos que dudaron del origen sobrenatural de su palabra. Lo que había dicho era tan preciso que algunos supusieron que alguien le había pasado la información con anterioridad sobre lo que ocurría en la iglesia. Ignacio niega terminantemente esta suposición e insiste en que no había sido él quien había hablado sino el Espíritu. Indudablemente, Ignacio recibió palabra de ciencia y profetizó poderosamente en aquella oportunidad.

En sus cartas hay varios pasajes en los que el obispo habla de revelaciones que había recibido (*Romanos* 7.2; *Efesios* 20.2; *Trallianos* 5; *Filipenses* 7). A la luz de estos textos, F.A. Schilling destaca el aspecto profético del ministerio de Ignacio, y señala: «De estas auto-revelaciones sabemos que Ignacio firmemente se consideraba un profeta, si bien no se designó como tal».[39]

Ignacio escribió también sobre la capacidad de entender los misterios y las cosas celestiales, aparentemente inspirado por el mismo Espíritu que inspiró a los profetas y a los apóstoles. Y dice que él mismo tenía este don espiritual.[40]

---

39. F.A. Schilling, «The Mysticism of Ignatius of Antioch» (tesis de Ph.D., The University of Pennsylvania, 1932), 50.
40. Ignacio de Antioquía, *Carta a los trallianos*, 5.1-2. Es interesante notar que en la salutación de todas sus cartas, Ignacio se califica a sí mismo como «Theoforus», «inspirado por Dios» o «portador de Dios». El epíteto señala a alguien que tiene el don de profecía.

Hablando de los dones del Espíritu, afirma que los esmirnienses por la misericordia de Dios han recibido todo don: «vosotros estáis llenos de fe y amor, y no os falta ningún don».[41] A Policarpo de Esmirna lo exhorta, diciéndole respecto a las realidades que no son visibles: «Pide que estas te sean reveladas, para que no carezcas de nada, sino que puedas abundar en todos los dones».[42] Y a los magnesios les reconoce que están llenos de Dios.[43]

Todas estas expresiones hablan de su convicción respecto a la obra y manifestaciones del Espíritu, como parte vital y vigente en las iglesias a las que escribe.

Hay dos cosas dignas de destacar en lo que Ignacio le dice a Policarpo. Nótese que Ignacio alienta a este célebre obispo y mártir cristiano a pedirle al Señor el privilegio de ver cosas invisibles. ¡Llama la atención que un obispo exhorte a otro a orar por revelaciones celestiales! Además, su consejo responde a su deseo de que Policarpo no se pierda nada de lo que Dios tiene preparado para dar a sus hijos, de modo que él también pueda tener todos los dones espirituales. En este contexto, el vocablo utilizado es una forma de la palabra griega *charisma*, que es utilizada con el mismo significado con que lo hace Pablo en 1 Corintios 12 y Romanos 12 (véase 1 Corintios 14.1).

Ignacio fue sucesor de los apóstoles y, por lo tanto, un importante testigo de su práctica y enseñanza. Sus siete epístolas presentan, con gran fervor y poder espiritual, un concepto del cristianismo que está muy vinculado al tipo doctrinal del apóstol Juan, de quien fue discípulo, si bien, hay también rasgos típicamente paulinos en su enseñanza.

Él veía evidencias de la obra del Espíritu en las vidas de los miembros de la iglesia, a quienes describe en su *Carta a los efesios* como «piedras del Templo, preparadas de antemano para un edificio de Dios el Padre, levantadas por esa máquina

---

41. Ignacio de Antioquía, *Carta a los esmirnienses*, int. Cf. 1 Corintios 1.7.
42. Ignacio de Antioquía, *Carta a Policarpo*, 2.2.
43. Ignacio de Antioquía, *Carta a los magnesios*, 14.

de Cristo Jesús, [que es] Su Cruz; usando al Espíritu Santo como cuerda».[44]

El obispo de Antioquía era también consciente de la negligencia creciente en cuanto a la dependencia del Espíritu en la iglesia de sus días. Con dolor levanta una pregunta que nos sorprende por su actualidad: «¿Por qué perecemos neciamente por la ignorancia descuidada en reconocer el don [charisma] que hemos recibido?»[45] Como señala Swete, «el Espíritu es para él un hecho fundamental de la experiencia cristiana, más bien que un tema de investigación y de definición exacta».[46]

Al leer a Ignacio, resulta evidente que «la tradición de profetas continúa desde el Nuevo Testamento, pero está inseparablemente unida en [su] mente, como lo está en escritores posteriores como Cipriano, con la jerarquía ordenada de obispos, presbíteros y diáconos».[47] Sin embargo, todavía no se ve la tensión que más tarde se desarrollaría entre profecía y orden eclesiástico o entre un ministerio carismático y otro institucional. El obispo Ignacio se presenta como un buen administrador de la iglesia, pero que ejerce su don profético con poder y habla bajo la guía del Espíritu Santo.

Epístola de Bernabé (¿90-110?)

Se trata de un escrito breve, de carácter didáctico-edificativo, cuyo autor es desconocido. La tradición lo atribuye a Bernabé, el compañero de Pablo. Pero el contenido del texto hace pensar que fue compuesto hacia el año 90. El autor probablemente era un predicador judeo-cristiano de Alejandría, Egipto, en tiempos del emperador Adriano. En la primera parte, la *Epístola* ataca al judaísmo y en la segunda expone la

---

44. Ignacio de Antioquía, *Carta a los efesios*, 9.1.
45. *Ibid.*, 17.2.
46. Swete, *The Holy Spirit in the Ancient Church*, 16.
47. Burgess, *Ancient Christian Traditions*, pp. 19-20.

doctrina de los dos caminos en términos muy parecidos a los de la *Didaché*.

En cuanto a la obra del Espíritu Santo, el autor le reconoce la doble función de inspiración y profecía. La *Epístola* presenta al Espíritu principalmente como el maestro de los héroes y profetas del Antiguo Testamento. Es Él quien «habla al corazón de Moisés».[48] *Este, a su vez, habla en el Espíritu.*[49] *Abraham, en el Espíritu, anticipa a Jesús.*[50] *Y Jacob, por el Espíritu, ve un tipo de la iglesia cristiana («del pueblo que surgiría después»).*[51]

Esta obra del Espíritu continúa bajo el Nuevo Pacto, en el que el don de profecía y la morada del Espíritu en el creyente están relacionados. Refiriéndose al Espíritu Santo, dice el autor: «Su palabra de fe, su llamamiento de la promesa, la sabiduría de los estatutos, los mandamientos de la doctrina, Él mismo profetizando en nosotros, Él mismo morando en nosotros, abriendo para nosotros que estábamos esclavizados por la muerte las puertas del templo, esto es, la boca».[52] De este modo, el ejercicio de la profecía y la presencia del Espíritu eran considerados por el autor como elementos normativos para aquellos que participan de la provisión divina. No sorprende, pues, que el autor exclame con gratitud al comienzo mismo de su escrito: «Me gozo abundantemente y sobremanera en vuestros espíritus felices y gloriosos, porque a tal efecto habéis recibido al don espiritual injertado. Por lo cual también me gozo interiormente tanto más, ...porque verdaderamente veo en vosotros al Espíritu derramado desde el rico Señor de amor».[53]

Después de declarar que el Señor «nos ha creado de nuevo por su Espíritu», la *Epístola* se refiere a la morada plena del Espíritu en el creyente, que pasa a ser el templo espiritual del Espíritu Santo.

---

48. *Epístola de Bernabé,* 12.2.
49. Ibid., 10.2.
50. Ibid., 9.7.
51. *Ibid.,* 13.5.
52. *Ibid.,* 16.9.
53. *Ibid.,* 1.2.

¿Cómo? Aprended [como sigue]. Habiendo recibido el perdón de pecados, y colocado nuestra confianza en el nombre del Señor, hemos llegado a ser nuevas criaturas, formadas de nuevo desde el principio. Por lo cual en nuestra habitación Dios verdaderamente mora en nosotros. ... y al darnos arrepentimiento nos introdujo al templo incorruptible ... Este es el templo espiritual construido por el Señor.[54]

Nuevamente, por lo que dice esta carta, parece evidente que no solamente su autor reconoce la operación activa del Espíritu en la vida del creyente, sino que destaca su participación poderosa en la vida de la comunidad de fe. Tal como era el clima prevaleciente en las congregaciones cristianas en Palestina y Egipto hacia fines del primer siglo y comienzos del segundo, la profecía y en general los dones de revelación gozaban de un lugar preferencial. Su expresión «el don espiritual injertado» (o impartido) recuerda la frase de Pablo en Romanos 1.11: «Porque deseo veros, para comunicaros algún don espiritual, a fin de que seáis confirmados». Y, a su vez, la presencia y operación de este don espiritual (probablemente, profecía), pone en evidencia el derramamiento del Espíritu Santo, como dación de gracia de parte del Señor en la vida de la congregación. De este modo, el testimonio que recogemos de la *Epístola de Bernabé* respalda la afirmación en cuanto a la continuidad de la actividad del Espíritu a través del ejercicio y vigencia de los dones en las iglesias, al entrar en el siglo II.

Didaché (80-100)

La *Didaché* o *Enseñanza de los Doce Apóstoles* es un pequeño opúsculo de fines del primer siglo.[55] Desde su descubrimiento,

---

54. *Ibid.*, 16.8-10.
55. Clemente de Alejandría, Atanasio y Eusebio lo mencionan, pero recién se descubrió su texto en un códice en un monasterio de Constantinopla

ha sido uno de los documentos postapostólicos y extra-canónicos más estudiado. Los eruditos han prestado atención a un sin número de cuestiones relacionadas con el material que contiene, pero no ha habido una consideración suficiente sobre la *Didaché* como testimonio de la continuidad de la operación poderosa del Espíritu Santo en la iglesia postapostólica.

Es probable que el documento haya sido escrito en Siria y para las comunidades cristianas de esa región.[56] Hay mucha discusión en cuanto a la fecha de composición, si bien la mayoría de los eruditos lo ubica en la segunda mitad del primer siglo.[57] Esto significa que es contemporáneo con la redacción de algunos de los escritos que luego entraron en el canon del Nuevo Testamento. Esto le da al opúsculo un significativo valor documental en cuanto a la vida y práctica de las iglesias, y la continuidad de la actividad del Espíritu Santo a través de manifestaciones carismáticas. Por lo menos, parece ser un buen testimonio de la realidad de las iglesias ligadas al cristianismo palestino o sirio, con lo cual su mensaje llegó a cubrir un área geográfica bastante extendida.

El documento gozó de gran autoridad, al punto que fue confundido con los escritos canónicos del Nuevo Testamento. La *Didaché* pretende basar su enseñanza en los apóstoles. Se presenta como una síntesis moral, litúrgica y disciplinaria, que es posible haya sido utilizada para la educación cristiana de los

---

en 1873. Veinte años más tarde, se encontró una versión latina del siglo III.

56. Véase M.H. Shepherd, «Didache», en *The Interpreter's Dictionary of the Bible*, 6 vols., ed. E.S. Burke Abingdon Press, Nueva York 1962, 1:842. La mejor discusión en cuanto a dónde fue escrita la *Didaché* se encuentra en A. Adam, «Erwägungen zur Hernkunft der Didache», *Zeitschrift für Kirchengeschichte* 67 (1957): 1-47.

57. R. Glover, «The Didache's Quotations and the Synoptic Gospels», *New Testament Studies* 5 (1958-1959): 12-29; Jean-Pierre Audet, *La Didaché: instructions des Apôtres* J. Gabalda, Paris 1958, 170-173; John A.T. Robinson, *Redating the New Testament* SCM, Londres 1976, pp. 322-327.

catecúmenos. No abunda en referencias al Espíritu Santo, pero sí lo hace de manera explícita en dos lugares. Por un lado, es el documento no canónico más temprano en ofrecer la fórmula trinitaria del bautismo: «en el nombre del Padre, y del Hijo y del Espíritu Santo».[58] Por otro lado, es el escrito post-apostólico más antiguo que informa de un ministerio de corte carismático. Es interesante notar que este manual eclesiástico primitivo indica que había profetas que hablaban en el Espíritu, y advierte contra la falsa profecía en la congregación. Así, pues, dedica un gran espacio al ministerio de los profetas en la iglesia y presenta los criterios que permiten evaluar su autenticidad.

La *Didaché* pone de manifiesto un aprecio muy especial por el ministerio profético en particular. Refiriéndose a los procedimientos a seguir en ocasión de la Cena del Señor, el opúsculo exhorta: «Permitid a los profetas dar gracias tanto como deseen».[59] La admonición recuerda el consejo de Pablo a los corintios: «Procurad los dones espirituales, pero sobre todo que profeticéis» (1 Corintios 14.1). Es interesante notar que la enseñanza del apóstol sobre los dones espirituales sigue inmediatamente a su enseñanza sobre la Cena del Señor, tal como lo hace la *Didaché*. De igual modo, el autor del opúsculo asume que cualquier palabra profética que se pronuncie en tal ocasión va a ser de beneficio para los creyentes que la escuchen (véase 1 Corintios 14.3). Este aprecio por el don profético se hace patente en el siguiente pasaje: «Mientras un profeta está hablando en el Espíritu, no debéis probarlo ni examinarlo. Porque "todo pecado será perdonado, pero este pecado no será perdonado"».[60]

No obstante, al igual que lo que ocurría con los corintios, existía el peligro de caer en abusos y desorden. El autor es bien consciente de esto y es claro en su exhortación para evitar la confusión y la intromisión de falsos profetas o personas con

---

58. *Didaché*, 7.1, 3. Cf. Mateo 28.19.
59. *Ibid.*, 10.7.
60. *Ibid.*, 11.7.

actitudes equivocadas. Parece evidente que en su tiempo ya había un número considerable de personas que pretendían el ejercicio del don y ministerio profético, tanto dentro como fuera de la iglesia, sin ser verdaderos profetas inspirados por el Espíritu Santo. De hecho, la profecía y el éxtasis profético no eran prácticas exclusivamente cristianas. En el mundo pagano de los primeros siglos de nuestra era, estas prácticas eran bastante frecuentes, según el testimonio de escritores clásicos como Filón, Plotino, Cicerón, Sófocles, Eurípides y Platón.[61]

Esto mueve al autor a animar a sus lectores a no ser ingenuos y a juzgar adecuadamente el ejercicio del don profético. Su advertencia es clara: «Sin embargo, no todo el que habla en el Espíritu es un profeta».[62] De allí que sea necesario probar la autenticidad del que ministra profecía. La primera prueba tiene que ver con la conducta personal del que profetiza. Una persona es un profeta auténtico «solo si se comporta como el Señor». La Didaché puntualiza y ejemplifica esta prueba de la verdadera y falsa profecía: «Es por su conducta que el falso profeta y el [verdadero] profeta pueden ser reconocidos. Por ejemplo, si un profeta ordena una mesa en el Espíritu, no debe comer de ella. Si lo hace, es un falso profeta».[63]

Una segunda prueba para saber si estamos frente a una profecía falsa o verdadera es tomar en cuenta qué es lo que el profeta enseña y de qué manera lo que enseña se ve reflejado en su propia vida. En Didaché 11.1-2 se afirma que el contenido del mensaje que se da debe conformarse con la instrucción dada en la primera parte de la Didaché. Si el profeta responde a esas pautas, puede ser bienvenido en la comunidad. La misma prueba debe aplicarse a cualquier otro ministerio itinerante (como el de los evangelistas). Además, dice el opúsculo:

61. Véase Kydd, *Charismatic Gifts in the Early Church*, p. 89, nota 5.
62. *Didaché*, 11.8.
63. *Ibid.*, 11.8-10.

Todo profeta que enseñe la verdad pero que no practique lo que predica es un falso profeta. Pero todo profeta aprobado y genuino que actúa con miras a simbolizar el misterio de la iglesia, y no os enseña a hacer todo lo que él hace, no debe ser juzgado por vosotros. Su juicio queda con Dios. Porque de manera similar actuaron también los profetas de la antigüedad. Pero si alguien dice en el Espíritu: «Dáme dinero, o alguna otra cosa, "no le prestéis atención". Sin embargo, si os dice que deis para otros en necesidad, nadie debe condenarlo.[64]

Este tipo de cautela y análisis crítico debe aplicarse también al tiempo que un profeta se queda ministrando en la iglesia. En *Didaché* 11.4-5 se nos dice que el máximo permitido son dos días. Probablemente el autor no se refiere solamente a profetas sino que incluye otros ministerios itinerantes, como el de los apóstoles y evangelistas. No obstante, si el profeta prueba ser auténtico y quiere establecerse en una comunidad, ésta debe sostenerlo.[65]

Según Stanley M. Burgess:

Obviamente, este autor difiere de San Pablo en cómo debe uno discernir las enseñanzas de los profetas. Pablo insiste en el discernimiento espiritual, mientras que el escritor de la *Didaché* condena cualquier juicio espiritual de ese tipo. El don de «discernimiento de espíritus» parece haber pasado en las iglesias a las que esta obra está dirigida. La única prueba que queda es la del carácter personal.[66]

Indudablemente, el problema de los falsos profetas ya era bastante frecuente en el contexto al cual está dirigida la *Didaché*. Los pasajes citados ilustran el dilema que confrontaban tanto el autor del opúsculo como sus lectores. «Ellos querían

---

64. *Ibid.*, 11.10-12.
65. *Ibid.*, 13.1.
66. Burgess, *Ancient Christian Traditions*, p. 21.

los mensajes proféticos en sus iglesias, porque consideraban que eran de provecho para ellos. Pero, también eran bien conscientes del peligro de ser infiltrados por falsos profetas.[67] De este modo, según el testimonio de la *Didaché*, hacia fines del primer siglo en las comunidades cristianas sirias a las que el documento está dirigido, el ejercicio de los dones y ministerios carismáticos era frecuente, especialmente el de profecía. La existencia de abusos y problemas es precisamente evidencia de la vigencia y difusión de los mismos.

Papias de Hierápolis (m. 150)

Es oportuno mencionar aquí el testimonio de uno de los fragmentos de Papias de Hierápolis, obispo de esa ciudad de Asia Menor. Papias había oído predicar al apóstol Juan y era amigo de Policarpo. Hacia el año 130 escribió un tratado en cinco libros, que se titula *Explicación de las sentencias del Señor*. Lo que se conserva de la obra tiene importancia, pues contiene algo de inestimable valor, como es la enseñanza oral de los discípulos de los apóstoles. En un interesante pasaje, Papias relata algunos hechos milagrosos, señalando que él llegó al conocimiento de ellos por la tradición oral. Según él, las hijas de Felipe le contaron de «un hombre muerto que fue resucitado a la vida en sus días». Eusebio, que registra esto en su *Historia eclesiástica*, agrega: «El también menciona otro milagro relacionado con Justus, apodado Barsabás, que tragó un veneno mortal, y no recibió daño por causa de la gracia del Señor». Y agrega: «La misma persona [Papias], además, ha registrado otras historias comunicadas a él oralmente, entre ellas algunas parábolas desconocidas y enseñanzas del Salvador, y algunas otras cosas de naturaleza más fabulosa».[68]

Si bien no tenemos disponible la obra de Papias, estos testimonios indirectos sirven para ver el carácter carismático

---

67. Kydd, *Charismatic Gifts in the Early Church*, p. 8.
68. Eusebio de Cesarea, *Historia eclesiástica*, 3.39.

del ministerio y acción de las iglesias en la época de los sucesores inmediatos de los apóstoles. En este caso particular se ve una de las dificultades que enfrenta el historiador cristiano para documentar la acción del Espíritu Santo en la historia. El argumento cesacionista de que los dones y manifestaciones del Espíritu terminaron porque no hay evidencias históricas que prueben lo contrario, no toma en cuenta un principio de buena hermenéutica histórica que es el hecho de que no todo lo que se ha escrito se ha preservado hasta nuestros días. Muchos documentos históricos se perdieron por efecto del tiempo o por la obra destructora de quienes consideraron su contenido como equivocado, peligroso o herético en tiempos posteriores.

Junto con el principio histórico enunciado, conviene tener en cuenta otros de valor en relación con el tema que nos ocupa. Primero, no todo lo que ha ocurrido está registrado en los documentos. En muchos casos, el ejercicio de los carismas o las señales y milagros eran cuestiones tan obvias, que los autores no se molestaron en discutirlas, ni siquiera en mencionarlas. Segundo, no todo lo registrado y que se ha preservado ha sido encontrado. Los padres apostólicos hacen referencia a innumerables escritos que se conocen por nombre, pero cuyo contenido es desconocido, porque no han llegado a nuestros días o no se los ha descubierto todavía. Tercero, no todo lo que se ha logrado encontrar está al alcance de la mano del investigador. Esto es así, bien sea porque los materiales se encuentran en colecciones privadas, en archivos inaccesibles, en idiomas no conocidos por el estudioso, o todavía no han sido publicados y dados a conocer. Cuarto, no todo el material de que se dispone es interpretado de la misma manera. Donde un investigador ve manifestaciones carismáticas y expresiones de la acción del Espíritu Santo, otro puede ver ejemplos de herejías o desbordes de entusiasmo y fanatismo. De todos modos, lo poco que nos llegó de Papias es suficiente para demostrar la vigencia de las manifestaciones poderosas del Espíritu en las iglesias de su tiempo.

Pastor de Hermas *(ca.* 140)

Es una alegoría religiosa dividida en tres partes: visiones, mandamientos y semejanzas. Fue escrita por Hermas, hermano de Pío, obispo de la iglesia romana, entre los años 139-140. Hermas es el nombre que se da a sí mismo el autor, sin especificar su posición dentro de la iglesia de Roma, a la cual su libro va dirigido.[69] Hermas fue esclavo de nacimiento. Vendido por su amo a una tal Rode, vino a Roma. Libertado por su nueva ama, fundó una familia y se empleó con éxito en distintos negocios. La riqueza adquirida de manera deshonesta corrompió a su mujer y a sus hijos, quienes hasta llegaron a traicionar a sus propios padres. Sobrevino el castigo divino, y Hermas quedó en la miseria. Así, se vió forzado a cultivar una parcela de tierra en las cercanías de Roma. Fue allí que tuvo sus famosas visiones, que están registradas en la obra en cuestión.

Lo que a nosotros nos interesa de esta obra es el hecho de que Hermas discute con bastante detalle la obra del Espíritu Santo en la iglesia, y considera con particular interés el don de profecía. El material que presenta sugiere que especialmente la profecía estaba todavía en vigencia entre los creyentes a los cuales escribe. El propio autor parece presentarse como un profeta, ya que hay numerosos pasajes en su libro que sugieren la revelación de Dios a través de visiones, si bien él mismo no se califica como tal. Incluso, hay pasajes en los que Hermas afirma que se le ha encomendado el deber de dar a conocer sus visiones.

El libro es apocalíptico en su forma. Comienza con el relato de una experiencia de rapto que vive su autor, quien

---

69. Sobre los detalles de autor, fecha, lugar y destinatarios de la obra, ver los estudios de G.F. Snyder, *The Shepherd of Hermas*, en *The Apostolic Fathers: A New Translation and Commentary*, ed. Robert M. Grant, 6 vols. Thomas Nelson and Sons, Camden, N.J. 1968, 22-30; Stanislas Giet, *Hermas et les Pasteurs: les trois auteurs de Pasteur d'Hermas* Presses Universitaires de France, París 1963, pp. 304-305; y Robinson, *Redating the New Testament*, pp. 319-321.

afirma haber sido transportado por el Espíritu a través de un desierto sin caminos. Luego, los cielos se abren y comienza una visión.

Un año más tarde se repite la experiencia. Son estas visiones las que Hermas puso por escrito en su libro. Indudablemente, el autor no es un profeta en el sentido en que el don profético es descrito por Pablo en 1 Corintios 12-14, o según los ejemplos que encontramos en Hechos 13.2 y 21.11. Tampoco es un profeta al estilo de Ignacio de Antioquía, según su relato en su *Carta a los Filadelfos*. No obstante, sí es un profeta parecido a los del Antiguo Testamento, al menos en la forma en que recibía los mensajes, es decir, a través de visiones. En esto se parece a Pedro (Hechos 10), aunque sus visiones parecen ser más frecuentes y dramáticas que la del apóstol. Sea como fuere, en Hermas el don profético como manifetación del Espíritu parece no solo estar vivo sino también tener una vigencia notable.

No obstante, al igual que la *Didaché*, Hermas advierte a sus lectores contra los falsos profetas, respecto a los cuales hace una clara distinción. «El falso profeta», dice él, «al no tener el poder del Espíritu Divino en él, les responde [a los que lo consultan como adivino] según sus preguntas, y según sus deseos perversos, y llena sus almas con expectativas, según sus propios deseos. Porque al estar él mismo vacío, da respuestas vacías a inquisidores vacíos». Y agrega: «Ningún espíritu que es dado por Dios necesita que se lo interrogue; sino que tal espíritu por tener el poder de la Divinidad habla todas las cosas por sí mismo, en tanto que procede de arriba, del poder del Espíritu Divino».

Por eso, su recomendación es:

Probad al hombre que tiene el Espíritu Divino por su vida. En primer lugar, quien tiene el Espíritu Divino que viene de arriba es manso, y apacible, y humilde, y se abstiene de toda iniquidad y del vano deseo de este mundo, y se contenta con menos exigencias que las de otros hombres, y cuando se le pregunta no responde; ni tampoco habla en

privado, ni tampoco habla el Espíritu Santo cuando el
hombre quiere que el espíritu hable, sino que habla solo
cuando Dios quiere que hable. Enconces, cuando un hombre que tiene el Espíritu Divino viene a la congregación de
los justos que tienen fe en el Espíritu Divino, y esta asamblea de hombres ofrece oración a Dios, entonces el ángel
del Espíritu profético, que está destinado para él, llena al
hombre; y el hombre al ser lleno con el Espíritu Santo,
habla a la multitud según el Señor desea. De esta manera,
entonces, se manifestará el Espíritu de la Divinidad.[70]

Nótese que el ministerio del profeta verdadero tiene lugar
en el contexto de la adoración comunitaria (una «asamblea»
que «ofrece oración a Dios»). Por otro lado, el mensaje del
profeta está dirigido al grupo y no a algún individuo en
particular. Su propósito es la edificación de la iglesia (1 Corintios 14.3). Además, el profeta es alguien lleno del Espíritu
Santo y solo dice lo que Dios quiere que él diga. De este modo,
el concepto de Hermas sobre la verdadera profecía está muy
cerca de la enseñanza de Pablo en 1 Corintios 12-14 en cuanto
al ejercicio de este don y ministerio.

En cambio, en el caso del falso profeta, las actitudes son
muy diferentes. El profeta espúreo «se exalta a sí mismo, y
desea ocupar el primer asiento [en la congregación], y es
atrevido, e imprudente, y charlatán, y vive en medio de muchos
lujos y de muchas otras supercherías, y cobra dinero por su
profecía; y si no puede recibir recompensa, no profetiza». En
consecuencia, el espíritu que lo inspira y posee es «terrenal».
Es por esto que cualquier persona que pretenda ser «portador
del Espíritu» debe ser probada por su vida y sus obras. «Probad
por sus acciones y su vida al hombre que dice que está inspirado».[71] La recomendación final de Hermas es: «Confiad en el
Espíritu que viene de Dios, y que tiene poder; pero no confiéis

---

70. *Pastor de Hermas*, Mandamiento 11.
71. *Ibid.*

en absoluto en el espíritu que es terrenal y vacío, porque no hay poder en él: viene del Diablo».[72]

En su discusión de los verdaderos y falsos profetas, Hermas afirma la popularidad de este don y ministerio en sus días y en Roma. Por eso, como apunta Kydd, se puede concluir que, «si la pregunta de cómo decidir si un profeta era verdadero o falso era una cuestión, debe haber habido un buen número de profetas dando vueltas».[73] Como señala Henry B. Swete: «Este es un testimonio notable de la supervivencia de la profecía en la Iglesia Romana hasta quizás la cuarta o quinta década del segundo siglo».[74]

Según Hermas, el Espíritu Santo se manifiesta también en el gozo con que el cristiano sirve al Señor. Su exhortación es: «Por tanto, vestíos con alegría, que siempre es agradable y aceptable a Dios, y regocijaos en ella ... El Espíritu Santo, que fue dado a los hombres es un Espíritu alegre».[75] De este modo, el gozo debe ser la condición normal del creyente, y la que está más en armonía con el vino nuevo de la vida cristiana. El vino nuevo y el vinagre no se pueden mezclar. La manera en que este Espíritu de gozo afecta la vida del creyente individual y el culto de la comunidad de fe sigue siendo evidente, incluso en nuestros días, en toda congregación en la que el Espíritu Santo actúa libremente.

Policarpo de Esmirna (69-156)

Policarpo fue discípulo del apóstol Juan, maestro de Ireneo de Lyon y de Papias, y obispo de la ciudad de Esmirna. En el año 155 fue a Roma a entrevistarse con el obispo Aniceto, con motivo de una controversia en cuanto a la fecha en que

---

72. *Ibid.*
73. Kydd, *Charismatic Gifts in the Early Church*, p. 20.
74. Swete, *The Holy Spirit in the Ancient Church*, p. 25. Véase también: Kirsopp Lake, «The Shepherd of Hermas and Christian Life in the Second Century», *Harvard Theological Review* 4 (1911): 45.
75. *Pastor de Hermas*, Mandamiento 10.2.

debía celebrarse la Pascua. Poco después de regresar a Esmirna, quizás en febrero del año 156, sufrió el martirio, abrasado por las llamas de la hoguera en un circo romano. Es posible que Policarpo haya sido el último sobreviviente de los que habían hablado con testigos oculares del ministerio de Jesús. Los miembros de su iglesia, después de su muerte, testificaron de que su pastor tenía el don de profecía: «Ciertamente el muy admirable Policarpo fue uno de estos [elegidos], en cuyo tiempo entre nosotros se mostró como un maestro apostólico y profético y obispo de la Iglesia Católica en Esmirna».[76]

En un documento que se conoce como *Acta del martirio de Policarpo*, la obra de su género más antigua que se conserva, hay abundantes testimonios de los dones del Espíritu que ejercía este siervo de Dios.[77] El documento es un excelente testimonio del lugar que el Espíritu Santo ocupaba en este tiempo en la vida, la fe y la adoración de la iglesia. Todo el registro del martirio de Policarpo está lleno de experiencias sobrenaturales y de manifestaciones del Espíritu Santo.

Tres días antes de su arresto, mientras estaba orando, tuvo una visión y vio su almohada encendida con fuego, y volviéndose a quienes estaban con él, profetizó: «Debo ser quemado vivo».[78] Más interesante todavía es el hecho de que aparentemente el documento menciona la glosolalia (hablar en lenguas extrañas) en relación con el célebre mártir de Esmirna. Cuando fueron a arrestarlo, Policarpo pidió permiso para orar por una hora, y «él se puso de pie y oró, estando tan lleno de la gracia de Dios, que por dos horas completas no pudo callar, para el asombro de aquellos que lo escuchaban».[79] Cuando el anciano

---

76. *Acta del martirio de Policarpo*, 16.2.
77. El *Acta del martirio de Policarpo* es una carta escrita por la iglesia de Esmirna a la de Filomelio y a toda la iglesia católica. Su narración es dramática y sincera. El vocablo «católico» se utiliza en este libro en el sentido de universal y ortodoxo, y con referencia al cristianismo histórico.
78. *Ibid.*, 5.2; 12.3.
79. *Ibid.*, 7.3.

pastor fue finalmente llevado a la arena, «una voz del cielo vino a él, diciendo: «Sé fuerte, Policarpo, y sé hombre». Nadie vio a quien le hablaba, pero aquellos de nuestros hermanos que estaban presentes oyeron la voz».[80]

Las últimas palabras de este honorable siervo de Dios están registradas como su oración final, antes de morir mirando al cielo:

> Señor Dios Todopoderoso, Padre de tu amado y bendito Hijo Jesucristo, ... te doy gracias, porque me has tenido por digno de este día y esta hora, de que pueda tener parte en el número de tus mártires, en la Copa de tu Cristo, hasta la resurrección a la vida eterna tanto del alma como del cuerpo en la incorruptibilidad [impartida] por el Espíritu Santo ... Te glorifico, junto con el eterno y celestial Jesucristo, tu amado Hijo, con quien sea gloria a ti y al Espíritu Santo ahora y en todos los siglos venideros. Amén.[81]

Esta es la primer instancia en que una doxología glorifica al Espíritu Santo junto con el Padre y el Hijo. Como señala Swete: «Si las palabras fueron pronunciadas por Policarpo, como indica la carta, tienen una importancia especial como el testimonio final de un mártir que fue cristiano por treinta años antes de fines del primer siglo y fue un oyente de San Juan».[82]

Un repaso de los testimonios que se conservan en cuanto a las manifestaciones del Espíritu Santo durante el período inmediato posterior al ministerio de los apóstoles, no nos deja todo el material que quisiéramos para el análisis y la evaluación. Sin embargo, es mucho más de lo que estarían dispuestos a considerar quienes señalan que los dones del Espíritu y sus manifestaciones de poder (señales, prodigios, maravillas y milagros) terminaron con el ministerio de los apóstoles y antes

---

80. *Ibid.*, 9.1.
81. *Ibid.*, 14.
82. Swete, *The Holy Spirit in the Ancient Church*, pp. 17-18.

que se cerrara el primer siglo. A la luz de los testimonios recogidos, parece claro que el Espíritu Santo continuó operando en los creyentes y las iglesias de la misma manera que lo vemos actuar según el libro de los Hechos.

Por otro lado, es evidente que entre todos los dones, el que más se destaca es el ejercicio del don de profecía. Este don aparece como uno de los carismas más frecuentes en la vida de las iglesias en todas partes en el período inmediatamente posterior a los apóstoles, así como lo fue en la época apostólica.[83] Esto no sería de sorprender si se interpreta como una adecuada vigencia y aplicación de las recomendaciones de Pablo en cuanto al ejercicio de los dones del Espíritu en 1 Corintios 14. La mayor parte de las recomendaciones que los padres apostólicos dan en relación con el ejercicio de los dones son las mismas que encontramos en los escritos apostólicos del Nuevo Testamento.

No obstante, parece un hecho cierto que las congregaciones cristianas continuaban siendo carismáticas en el sentido de dar al Espíritu Santo y sus manifestaciones un lugar destacado en la vivencia colectiva e individual de la fe. Si bien no es posible determinar cuán difundida era la consciencia de los cristianos de este período de actuar bajo la inspiración, guía y poder del Espíritu Santo, los casos citados son elocuentes. Es posible, pues, concluir con Swete, que en el cristianismo sub-apostólico, «la presencia del Espíritu en el Cuerpo de Cristo era admitida por todas partes como un hecho reconocido de la vida cristiana; mientras que cada escritor trató con el hecho según se le presentó en su propia experiencia o en la experiencia de la iglesia local en la que vivía».[84]

---

83. Para el importantísimo espacio que se otorga a la profecía en la época apostólica y postapostólica, véase Pierre de C. Labriolle, *La crise montaniste* Ernest Leroux, París 1913, 112-123.
84. Swete, *The Holy Spirit in the Ancient Church*, p. 31.

2

LOS APOLOGISTAS GRIEGOS

l período de los apologistas griegos comienza
poco antes del final del período de los Padres
Apostólicos. Los apologistas fueron hombres que
se propusieron escribir en defensa de la fe cristiana contra las acusaciones populares y los ataques más sofisticados de los intelectuales de sus días. La mayor parte de estos
escritos fueron dedicados a los emperadores de turno, y desti-
nados a los sectores más educados del Imperio Romano. Su
propósito era doble. Por un lado, querían demostrar la necedad
y debilidad del paganismo; y, por el otro, deseaban presentar
a la fe cristiana como una religión intelectualmente válida. De
esta manera, estos defensores de la fe esperaban cambiar la
opinión pública en cuanto al Evangelio y llevar a los líderes de
la sociedad a su conversión. Los denominamos «apologistas
griegos» porque casi todos ellos escribieron en esa lengua. Su
propósito era hacer comprensible el cristianismo a los paganos
del mundo greco-romano, y para ello utilizaron una lengua y

un lenguaje que les resultase inteligible. Es así que, hicieron todo lo posible por adaptar su mensaje a la cultura imperante. Con esto, los apologistas helenizaron al cristianismo y cristianizaron al helenismo.

En razón de estos objetivos, los apologistas tuvieron mucho cuidado de presentar los aspectos más potables de la vida cristiana, según los criterios de la cultura a la que dirigían su mensaje. En un sentido, los elementos sobrenaturales de su fe fueron desplazados para elaborar una argumentación más racional de la misma. Los sectores intelectuales y de poder debían ser convencidos de la verdad del Evangelio por la racionalidad del discurso, más que por el impacto de las señales, prodigios y maravillas obradas por el Espíritu Santo. De allí que, los apologistas no son la mejor fuente para testificar de la obra y ministerio del Espíritu. Por otro lado, su poca atención a la actividad del Espíritu Santo no es argumento para fundamentar la cesación de los dones espirituales o las señales milagrosas. Utilizar este argumento significa desconocer las limitaciones propias del género literario que utilizaban y las demandas del propósito que los movía.

No obstante, es sorprendente que a pesar de estos condicionamientos, los escritos de los apologistas contienen una notable variedad de testimonios de las manifestaciones poderosas del Espíritu, durante ese período de la historia del cristianismo. Nuevamente, de entre todos los dones del Espíritu Santo, el que más se destaca es el de profecía. Como bien señalara Milcíades, el célebre adversario del montanismo, «el don profético debe continuar en toda la Iglesia hasta el regreso final, como insiste el apóstol».[1]

En las páginas que siguen vamos a procurar leer el testimonio de algunos apologistas, y desentrañar de sus palabras las evidencias de las operaciones sobrenaturales del Espíritu Santo, que sustancien la continuidad de los carismas y acciones de poder después del primer siglo cristiano.

---

1. Citado por Eusebio, *Historia Eclesiástica*, 5.17.

Cuadrato de Atenas (*ca.* 130)

Entre los primeros apologistas surge el nombre de Cuadrato, obispo de Atenas. Además, este hombre no solo defendió la fe cristiana escribiendo una *Apología*, sino que era conocido como evangelista y profeta. Eusebio dice de él: «Entre las luces brillantes de este período estaba Cuadrato, quien según la evidencia escrita era, como las hijas de Felipe, eminente en su don profético».[2] Es interesante que Eusebio, no muy afecto a destacar el ejercicio de los carismas con posterioridad a los apóstoles, agrega que «además de ellos muchos otros eran bien conocidos en ese tiempo, perteneciendo a la primera etapa en la sucesión apostólica».

El caso de Cuadrato y el testimonio de Eusebio son oportunos para ilustrar una de las dificultades que enfrenta el historiador cristiano cuando investiga la acción del Espíritu Santo en la historia. Hombres como Eusebio estaban profundamente condicionados por sus propias presuposiciones y compromisos ideológicos con el medio ambiente. No debe olvidarse que Eusebio escribe con posterioridad a la «conversión» de Constantino (probablemente en 314 ó 315), y cuando la fe cristiana ha pasado de ser una «vil superstición» a encaminarse a su consideración como la religión del Estado romano. A los ojos de cristianos comprometidos con el Imperio Romano y su cultura (como era el caso de Eusebio), la simpleza y espontaneidad carismática de los primeros cristianos y sus sucesores era algo para mantener callado. Que Cuadrato haya sido un gran varón de Dios, no significa que Eusebio se sienta en la obligación de destacar sus dones espirituales y su ministerio carismático.

Por otro lado, el propio Eusebio debe haber confrontado el problema de la falta de suficiente información, no solo sobre Cuadrato, sino en relación con muchísimos otros «sucesores de los apóstoles», como él los llama. De todos modos, la

---

2. *Ibid.*, 3.37.

aparente ausencia de material no prueba que hombres como Cuadrato no hayan ejercido un ministerio combinado, como apologista y profeta, al mismo tiempo. Es muy probable que Cuadrato ejercía de manera poderosa el don profético, pero su ministerio no fue registrado, o si fue registrado se perdió el material con posterioridad. De hecho, el propio Eusebio reconoce sus muchas limitaciones al tratar de reconstruir lo ocurrido con posterioridad al ministerio de los apóstoles.[3]

Justino Mártir (114-165)

Justino es el primer apologista que usó la filosofía para defender el Evangelio. Este famoso defensor de la fe nació en Flavia, Neápolis. Desde joven quiso conocer a Dios. Fue así como recorrió los caminos del estoicismo, la filosofía de los peripatéticos y pitagóricos y, por último, el platonismo. Pero en ninguna de estas filosofías encontró satisfacción para su búsqueda de la verdad. Durante la guerra de Bar Kochba (132-135) se convirtió a la religión de Cristo, por el testimonio de un anciano a quien encontró mientras caminaba por la playa. Se sabe poco de Justino después de su conversión. Se dice que continuó vistiendo su toga de filósofo, pero que usó sus conocimientos en la evangelización, yendo de lugar en lugar, procurando ganar a otros para Cristo, tanto judíos como gentiles. Finalmente, parece que se estableció en Roma como maestro cristiano. Estando allí, los filósofos, especialmente los cínicos, se complotaron en su contra, y él selló su testimonio de la verdad con el martirio. Su obra fue fundamentalmente apologética.[4]

En su obra *Diálogo con Trifón*, Justino presenta el relato de su conversación con el personaje anónimo que lo llevó a

---

3. *Ibid.*, 1.1.
4. Escribió su *Diálogo con el judío Trifón* en Éfeso, y dos *Apologías* dirigidas al emperador, al senado y al pueblo de Roma.

Cristo. Allí se menciona una y otra vez la obra del Espíritu Santo.[5] Cuando Justino le pregunta al anciano por un maestro que pueda enseñarle la verdad, este se refiere a los profetas hebreos que «hablaron por el Espíritu Divino, y predijeron eventos que ocurrirían, y que ahora están ocurriendo». Estos profetas, según el anciano, «vieron y anunciaron la verdad a los hombres, ... no influídos por un deseo de gloria, sino hablando solo de aquellas cosas que vieron y que oyeron, cuando fueron llenos con el Espíritu Santo».[6] Al despedirse, el anciano le dice: «Ora para que, por sobre todas las cosas, los portales de esplendor te puedan ser abiertos; porque estas cosas no pueden ser percibidas o entendidas por todos, sino solo por el hombre a quien Dios y su Cristo le han impartido sabiduría».[7] Sobre esta experiencia, Swete comenta: «Palabras como estas, pronunciadas en una gran crisis en la vida, no se olvidan fácilmente, y la insistencia de este maestro desconocido sobre la obra del Espíritu encuentra un eco en la propia enseñanza de Justino».[8]

Justino fue un filósofo que nunca renunció a la filosofía. Por el contrario, buena parte de su vida estuvo dedicada a reflexionar profundamente sobre la verdad y en desarrollar una filosofía cristiana. No obstante, no fue un pensador encerrado en una torre de marfil y aislado de la realidad del Espíritu. Sobre todo, Justino se transformó en el modelo por excelencia del apologista cristiano, que tiene un conocimiento amplio de la doctrina y práctica de la Iglesia en todas partes. En su obra, él procura despejar el temor y la sospecha que se estaba gestando en relación con los cristianos y su religión.

Junto con sus dotes de filósofo y apologista, Justino se destaca también por su testimonio de los dones espirituales. Como señala Kydd: «Justino ocupa una posición única entre

---

5. Justino Mártir, *Diálogo con Trifón*, 1-7.
6. *Ibid.*, 7.
7. *Ibid.*
8. Swete, *The Holy Spirit in the Ancient Church*, 34.

los autores cristianos primitivos, cuando se considera la manera en que él maneja la cuestión de los dones del Espíritu».[9] Especialmente, llama la atención su enseñanza sobre el particular. El apologista señala que en sus días había profetas, como en los tiempos antiguos. Según él, los dones proféticos de los judíos habían sido transferidos a los cristianos.[10] Al afirmar su fe trinitaria, Justino llama al Espíritu Santo, de manera característica, «Espíritu profético».[11]

Este apologista es un buen testigo de la vida de la Iglesia en su tiempo, y presenta evidencias interesantes sobre la obra del Espíritu. Con entusiasmo le testifica al judío Trifón que «diariamente algunos [de vosotros] os estáis haciendo discípulos en el nombre de Cristo, y estáis abandonando la senda del error; quienes también están recibiendo dones, cada uno de ellos conforme es merecedor, siendo iluminados a través del nombre de este Cristo. Puesto que uno recibe el espíritu [don] de entendimiento, otro de consejo, otro de fortaleza, otro de sanidad, otro de presciencia, otro de enseñanza, y otro del temor de Dios».[12] Al oír esto, Trifón le dice que está fuera de sí, a lo que Justino responde que está profetizado que luego del ascenso de Cristo al cielo, «Él nos liberaría del error y nos daría dones». Y agrega: «Por lo tanto, nosotros que hemos recibido dones de parte de Cristo, que ha ascendido arriba a las alturas, probamos a partir de las palabras de profecía, que

---

9. Kydd, *Charismatic Gifts in the Early Church*, 26.

10. Justino Mártir, *Diálogo con Trifón*, 82. Véase Gustave Bardy, *La théologie de l'Église de Saint Clément de Rome à Saint Irénée*, Unam Sanctam 13, Éditions du Cerf, París, 1945, 132.

11. Justino Mártir, *Primera Apología*, 6; 13; *passim*. «El Espíritu Santo de profecía» en 44.1.

12. Justino Mártir, *Diálogo con Trifón*, 39.2. Véase Stuart D. Currie, «Speaking in Tongues», *Interpreter* 19 (1965): 288. Currie nota que Justino Mártir, cuando menciona los dones del Espíritu, expresamente omite las lenguas (p. 281). Sobre el particular, véase la discusión de Harold Hunter, «Tongues-Speech: A Patristic Analysis», *Journal of the Evangelical Theological Society* 23 (junio 1980): 127-128.

vosotros, "los sabios en sus propios ojos, y los prudentes delante de sí mismos", sois necios». Para Justino, pues, la vigencia de los dones del Espíritu era una demostración de la necedad e hipocresía del judaísmo.[13]

En su *Diálogo con Trifón*, después que este judío lo interroga sobre Isaías 11.1-2, Justino responde que Jesús tenía todos los poderes del Espíritu que se mencionan en ese pasaje. Y agrega que ahora, transformados esos poderes en dones, «a partir de la gracia del poder de Su Espíritu, Él los imparte a aquellos que creen en Él, según considere a cada hombre digno de esto». Según Justino, «había sido profetizado que esto sería hecho por Él [Cristo] después de su ascensión al cielo».[14] Y señala: «Ahora, es posible ver entre nosotros mujeres y hombres que poseen dones del Espíritu de Dios».[15]

Es interesante comparar la lista de dones que Justino presenta en estos pasajes con las que Pablo confecciona en Romanos 12.6-8 y 1 Corintios 12.8-11. Al hacerlo, surgen similitudes y diferencias. Por un lado, los dones de sanidades y enseñanza aparecen tanto en Pablo (1 Corintios 12.9; Romanos 12.7) como en Justino. Otros dones parecidos son «entendimiento» («palabra de sabiduría») y «presciencia» («palabra de ciencia»). Pero otros dones son propios de la lista de Justino, como «consejo», «fortaleza», y «temor de Dios». De todos modos, parece que Justino está hablando de las mismas cosas, es decir, se refiere a las herramientas que el Espíritu Santo da a los creyentes para que puedan cumplir con su misión y edificar la Iglesia.

Más significativo que la enumeración de dones espirituales es el hecho de que Justino parece indicar que estos dones estaban en pleno ejercicio y vigencia en la Iglesia de sus días. Los nuevos convertidos del judaísmo al cristianismo estaban recibiendo dones de parte del Señor... y esto era lo que estaba

---

13. Justino Mártir, *Diálogo con Trifón*, 39.
14. *Ibid.*, 87. Cf. Salmo 68.18 y Joel 2.28-29.
15. *Ibid.*, 88.1.

ocurriendo en las iglesias, mientras él escribía a Trifón. Parece
evidente, pues, que en la experiencia de las iglesias con las que
Justino estaba relacionado, el ejercicio de los dones del Espíritu, especialmente el de profecía, era regular y parte integral de
la vida de las congregaciones. Su afirmación de que «los dones
proféticos [prophetika charismata] permanecen con nosotros,
incluso hasta el tiempo presente», es categórica.[16] De este
modo, Justino presenta un fuerte argumento al señalar que
Dios el Padre le dio a Jesús los dones que anteriormente había
dado a los judíos (según Isaías 11.1-2). Y, a su vez, en cumplimiento del Salmo 68.16 y de Joel 2.28-29, Jesús comenzó a
entregar estos dones a los cristianos. Esto explica, según él, por
qué hay creyentes que poseen y ejercitan los dones espirituales,
como era el caso de muchos en sus días.

Con esto, Justino no solo deja sentado un importante
testimonio de la vigencia de los dones en su tiempo, sino que
su testimonio «es el primer intento en la literatura cristiana
primitiva de dar cuenta de la presencia de los dones espirituales
en la iglesia».[17] Para Justino los dones eran todavía una parte
integral de la experiencia cristiana. Y muy probablemente estas
observaciones no están limitadas a la iglesia en Roma, sino que
reflejan de algún modo la situación predominante en el cristianismo en todas partes. Justino tenía un amplio conocimiento
del cristianismo en muchos lugares, de modo que «muy probablemente conocía el cristianismo, no en sus peculiaridades
locales, sino en sus características universales y esenciales».[18]

Una última palabra sobre el testimonio de Justino, merece
su consideración de la guerra espiritual en todos los niveles.
Justino estaba convencido, como el apóstol Pablo (2 Corintios
4.4), que todo el esfuerzo de los demonios estaba enfocado en

---

16. *Ibíd.*, 82.1.
17. Kydd, *Charismatic Gifts in the Early Church*, 28.
18. G.T. Purves, *The Testimony of Justin Martyr to Early Christianity*,
    James Nisbet, Londres, n.f., 45. Véase también: L.W. Barnard, *Justin
    Martyr: His Life and Thought*, At the University Press, Cambridge,
    1967, 133, 150.

impedir la conversión de los seres humanos a Dios y a Cristo.[19] La prueba está en los herejes, que son los instrumentos de los demonios, porque enseñan un dios distinto del Padre y del Hijo. Los demonios fueron los que cegaron e indujeron a los judíos a infligir todos los sufrimientos que padeció Jesús. Pero, sabiendo que Cristo reclutaría la mayoría de sus seguidores de entre los paganos, pusieron un empeño especial en que fracasara con ellos. Desde este punto de vista, es interesante lo que dice Justino del efecto del nombre de Jesús sobre los demonios, cuando los creyentes lo invocan llenos del Espíritu.

> Porque llamamos ayudador y redentor nuestro a Aquél, la fuerza de cuyo nombre hace estremecer a los mismos demonios, los cuales se someten hoy mismo conjurados en el nombre de Jesucristo, crucificado bajo Poncio Pilato, procurador que fue de Judea. De suerte que por ahí se hace patente a todos que su Padre le dió tal poder, que a su nombre y a la dispensación de su pasión se someten los mismos demonios.[20]

Taciano (110-172)

Taciano, quien fue discípulo de Justino, era nativo de la ciudad de Edesa, en Siria. Hijo de padres paganos de lengua siríaca, recibió una buena educación en Grecia, desde donde se dirigió a occidente. Taciano era un hombre ansioso por conocer la verdad y por encontrar una religión que le diera satisfacción. Se estableció en Roma, donde probó muchas religiones, hasta que finalmente su búsqueda terminó, poco después del año 150, cuando se convirtió al cristianismo. Taciano fue discipulado por Justino en Roma. Después del martirio de su maestro, abrió una escuela en Roma (*ca.* 165), donde ejerció su ministerio de enseñanza.

---

19. Justino Mártir, *Apología*, 1.26, 54, 57, 62.
20. Justino Mártir, *Diálogo con Trifón*, 30.3.

Su testimonio de fe pone de manifiesto su desencanto con la civilización greco-romana. Su nota más positiva es su gratitud a Dios por haber sido liberado de los innumerables dioses y espíritus malignos del politeísmo pagano. Hablando de la apelación de la Biblia en su vida, en contraste con los pretendidos misterios enseñados por otros libros de religión y ocultismo, dice:

> Puse mi confianza en estas Escrituras, porque el estilo no era fantasioso, los oradores eran genuinos, la composición era fácil de entender, los eventos futuros eran predichos [se refiere a las profecías acerca de la venida de Cristo], los mensajes eran mucho más de lo que uno podía haber esperado, y el universo tenía un solo principio guiador.
> Enseñado por Dios, llegué a entender que aquí había una religión que nos hace libres de la esclavitud que hay en el mundo, y nos arrebata de los muchos dominadores, sí, de diez mil tiranos.[21]

Estas palabras de testimonio personal están tomadas de la única obra que existe de Taciano, su *Discurso a los griegos*. En ella, Taciano hace un duro ataque al paganismo al tiempo que testifica de su conversión a Cristo. Hablando del alma, dice que «si esta continúa sola, tiende hacia abajo, hacia la materia, y muere con la carne; pero, si entra en unión con el Espíritu Divino, ya no está más desvalida, sino que asciende a las regiones a las que el Espíritu la guía». Y agrega lo que podría ser una referencia al don de profecía: «Pero el Espíritu de Dios no está con todos, sino que, asumiendo su morada con aquellos que viven justamente, y combinándose íntimamente con el alma, anuncia cosas ocultas a otras almas mediante profecías».[22]

Taciano denuncia la obra de los demonios y anuncia que serán castigados con más severidad que los seres humanos. Sin

---

21. Taciano, *Discurso a los griegos*, 5.
22. *Ibid.*, 13.

embargo, el ser humano natural no es consciente de la presencia y obra de los demonios. «Los cuerpos de los demonios solo pueden ser vistos fácilmente por aquellos en quienes mora el Espíritu de Dios y a quienes Él fortifica, y no por otros en absoluto ... porque lo inferior no tiene la capacidad de aprehender lo superior».[23] Los demonios gobiernan sobre los incrédulos y los engañan con demostraciones de poder.

> Los demonios, inspirados con frenesí contra los hombres en razón de su propia impiedad, pervierten sus mentes, que ya se inclina hacia abajo, por medio de varias representaciones escénicas engañosas, a fin de que queden incapacitados para subir a la senda que lleva al cielo. Pero para nosotros las cosas que están en el mundo no están ocultas, y lo divino es fácilmente aprehendido por nosotros si el poder que hace inmortal nuestras almas nos visita.[24]

Estas palabras de Taciano parecen hacer referencia al don de discernimiento de espíritus, tan necesario para llevar a cabo un ministerio de liberación y sanidad interior. En la segunda sección de su *Discurso*, este apologista presenta un verdadero manual para el ministerio de liberación, con instrucciones bastante prácticas y precisas en cuanto a cómo proceder frente a los demonios.

La manera de conquistar a los demonios es estar armado con la armadura del Espíritu celestial (Efesios 6.13-17). Muchas veces los demonios provocan enfermedades, «pero, al ser golpeados por la palabra de Dios, se van en terror, y el enfermo es sanado».[25] Taciano denuncia la falsedad de los sanadores paganos, con sus amuletos, curas mágicas, hierbas y raíces, y otros medios del ocultismo. Todas estas, dice él, son manifestaciones demoníacas que engañan en lugar de sanar. «Si alguien

23. *Ibid.*, 15.
24. *Ibid.*, 16.
25. *Ibid.*

es sanado por la materia, mediante la confianza en ella, mucho más será sanado recurriendo al poder de Dios». Y pregunta:

> ¿Por qué quien confía en el sistema de la materia no está dispuesto a confiar en Dios? ¿Por qué razón no te acercas al Señor más poderoso, sino que buscas curarte a tí mismo, como el perro con pasto, o el ciervo con una víbora, el cerdo con cangrejos de río, o el león con monos? ¿Por qué deificas los objetos de la naturaleza? ¿Y por qué, cuando curas a tu prójimo, eres llamado un benefactor? Sométete al poder del Logos! Los demonios no curan, sino que por su arte hacen de los hombres sus cautivos.[26]

La guerra espiritual y el ministerio de liberación son otros de los elementos claves en los que se pone de manifiesto la acción del Espíritu Santo. Ignorar la importancia del choque de poderes como un elemento clave para la comprensión del impresionante triunfo del cristianismo en los primeros siglos de testimonio, es dejar de lado un factor importante. A pesar de la enorme oposición en su contra, los cristianos primitivos lograron saturar el mundo de sus días porque, como registra el testimonio de Taciano, supieron hacer frente a las fuerzas de Satanás llenos de poder y autoridad en el Espíritu Santo. Las palabras de este maestro de Roma tienen una increíble actualidad.

El testimonio de Taciano es confirmado por algunos historiadores profesionales seculares de nuestros días. Uno de ellos es Ramsay MacMullen, profesor en la Universidad de Yale y especialista en la historia del Imperio Romano. Este erudito señala: «Mi interés se enfoca solo en cómo los no cristianos fueron ganados para la iglesia».[27] En respuesta a su pregunta de cómo fue que el Imperio Romano, que era totalmente

---

26. *Ibid.*, 18.
27. Ramsay MacMullen, *Christianizing the Roman Empire: A.D. 100-400*, Yale University Press, New Haven, CT, 1984, 87.

pagano, se hizo cristiano en un período de aproximadamente trescientos años, este erudito sintetiza varios factores hacia el final de su libro. Entre ellos menciona: «énfasis sobre la demostración milagrosa, un desafío confrontacional a los no cristianos a una prueba de poder, una confrontación directa con los seres sobrenaturales inferiores a Dios, y un desplazamiento despectivo de las sendas meramente racionales ... hacia el verdadero conocimiento de lo divino».[28] MacMullen menciona también otros aspectos relacionados con ministerios de poder tales como liberación de demonios y lucha contra el ocultismo, sanidades y milagros, y profecías. Según él, hay numerosos testimonios de esto en la historia, muchos más de los que los historiadores «incluídos los historiadores cristianos» muchas veces están dispuestos a admitir.

Taciano sabía por experiencia personal qué significaba la guerra espiritual y qué era liberación de demonios, cuáles eran las cadenas demoníacas que estaban detrás del ocultismo y la idolatría de sus días, y cómo el poder liberador de Cristo a través del Espíritu Santo podían traer libertad a las personas.

Atenágoras (m. *ca.* 200)

Atenágoras fue un filósofo ateniense, contemporáneo de Taciano, que se convirtió al cristianismo mientras leía la Biblia con el propósito de refutarla. Es el autor de una apología titulada *Súplica por los cristianos*, que presentó a los emperadores Marco Aurelio y Cómodo en el año 177. Escribió muchos otros libros, la mayoría hoy perdidos. Fue antecesor de Panteno en la Escuela de Alejandría. Tanto su apología como su tratado *La resurrección de los muertos* —únicas obras que se conservan— dan evidencia de su habilidad como escritor y de su rica cultura. Probablemente Atenágoras haya sido el más capaz de todos los apologistas. Por lo menos, parece ser el más elocuente de ellos.

---

28. *Ibid.*, 112.

En su apología, Atenágoras se refiere al don de profecía, cuando señala: «Y a la verdad, el mismo Espíritu Santo, que obra en los que hablan proféticamente, decimos que es una emanación de Dios, emanando y volviendo, como un rayo del sol».[29] Este Espíritu Santo es el mismo Espiritu que movió las bocas de los profetas del Antiguo Testamento como si fuesen instrumentos, y que los impulsó a declarar sus profecías más allá de su propio entendimiento. Esto mismo marca la gran diferencia que existe entre los filósofos paganos y los profetas cristianos.

> Nosotros, en cambio, de lo que entendemos y creemos, tenemos por testigos a los profetas, que, movidos por espíritu divino, han hablado acerca de Dios y de las cosas de Dios. Ahora bien, vosotros mismos, que por vuestra inteligencia y por vuestra piedad hacia lo de verdad divino sobrepasáis a todos, diríais que es irracional adherirse a opiniones humanas, abandonando la fe en el Espíritu de Dios, que ha movido, como a instrumentos suyos, las bocas de los profetas.[30]

Según Atenágoras, pues, estos profetas proclamaron las cosas con las que fueron inspirados, porque el Espíritu los usó tal como un flautista sopla en una flauta. De allí que al referirse al Espíritu Santo, Atenágoras prefiere denominarlo, al igual que otros escritores de su tiempo, «Espíritu profético».

Es interesante notar que la descripción que Atenágoras hace del don de profecía coincide con la manera en que este don ha sido definido en la actualidad. Según C. Peter Wagner, «el don de profecía es la habilidad especial que Dios da a ciertos miembros del Cuerpo de Cristo para recibir y comunicar un mensaje inmediato de Dios a su pueblo a través de una declaración divinamente ungida».[31]

---

29. Atenágoras, *Súplica por los cristianos*, 10.
30. *Ibid.*, 7, 9.
31. C. Peter Wagner, *Your Spiritual Gifts Can Help Your Church Grow* (Ventura, CA: Regal Books, 1994), 253.

Teófilo de Antioquía (130-190)

Nació en un hogar pagano y se convirtió por el estudio cuidadoso de las Escrituras. En 168 fue nombrado obispo de Antioquía. Escribió varias obras contra las herejías de sus días, comentarios de los evangelios y del libro de Proverbios. Lo único que nos queda de su producción literaria son tres libros, que están dirigidos a su amigo Autólico. Cabe destacar que Teófilo es el primer autor cristiano que aplica la palabra «trinidad» a la Deidad.[32]

Teófilo relata su conversión a Cristo en estos términos:

No seas, pues, incrédulo, sino cree. Porque tampoco yo en otro tiempo creía que ello hubiera de ser; mas ahora, tras haberlo bien considerado, lo creo, y porque juntamente leí las sagradas Escrituras de los santos profetas, quienes, inspirados por el Espíritu de Dios, predijeron lo pasado tal como pasó, lo presente tal como sucede y lo por venir tal como se cumplirá. Teniendo, pues, la prueba de las cosas sucedidas después de haber sido predichas, no soy incrédulo, sino que creo y obedezco a Dios.[33]

Teófilo menciona al Espíritu Santo por nombre solo en relación con la obra de la creación y la inspiración. En cuanto a las manifestaciones del Espíritu, la que menciona en particular es, como es obvio en su tiempo, la profecía. Como indica Swete: «De la obra del espíritu de profecía, Teófilo, al igual que otros escritores cristianos de su tiempo, habla con total convicción».[34] El cumplimiento de las profecías del Antiguo Testamento prueba que los profetas anticiparon el futuro por la inspiración del Espíritu Santo. Según Teófilo, estos hombres de la antigüedad fueron «portadores del Espíritu» o «aquellos

---

32. Teófilo, *A Autólico*, 2.15.
33. *Ibid.*, 1.14.
34. Swete, *The Holy Spirit in the Ancient Church*, 47-48.

que son llevados [inspirados] por el Espíritu», al igual que los autores de los evangelios.[35] De hecho, Teófilo es el primer escritor que enseña claramente la inspiración divina del Nuevo Testamento.[36] Sin embargo, no hace otra referencia a la obra del Espíritu en la Iglesia de sus días, fuera de la declaración de que los cristianos son guiados por la Palabra santa y enseñados por la Sabiduría.[37] Pero debe tenerse en cuenta que su libro está dirigido a paganos y probablemente no consideró oportuno ser explícito sobre estas cuestiones.

Como ocurre en otros casos del segundo siglo, este autor destaca la importancia del don profético, especialmente su ejercicio en el Antiguo Testamento. Pero se muestra cauteloso en describir su ejercicio en sus propios días. Es difícil suponer que Teófilo haga una valoración tan alta de este don, si el mismo no fuese relevante en la iglesia de sus días. Por otro lado, arguir la ausencia o cesación de este carisma a partir del relativo silencio de Teófilo en cuanto al mismo, es no tomar en serio su aprecio cierto por el don profético. Además, tal argumento cesacionista no haría justicia con el propósito con el que Teófilo escribe ni el carácter apologético de su obra dirigida a no creyentes. Muy probablemente, si el apóstol Pablo en lugar de escribir su primera epístola a «la iglesia de Dios que está en Corinto» (1 Corintios 1.2), la hubiese dirigido a los «indoctos o incrédulos» (1 Corintios 14.23) de aquella ciudad, jamás hubiese escrito los capítulos 12 a 14.

Minucio Félix (m. ¿180?)

Fue un apologista, de quien se desconoce su fecha de nacimiento y lugar de origen, pero cuya obra fue muy influyente en el mundo romano. Su obra lleva el título de *Octavio*,

---

35. Teófilo, *A Autólico*, 2.9, 22; cf. 3.12.
36. Johannes Quasten, *Patrología*, 3 vols. Biblioteca de Autores Cristianos, Madrid, 1961, 1:228.
37. *Ibid.*, 3.15.

ya que este era el nombre de uno de sus protagonistas. Consiste en una discusión acerca del contraste entre el paganismo y el cristianismo. Minucio fue el primer apologista que escribió en latín, y su obra es «la más bella apología de la Iglesia primitiva».[38] Dividió su libro en 41 capítulos, atractivos por su lenguaje fácil y fluido. En su argumentación contra el paganismo, Minucio señala que detrás de la adoración pagana están operando los demonios.

> Estos espíritus impuros «los demonios», como se ve por los magos, los filósofos y por Platón, consagrados bajo estatuas e imágenes, acechan allí, y por su inspiración logran la autoridad como de una deidad presente; al mismo tiempo que mientras que son insuflados en los profetas, mientras que moran en los templetes, mientras que a veces animan las fibras de las entrañas, controlan los vuelos de los pájaros, y dirigen las suertes, son también la causa de los oráculos que tienen que ver con muchas falsedades ... «Los demonios», al arrastrarse también secretamente adentro de los cuerpos humanos, con sutileza por ser espíritus, fingen enfermedades, alarman las mentes, y aprietan alrededor de los miembros del cuerpo.[39]

Los demonios son también los responsables de las acusaciones falsas y calumnias relativas a la conducta y creencias de los cristianos. De allí que la guerra espiritual es propia de la militancia cristiana. Minucio probablemente hace referencia a la práctica de la iglesia cuando describe la liberación de demonios en estos términos: «Dado que ellos mismos "los demonios" son los testigos de que son demonios, créanles cuando confiesan la verdad sobre sí mismos; porque cuando se renuncia a ellos "en el nombre" del único y verdadero Dios, de mala

---

38. Quasten, *Patrología*, 1.448.
39. Minucio Félix, *El Octavio*, 27.

gana los seres perversos se estremecen en sus cuerpos, y saltan de una vez o se van de a poco, según ayude la fe del que sufre o inspire la gracia del que sana». Esta es la razón por la que los demonios huyen de los vecindarios en que hay cristianos, y provocan odio en su contra en las mentes de los gentiles, que los odian aún antes de conocerlos, y esto lo hacen por temor.[40] Para Minucio, todas las acusaciones falsas en contra de los cristianos «incesto, sacrificios de niños, orgías, adoración de la cabeza de un burro, y otras acciones detestables» son instigadas por los demonios.

Nuevamente es oportuno recordar algunas de las conclusiones a las que llega un historiador especialista en el mundo greco-romano, Ramsay MacMullen. El señala, como uno de los factores claves para entender la impresionante expansión del cristianismo en los primeros trescientos años, a lo que denomina una «confrontación directa con los seres sobrenaturales inferiores a Dios». En su libro, MacMullen presenta abundancia de testimonios en relación con liberación demoníaca, guerra espiritual contra el ocultismo, además de sanidades, milagros y profecías. Así, este historiador secular, en una sección en que discute el ministerio de Pablo y de Juan en su confrontación con Diana de los efesios, recuerda la manera en que el poder del cristianismo fue confirmado en Éfeso y cómo quedó «demostrado frontalmente en el altar hecho pedazos». Según él: «Eliminar toda competencia en el campo [de misión] de manera frontal era crucial. El mundo, después de todo, tenía muchas docenas y cientos de dioses. La elección estaba abierta a todo el mundo. Así que solo una fuerza muy excepcional podía desplazar realmente las alternativas y motivar una alianza; solo las demostraciones más probatorias podían funcionar. Debemos, por tanto, asignar a esto tanto peso, como principal instrumento de conversión, como los mejores y más tempranos informantes lo hacen».[41]

---

40. *Ibid.*
41. MacMullen, *Christianizing the Roman Empire*, 27.

Esta observación de un historiador contemporáneo nos ayuda a entender y evaluar mejor el testimonio de Minucio Félix. Este intelectual cristiano del segundo siglo, que tenía una particular inclinación por dar su testimonio cristiano a las élites pensantes de sus días, veía en el choque de poderes un recurso misionológico fundamental. Su comprensión de la fe cristiana como un Evangelio de poder, bajo la guía del Espíritu Santo, tiene una actualidad notable y es de gran inspiración.

Comodiano (*ca.* 200-275)

Un planteo similar al anterior se puede encontrar en *Las instrucciones de Comodiano*, una obra escrita alrededor del año 240. Comodiano parece haber sido un obispo de África del norte, y en su obra ataca a la idolatría como adoración de demonios. Los demonios tienen su origen en los seres angelicales que se rebelaron contra Dios y sedujeron a mujeres hermosas, con las que procrearon a los gigantes. Estos gigantes u hombres de renombre fueron los que enseñaron a la humanidad las artes e industrias. Cuando murieron, los hombres les erigieron imágenes. «Pero el Todopoderoso, en razón de que eran de una simiente mala, no aprobó eso, y cuando muertos, ellos debían ser traídos de la muerte. De ahí que ahora, cuando ellos van de un lado a otro, destruyen a muchos cuerpos, y es especialmente a ellos a quienes ustedes en este día adoran y oran como a dioses».[42] Luego sigue la lista y descripción de las imágenes de los dioses que disfrazan la adoración de demonios. Su exhortación es: «Aléjense de estos, si quieren resucitar con Cristo».[43] Y agrega: «Eviten la adoración de templos, los oráculos de demonios; vuélvanse a Cristo, y serán asociados con Dios».[44]

---

42. *Las instrucciones de Comodiano*, 3.
43. *Ibid.*, 21.
44. *Ibid.*, 35.

Debe tenerse en cuenta que Comodiano está escribiendo a paganos, a quienes exhorta a abandonar sus prácticas idolátricas, ya que son de carácter demoníaco. Otra vez se destaca el concepto de este pastor norafricano en cuanto al choque de poderes. No obstante, no se trata simplementede de una teoría teológica, sino de una estrategia probada por la experiencia. Para Comodiano, los demonios no son meros datos de una cultura pre-científica, sino poderes reales con los que no se puede negociar. En realidad, la lucha contra los demonios era parte fundamental de la misionología de aquellos cristianos. Esto explica cómo fue posible para ellos conquistar a un imperio tan paganizado (y demoniaco) como era el Imperio Romano. Contra lo que muchos historiadores suponen, «no fue la liturgia, ni la moral, ni el monoteísmo, ni las organizaciones internas de la iglesia ... lo que les parecía a los no cristianos como [cosas] totalmente diferentes de las de otras personas».[45] El punto de diferencia entre cristianos y no cristianos no era ninguno de estos elementos, que llenan tantas páginas en los libros de historia del cristianismo. Más bien, «el único punto de diferencia que parece más destacado era el antagonismo esencial en [el cristianismo] —antagonismo de Dios hacia todos los demás poderes sobrenaturales».[46]

Muy probablemente, Comodiano habría concordado con la definición que en lenguaje misionológico moderno se da de los encuentros o choques de poderes: «Una demostración visible y práctica de que Jesucristo es más poderoso que los espíritus, poderes o dioses falsos adorados o temidos por los miembros de un grupo de pueblo dado».[47] De hecho, el testimonio de Comodiano parece coincidir con esta perspectiva, al tiempo que pone de manifiesto su consciencia de la acción poderosa del Espíritu Santo en sus días.

---

45. MacMullen, *Christianizing the Roman Empire*, 19.
46. *Ibid.*
47. C. Peter Wagner, *How to Have a Healing Ministry in Any Church*, Regal Books, Ventura, CA, 1988, 150.

Melitón de Sardis (m. 177)

Hubo muchos otros apologistas, que no viene al caso mencionar. Sí cabe recordar a Melitón de Sardis, quien puede haber sido el sucesor del «ángel» de la iglesia de Sardis, a quien se envía un mensaje en Apocalipsis 3.1-6. Es muy probable que conociera a Policarpo y a su discípulo Ireneo.[48] De él se dice que «vivió enteramente en el Espíritu Santo».[49] Jerónimo cita a Tertuliano según una obra perdida de este (*Sobre el éxtasis*), en la que el padre de Cartago se refiere a Melitón como alguien a quien muchos consideraban un poderoso profeta.[50]

Este es el lugar oportuno para considerar la relación entre los ministerios carismáticos y residentes en las iglesias, a la luz del caso de Melitón y su posición como profeta y obispo al mismo tiempo. Evidentemente, en él se daban al mismo tiempo la autoridad del obispo con la pasión del profeta. Ya en la *Didaché* se pueden ver en operación estos dos niveles de ministerio: los oficiales locales (obispos y diáconos) ejerciendo también dones espirituales como profetas y maestros. Probablemente Melitón es un ejemplo de este matrimonio de un ministerio carismático y otro administrativo. Seguramente Melitón, al igual que sus maestros Policarpo e Ireneo, sostenía firmemente la necesidad de un ministerio pastoral reconocido y bien establecido, con obispos fuertes a la cabeza. Pero, al mismo tiempo, se nos presenta como un profeta, capaz de hablar bajo la guía y control del Espíritu Santo.

Este doble papel es importante porque pone de manifiesto que, al menos en Asia Menor, hacia fines del segundo siglo, mientras lentamente se iba constituyendo un clero reconocido

---

48. Melitón escribió una *Apología* dirigida a Marco Aurelio (*ca.* 170), en la que se refiere a la crueldad imperial. Por la profundidad de su pensamiento se lo conocía como «el filósofo», y se lo incluye entre los apologistas. Murió mártir, bajo Marco Aurelio.

49. Según Polícrates, obispo de Éfeso, citado por Eusebio, *Historia Eclesiástica*, 5.24.5.

50. Jerónimo, *Vidas de hombres ilustres*, 24.

en las comunidades cristianas, los dones del Espíritu seguían todavía en vigencia. Como concluye Congar, a la luz del caso de Melitón: «la afirmación del papel de los obispos no difumina en absoluto la vía carismática de la Iglesia. Eran hombres espirituales en el sentido en que habla san Pablo (1 Corintios 2.10-15) y san Ireneo después de él: "El apóstol llama atinadamente espirituales a aquellos que han recibido el don del Espíritu y se conducen rectamente en todo"».[51]

---

51. Congar, *El Espíritu Santo*, 93.

3

EL CRISTIANISMO DEL SIGLO II

l testimonio cristiano a comienzos del siglo II estaba bien establecido, especialmente en Asia Menor. Las comunidades cristianas se encontraban bien organizadas e iban madurando rápidamente, mientras su mensaje se esparcía de manera notable no solo dentro de todo el Imperio Romano sino bastante más allá de sus fronteras. Con entusiasmo desbordante, los creyentes confesaban su fe acompañados de señales, prodigios y maravillas obradas por el Espíritu Santo. No obstante, este avance notable no se daba sin dificultades. Problemas de afuera y problemas de adentro parecían amenazar el desarrollo del testimonio cristiano, si bien estas dificultades fortalecían a los testigos. De afuera comenzaban a sentirse las presiones del Estado romano, que veía en los cristianos a una secta que seguía una superstición extravagante y despreciaba a las religiones reconocidas. De adentro se levantaban voces, disidentes algunas y herejes otras, que ponían en peligro la fe cristiana tal como la habían enseñado los apóstoles de Jesús.

Frente a todos estos ataques, los cristianos se vieron forzados a definir cuáles iban a ser sus escrituras sagradas, cuál iba a ser su regla o confesión de fe, cómo iba a definirse su ministerio, qué actitud debían asumir frente al Estado y sus persecuciones, qué disciplina habrían de imponer, y varias otras cuestiones de suma importancia. Como veremos más adelante, de particular preocupación resultaron los movimientos heterodoxos y disidentes, especialmente aquellos que en su fe y su práctica ponían un fuerte énfasis sobre la acción poderosa del Espíritu Santo. No obstante esto, y a pesar de las severas reacciones en contra del montanismo y de sus aparentes exageraciones carismáticas, las iglesias no dejaron de experimentar poderosas manifestaciones del Espíritu Santo. Tampoco se inhibieron en razón de la oposición y ataques de que eran objeto por parte de pensadores paganos o los rumores y calumnias de todo tinte que se circulaban a nivel popular en el Imperio Romano. A riesgo de parecer ridículos en sus prácticas e ingenuos con sus ideas, los cristianos del segundo siglo respondieron con sensibilidad a las operaciones sobrenaturales del Espíritu. Esto está atestiguado por varios de los más destacados padres de la iglesia y otros testimonios a lo largo del siglo II.

Ireneo de Lyon (*ca*. 130-202)

Ireneo fue el más grande de los teólogos del segundo siglo y obispo de esa ciudad en Galia. Probablemente nació en Asia Menor, que en aquel tiempo era una de las regiones que tenía el mayor número de cristianos y de iglesias. De muchacho escuchó los sermones de Policarpo, obispo de Esmirna. Fue sucesor de Fotino en la sede episcopal de Lyon, durante el reinado de Marco Aurelio. Envió misioneros a Galia, combatió el gnosticismo, e hizo repetidos viajes a Roma procurando mantener la paz entre esta y Asia, calmando la tormenta suscitada con la condena del obispo Víctor (montanista) y de aquellos que no seguían el calendario latino en la celebración de la Pascua. En todo esto, Ireneo se muestra como un profundo conocedor de la iglesia y su testimonio cristiano en sus días. Su experiencia pastoral tanto en el este como en el oeste, en contextos rurales como urbanos, lo califica como uno de los testigos más adecuados del cristianismo de su tiempo.

Ireneo fue un fiel testigo de la tradición. Vivió una generación de por medio de la edad apostólica y conoció a los discípulos de los apóstoles. Su teología es fiel al cristianismo histórico, y su obra escrita representa un intento de defender esa fe de las amenazas de las herejías, especialmente el gnosticismo. Ireneo demuestra ser un teólogo sumamente capaz y un investigador puntilloso de las doctrinas y prácticas de sus adversarios gnósticos. En sus argumentos, el Espíritu Santo ocupa un lugar fundamental.[1] En su obra *Exposición de la predicación apostólica*, que es un tratado apologético, Ireneo presenta la regla de fe mencionando al Espíritu profético, y lleva sus funciones más allá de las reconocidas en el Antiguo Testamento.

> El tercer punto en la regla de nuestra fe es el Espíritu Santo, a través de quien los profetas profetizaron, y los padres aprendieron las cosas de Dios, y los justos son guiados en el camino de la rectitud; y quien al final de los siglos se derramó de manera nueva sobre la humanidad en toda la tierra, renovando a los hombres para Dios.[2]

---

1. Sobre la neumatología de Ireneo, véase, Hans-Jochen Jaschke, *Der Heilige Geist im Bekenntnis der Kirche: Eine Studie zur Pneumatologie des Irenäus von Lyon im Aufgang von altchristliche Glaubensbekenntnis*, Verlag Aschendorff, Munster, 1976; Heinrich Weinel, *Die wirkungen des geistes und der geister in nachapostolischen zeitalter bis auf Irenäus*, Druck von H. Laupp, Tubinga, 1898; A. Benoit, «Le Saint Esprit et l'Eglise dans la théologie patristique des quatre premiers siecles», en *L'Esprit Saint et l'Eglise*, Paris, 1969, 131-136; y A. D'Alés, «La doctrine de l'Esprit Saint chez Saint Irénée», *Recherches de Science Religieuse* 14 (1924): 426-538.
2. Ireneo, *Exposición de la predicación apostólica*, 6. Véase J. Armitage Robinson, *St. Irenaeus: The Demonstration of the Apostolic Preaching*, SPCK, Londres, 1920.

La obra del Espíritu fue fundamental en la unción del Hijo Encarnado. Una frase característica de Ireneo es: «El Padre ungió, el Hijo fue ungido, el Espíritu fue la Unción».[3] De este modo, «el Espíritu de Dios descendió sobre Él, [el Espíritu] de Él que había sido prometido por los profetas que lo ungiría, para que nosotros, recibiendo de la abundancia de su unción, pudiésemos ser salvos».[4] Así, pues, la unción de Jesucristo no fue más que el primer paso hacia la unción de toda la humanidad con el Espíritu.

> Porque [Dios] prometió, que en los últimos tiempos Él lo derramaría [al Espíritu] sobre [sus] siervos y siervas, para que pudiesen profetizar; para lo cual Él también descendió sobre el Hijo de Dios, hecho el Hijo del hombre, acostumbrándose en comunión con Él a morar en la raza humana, para quedar con los seres humanos, y para morar en las criaturas de Dios, obrando la voluntad del Padre en ellos, y renovándoles de sus viejos hábitos a la novedad de Cristo.[5]

Swete destaca que «Ireneo entra a los detalles de la obra del Espíritu Santo sobre los corazones y vidas de los hombres con una plenitud que está muy avanzada en relación con otros escritores del segundo siglo».[6] El Paracleto fue enviado a preparar a los seres humanos para Dios, a colocarlos en unión y comunión con Él.[7] Su énfasis es mayor todavía en relación con la obra del Espíritu en la vida de los creyentes individuales. «Allí donde está el Espíritu del Padre, hay un hombre viviente... sin el Espíritu de Dios no podemos ser salvos».[8] Los creyentes en Cristo «tienen la salvación escrita en sus corazones por el

---

3. Ireneo, *Contra herejías*, 3.18.3.
4. *Ibid.*, 3.9.3.
5. *Ibid.*, 3.17.1.
6. Swete, *The Holy Spirit in the Ancient Church*, 89-90.
7. Ireneo, *Contra herejías*, 3.17.2.
8. *Ibid.*, 5.9.3.

Espíritu, sin papel o tinta».⁹ Y oran al Señor diciendo: «Concédenos, por nuestro Señor Jesucristo, el poder dominador del Espíritu Santo».¹⁰

Igualmente destacada en Ireneo es la presencia del Espíritu Santo en la Iglesia. Según él, el Espíritu Santo y la fe que Él enseña moran en la Iglesia como en un vaso excelente, conservándose siempre joven, y renovando la juventud del vaso en el que está. «Porque este don de Dios ha sido confiado a la Iglesia, como lo fue el aliento al primer hombre creado, con este propósito, que todos los miembros que lo reciben puedan ser vivificados».¹¹ El Paracleto fue dado a la Iglesia, y mora en cada uno de sus miembros. «El Espíritu está en todos nosotros, y Él es el agua viva, que el Señor concede a aquellos que rectamente creen en Él, y lo aman».¹²

Es por el Espíritu de Cristo que la Iglesia desarrolla mártires y hombres espirituales hechos de nuevo a la imagen y semejanza de Dios. Dice Ireneo:

> Porque en la Iglesia, se dice, Dios ha establecido apóstoles, profetas, maestros, y todos los otros medios a través de los cuales el Espíritu obra; de los cuales no son participantes todos aquellos que no se unen a la Iglesia, sino que se engañan en la vida por sus opiniones perversas y conducta infame. Porque allí donde está la Iglesia, allí está el Espíritu de Dios; y donde el Espíritu de Dios está, allí está la Iglesia y todo tipo de gracia, porque el Espíritu es verdad.¹³

La posesión del Espíritu, entonces, es una nota distintiva de la Iglesia y, a su vez, la presencia de la Iglesia garantiza la presencia del Espíritu. La conclusión práctica de esto es que «aquellos que no participan de Él no son nutridos en la vida

---

9. *Ibid.*, 3.4.2.
10. *Ibid.*, 3.6.4.
11. *Ibid.*, 3.24.1.
12. *Ibid.*, 5.18.2.
13. *Ibid.*, 3.24.1.

por los pechos de su madre, ni gozan de esa fuente sumamente limpia que brota del Cuerpo de Cristo; sino que cavan para sí mismos cisternas rotas de zanjas de tierra, y beben el agua podrida del cieno, huyendo de la fe de la Iglesia para no ser convencidos de culpa, y rechazan al Espíritu para no ser instruidos».[14]

En cambio, el discípulo verdaderamente espiritual, que recibe al Espíritu de Dios en su vida, juzga todas las cosas y no es juzgado por nadie. Juzga a los gentiles y a los judíos, «juzga a aquellos que provocan divisiones, que están destituidos del amor de Dios, y que procuran su propia ventaja personal antes que la unidad de la Iglesia; y quienes por razones insignificantes, o cualquier tipo de razón que se les ocurra, cortan en pedazos y dividen el grande y glorioso Cuerpo de Cristo, y hasta donde les es posible, lo destruyen».[15]

Ireneo se ocupa detalladamente de la obra del Espíritu Santo en la Iglesia, especialmente de su acción a través de los variados carismas espirituales. Aun un testigo nada afecto a las manifestaciones carismáticas, como Eusebio, admite que en sus obras Ireneo «aclara que hasta su propio tiempo habían continuado en algunas Iglesias manifestaciones de poder divino y milagroso».[16]

El obispo de Lyon relaciona los sucesos de Hechos 2 con su propio tiempo, cuando dice: «De igual manera nosotros también oímos a muchos hermanos en la iglesia, que poseen dones proféticos, y que a través del Espíritu hablan todo tipo de lenguas, y traen a luz para el beneficio general las cosas ocultas de los hombres, y declaran los misterios de Dios».[17] Este material aparece en medio de una discusión sobre la perfección cristiana. Nuevamente, esta breve lista de dones espirituales se asemeja mucho a las listas que presenta Pablo en

---

14. *Ibid.*
15. *Ibid.*, 4.33.7.
16. Eusebio, *Historia eclesiástica*, 5.7.
17. Ireneo, *Contra herejías*, 5.6.1.

Romanos 12 y 1 Corintios 12. Es en base a estas experiencias que, en el año 177, los creyentes de Vienne y de Lyon lo enviaron a Roma para que hablara con el obispo Eleuterio en favor del movimiento profético y de las manifestaciones legítimas de los dones del Espíritu Santo.

Ireneo considera que el ministerio de la iglesia debe ser un ministerio carismático, i.e., llevado a cabo por hombres espirituales en el sentido en que habla el apóstol Pablo (cf. 1 Corintios 2.10-15). Refiriéndose a este pasaje, dice Ireneo: «El Apóstol llama atinadamente "espirituales" a aquellas personas que poseen el don del Espíritu, y que no están esclavizadas por las lujurias de la carne, sino que están sujetas al Espíritu, y que en todas las cosas se conducen conforme a la luz de la razón, porque el Espíritu de Dios mora en ellas».[18]

Según él, «los apóstoles no comenzaron a predicar el evangelio, o a registrar nada, hasta que fueron dotados con los dones y el poder del Espíritu Santo».[19] Y agrega: «Después de que nuestro Señor resucitó de los muertos, [los apóstoles] fueron investidos con el poder de lo alto cuando el Espíritu Santo descendió [sobre ellos], fueron llenos de todos [sus dones], y tuvieron un conocimiento perfecto: [así] partieron a los confines de la tierra, predicando las buenas nuevas».[20]

Uno de los testimonios más impresionantes de Ireneo en cuanto a la vigencia de los dones del Espíritu y sus manifestaciones poderosas en la iglesia de sus días es aquel en el que rebate el argumento de los herejes haciendo referencia al ministerio poderoso de la Iglesia:

Por lo tanto, también, aquellos que en verdad son sus discípulos, recibiendo gracia de parte de Él, de veras llevan a cabo [milagros] en su nombre, de modo de promover el bienestar de otros hombres, conforme al don que cada uno

---

18. *Ibid.*, 5.8.2.
19. *Ibid.*, 3.1.1.
20. *Ibid.*

ha recibido de Él. Porque algunos de cierto y verdaderamente echan fuera demonios, de modo que aquellos que han sido limpiados así de espíritus malos frecuentemente creen [en Cristo] y se unen a la Iglesia. Otros tienen preconocimiento de cosas venideras: ven visiones, y declaran expresiones proféticas. Aun otros sanan a los enfermos imponiendo sus manos sobre ellos, y ellos son sanados. Sí, todavía más, como he dicho, incluso los muertos han sido resucitados, y permanecen entre nosotros por muchos años. ¿Y qué más diré? No es posible nombrar el número de los dones que la Iglesia, [esparcida] a lo largo de todo el mundo, ha recibido de Dios, en el nombre de Jesucristo, quien fue crucificado bajo Poncio Pilato, y que ella ejerce día por día para el beneficio de los gentiles, sin practicar engaño sobre nadie, ni tomar ninguna recompensa de ellos [en razón de tales interposiciones milagrosas]. Porque así como ella ha recibido gratuitamente de parte de Dios, también gratuitamente ministra [a los demás].[21]

Comentando este pasaje de Ireneo, W.W. Harvey nota: «El lector no dejará de notar este testimonio sumamente interesante, de que los *charismata* divinos concedidos sobre la joven Iglesia no estaban del todo extinguidos en los días de Ireneo. Posiblemente el venerable Padre está hablando desde su propio recuerdo personal de algunos que habían sido resucitados de los muertos, y habían continuado por un tiempo siendo testigos vivientes de la eficacia de la fe cristiana».[22] Sin embargo, Ireneo no está hablando solamente del pasado en este pasaje. Con la larga lista de dones espirituales que presenta, es claro que él está hablando de las maneras en las que Cristo ministra a la humanidad a través de su Iglesia en el presente.

21. *Ibid.*, 2.32.4.
22. W. Wigan Harvey, *Sancti Irenaei ep. Lugdunensis libros quinque adversus haereses*, 2 vols. Cambridge University Press, Cambridge, 1857, reimp. 1949, 2:335.

La lista de dones y operaciones del Espíritu que presenta Ireneo como vigentes en la Iglesia es impresionante. Incluye dones como la capacidad de echar fuera demonios, el conocimiento del futuro, visiones y profecías, y todo esto junto con sanidades y milagros, como la resucitación de muertos. Todo esto coincide de manera notable con las listas de dones que Pablo elabora en Romanos 12 y 1 Corintios 12. Tanto Pablo como Ireneo mencionan dones de revelación y sanidades, y ambos también incluyen un don que tiene que ver con la expulsión de demonios; en el caso de Pablo es el discernimiento de espíritus y en el caso de Ireneo la expulsión de espíritus.[23] De todos modos, lo más importante es el hecho de que Ireneo afirma que estos dones se podían ver en sus días y a su juicio eran expresiones auténticas de los dones del Espíritu.

En su condena de Simón y Carpócrates como falsos hacedores de milagros, Ireneo contrapone sus engaños con la autenticidad de los verdaderos milagros que se hacían en su iglesia: vista a los ciegos, oído a los sordos, expulsión de demonios, curación de los débiles, cojos, paralíticos, y los que estaban afligidos en cualquier otra parte del cuerpo. Dice Ireneo: «Ni pueden proveer de remedios efectivos para aquellos accidentes externos que puedan ocurrir». Y agrega: «Y tan lejos están ellos de ser capaces de levantar a los muertos, como el Señor los levantó, y lo hicieron los apóstoles por medio de la oración, y como ha sido hecho frecuentemente [hoy] en la hermandad en base a alguna necesidad —estando toda la iglesia en esa localidad particular rogando [la gracia] con mucho ayuno y oración, el espíritu del hombre muerto ha regresado, y él ha sido concedido en respuesta a las oraciones de los santos —que ni siquiera creen que esto se pueda hacer».[24]

Ireneo no tenía dudas de que la Iglesia había sido adornada con los dones del Espíritu Santo. Sin embargo, se opone

---

23. Kydd, *Charismatic Gifts in the Early Church*, 44.
24. Ireneo, *Contra herejías*, 2.31.2.

terminantemente a ciertos gnósticos, especialmente a uno llamado Marcus que, según él, pretendía con falsedad ejercer los dones espirituales, especialmente el de profecía.[25] En razón de esto, Ireneo declara que el verdadero cristiano espiritual se sujeta a la tradición apostólica, según esta ha sido transmitida por la sucesión de los obispos católicos.

> Pero [por otro lado, se ha mostrado], que la predicación de la Iglesia es consistente en todas partes, y continúa en un curso parejo, y recibe testimonio de los profetas, los apóstoles y todos los discípulos —como he probado— a través [de aquellos en] el principio, el medio y el final, y a través de toda la dispensación de Dios, y de ese sistema bien fundado que tiende a la salvación del hombre, es decir, nuestra fe; que, habiendo sido recibida de la Iglesia, nosotros preservamos, y que siempre, por el Espíritu de Dios, renovando su juventud, como si fuese algún depósito precioso en un vaso excelente, hace que el vaso mismo que lo contiene renueve también su juventud... y los [medios de] comunión con Cristo han sido distribuidos por todo Él, esto es, el Espíritu Santo, el anhelo de incorrupción, el medio de confirmación de nuestra fe, y la escalera de ascenso a Dios.[26]

Un último testimonio de Ireneo es el que aporta en su argumentación en contra de Marción: «Ciertamente, son hombres realmente desgraciados quienes desean ser seudo-profetas, pero dejan de lado el don de profecía en la Iglesia, actuando como aquellos que, en razón de los que caen en hipocresía, se abstienen, incluso, de la comunión de los hermanos».[27] En su obra *Exposición de la predicación apostólica*, señala: «Otros no aceptan los dones del Espíritu Santo y repelen lejos de ellos el

---

25. Véase la discusión de Ireneo contra Marcus en *Ibid.*, 1.13.
26. *Ibid.*, 3.24.1.
27. *Ibid.*, 3.11.9.

carisma profético por el que el hombre, cuando está invadido por Él, produce como fruto la vida de Dios».[28]

No obstante, si bien Ireneo admitió la permanencia y vigencia de los dones como manifestaciones poderosas de la acción del Espíritu Santo en la Iglesia de sus días, también contribuyó con su enseñanza a la institucionalización de los carismas. «Él quería la profecía, pero solo dentro del orden. En su temor por los abusos y su deseo intenso por estructurar el movimiento del Espíritu Santo dentro de la doctrina apropiada y el episcopado, estableció el escenario para una reducción en la vitalidad de la Iglesia».[29] De este modo, muy pronto los dones quedaron en manos de los obispos casi con exclusividad, y la experiencia espiritual se redujo al marco de la participación de los sacramentos, especialmente en la misa.

Vivia Perpetua (*ca.* 181-202)

Uno de los capítulos más inspiradores de la historia del cristianismo es el relato de la vida y muerte de Vivia Perpetua, la joven cristiana que fue muerta en la arena de Cartago en el año 202. Vivia Perpetua fue víctima de las persecuciones instigadas por el emperador romano Septimio Severo. El antiguo documento, que cuenta de su arresto, juicio y muerte a manos de un gladiador, probablemente fue redactado o editado por Tertuliano.[30] Perpetua era catecúmena y tenía unos veintidós años cuando fue martirizada y dejó un hijo pequeño. El relato de su testimonio se encuentra en *El martirio de Perpetua y Felicitas*. Su redactor da cuenta de su convicción en la vigencia de la acción y manifestación poderosa del Espíritu Santo, cuando afirma, después de citar Joel 2.28-29: «Y así a nosotros, que reconocemos y reverenciamos tal como lo hacemos las profecías, se nos prometen igualmente visiones modernas,

---

28. Ireneo, *Exposición de la predicación apostólica*, 99.
29. Burgess, *Ancient Christian Traditions*, 62.
30. Véase Quasten, *Patrología*, 1:181.

y consideramos los otros poderes del Espíritu Santo como
herramientas de la Iglesia a la cual Él fue también enviado,
administrando todos los dones en todos, tal como el Señor los
distribuyó a cada uno».[31]

Este pasaje, al comienzo mismo del relato, es sumamente
interesante. Por un lado, llama la atención la manera en que se
equiparan las profecías con las visiones recientes. Es probable
que por «profecías» se quiera significar las profecías del Antiguo Testamento, mientras que las «visiones» se referirían más
a experiencias actuales al estilo de las revelaciones montanistas.
De ser así, el autor del relato coloca ambas en un mismo nivel
de importancia como herramientas a disposición de la Iglesia.
Por otro lado, el autor considera al Espíritu Santo como el don
enviado a la Iglesia, y a su vez, Él y el Señor son quienes
distribuyen los dones. Esto nos recuerda las afirmaciones de
Pablo en 1 Corintios 12.4-6, y la manera en que el apóstol
asocia tanto al Espíritu como a Cristo y al Padre en la distribución de los dones.

El testimonio de fe de Perpetua, poco antes de morir, es
elocuente en cuanto a la obra del Espíritu Santo en su propia
vida. Estando en la cárcel, ella misma cuenta: «En ese mismo
intervalo de unos pocos días fuimos bautizados, y el Espíritu
me dijo que en el agua del bautismo nada debía buscar, sino
que Dios me diese resistencia física».[32] En los días siguientes y
mientras continuaba su juicio, Perpetua tuvo varias visiones
que la llenaron de consuelo. Entre ellas, Perpetua refiere una
interesante experiencia, que sugiere una palabra de revelación.

> Después de unos pocos días, mientras estábamos todos
> orando, de repente, en medio de nuestra oración, vino a
> mi una palabra, y nombré a Dinócrates; y me sorprendí de
> que ese nombre jamás había venido a mi mente hasta
> entonces, y me apené al recordar su desgracia. Y me sentí

---

31. *El martirio de Perpetua y Felicitas*, prefacio.
32. *Ibid.*, 1.2.

inmediatamente digna, y llamada a rogar en su favor. Y
comencé a hacer súplica intensamente por Él, y a clamar
con gemidos al Señor.[33]

Finalmente, llegó el día del martirio, y Perpetua estaba
«tan en el Espíritu y en éxtasis», que aun habiendo sido
embestida por una vaca salvaje, al volver en sí no podía creer
lo que había ocurrido, hasta que vio sus vestidos desgarrados
y sus miembros heridos.[34] Para el autor de este documento, el
testimonio de Perpetua la asemeja al testimonio de los antiguos. El ejemplo de estos mártires de su tiempo es «para la
edificación de la Iglesia, no menos que el de los antiguos, de
modo que nuevas virtudes también pueden testificar que uno
y el mismo Espíritu Santo está siempre operando incluso hasta
ahora».[35]

Clemente de Alejandría (150-215)

Tito Flavio Clemente nació hacia el año 150, de padres
paganos. Parece que su ciudad natal fue Alejandría, donde
recibió su primera enseñanza. No sabemos la fecha de su
conversión, ni su ocasión. Una vez que se hizo cristiano,
comenzó a viajar. Su propósito era recibir instrucción de
maestros cristianos renombrados. El mayor acontecimiento de
su vida fue llegar a Alejandría. Allí fue discípulo de Panteno, y
le sucedió como director de la escuela de catecúmenos en el
año 189. Tuvo discípulos descollantes, como Orígenes y Alejandro, obispo de Jerusalén y después mártir. A causa de la
persecución de Septimio Severo, tuvo que salir de Egipto y
refugiarse en Capadocia, donde probablemente murió, allá por
el año 215.

---

33. *Ibid.*, 2.3. Sigue una visión que Perpetua tuvo esa misma noche acerca
    de Dinócrates, su hermano carnal, que según ella misma refiere, había
    muerto a los siete años víctima de cáncer.
34. *Ibid.*, 6.3.
35. *Ibid.*, 6.4.

Hacia el año 210, Clemente describe a la Iglesia como un corazón espiritual y santo, un cuerpo espiritual. Dice él: «La Iglesia del Señor, el corazón espiritual y santo, es simbolizada como un cuerpo». Y agrega: «Quien se une al Señor en espíritu, se transforma en un cuerpo espiritual por un tipo diferente de unión».[36] Como señala Swete, el padre alejandrino «habla libremente del Espíritu Santo, y con mucha belleza, pero con referencia ya sea a algún pasaje de la Santa Escritura o la experiencia de la vida cristiana».[37]

El propósito de Clemente era armonizar la filosofía griega con la doctrina cristiana, o las verdades de la ciencia humana con las verdades de la revelación divina. Su deseo era convencer a los gentiles de la verdad del cristianismo; luego educarlos en la vida cristiana; y, por fin, perfeccionarlos en los misterios de la fe. Este triple objetivo se desarrolla en sus tres obras principales, que han llegado a nosotros: *Exhortación a los gentiles* (el *Protréptico*), el *Pedagogo*, y la *Miscelánea o Tapices* (*Stromata*). En razón de su enfoque eminentemente intelectual del testimonio cristiano, Clemente elude toda mención a las manifestaciones más espectaculares del Espíritu Santo. El creía que la filosofía griega podía ser utilizada para proveer de una base racional a la fe cristiana. Además, enseñaba que la vida espiritual es un proceso que va de la fe, a través del conocimiento, hasta la visión de Dios y, en la vida venidera, hasta ser hechos semejantes a Dios.

No obstante, al distinguir entre los gnósticos falsos y los verdaderos, señala que los segundos son los que realmente han obtenido un conocimiento de Dios. En este contexto, Clemente tiene bastante para decir acerca de la obra del Espíritu Santo. Por ejemplo, dice que el creyente, hecho de una substancia inferior, ha sido combinado con el oro real, el Espíritu Santo, en contraste con el judío, la plata, y los griegos, el tercer

---

36. Clemente de Alejandría, *Stromata*, 7.14.
37. Swete, *The Holy Spirit in the Ancient Church*, 124.

EL CRISTIANISMO DEL SIGLO II

elemento.[38] Los fieles han sido atraídos a Dios como por un
magneto por el Espíritu Santo. «Así como la minúscula partícu-
la de acero es movida por el espíritu de la piedra de Heráclea,
cuando se difunde por sobre muchos anillos de acero; así
también, atraído por el Espíritu Santo, el virtuoso es agregado
por afinidad a la primera morada, y los otros en sucesión hasta
el último».[39]

Los creyentes son también inspirados por el Espíritu:
«Pero afirmamos que el Espíritu Santo inspira a aquel que ha
creído».[40] Clemente compara también al Espíritu con la unción
de aceite, cuando lo califica de «ungüento santo», y dice: «Este
ungimiento de fragancia agradable, Cristo lo prepara para sus
discípulos, componiendo el ungüento con ingredientes aromá-
ticos celestiales».[41] Además, el Espíritu es una luz guiadora para
el creyente que busca un conocimiento verdadero. Cuanto más
una persona procura este conocimiento, tanto más cerca estará
de la luz del Espíritu Santo.[42] Todo conocimiento verdadero,
a diferencia de la gnosis falsa, viene a través del Espíritu Santo.
«Pero el Señor, en su amor al hombre, invita a todos los
hombres al conocimiento de la verdad, y para tal fin envía al
Paracleto».[43]

La mejor belleza es la espiritual, que se cultiva cuando «el
alma es adornada por el Espíritu Santo, e inspirada con los
encantos radiantes que proceden de Él —rectitud, sabiduría,
fortaleza, temperancia, amor de lo bueno, modestia».[44] Por ser
perfecto, Dios concede dones que son perfectos.[45] Es precisamente por estos dones perfectos que ha recibido, que el
hombre perfecto puede ser reconocido como tal. Es en este

---

38. Clemente de Alejandría, *Stromata*, 5.14.
39. *Ibid.*, 7.2.
40. *Ibid.*, 5.14.
41. Clemente de Alejandría, *Pedagogo*, 2.8.
42. Clemente de Alejandría, *Stromata*, 4.17.
43. Clemente de Alejandría, *Exhortación a los paganos*, 9.
44. Clemente de Alejandría, *Pedagogo*, 3.11.
45. *Ibid.*, 1.6.

marco de la perfección cristiana que el padre alejandrino cita la lista de dones de 1 Corintios 12.[46] Aparentemente, Clemente da por sentado el ejercicio de los dones en la iglesia de sus días. «No parece probable que Clemente haya enumerado a los carismas de 1 Corintios 12 como evidencia de la gnosis verdadera si esos dones no estaban siendo practicados en ese tiempo».[47] Es así que, el padre alejandrino, al recordar que Bezaleel fue lleno del Espíritu Santo (Éxodo 31.2-3), infiere que el gusto y la habilidad artísticos son un don de Dios.[48]

Sobre la cuestión de los dones del Espíritu en Clemente, concluye Swete: «Clemente se refiere frecuentemente al don del Espíritu como un hecho de la experiencia cristiana. Si bien no es un montanista, reconoce plenamente el lugar del Espíritu Santo en la vida del hombre, especialmente dentro de la Iglesia».[49]

Hipólito de Roma (*ca.* 170-235)

Hay razones para creer que Hipólito no era natural de Roma, ni siquiera latino de origen. Poseía profundos conocimientos de filosofía griega y seguramente recibió una formación teológica helenística. Su producción literaria es comparable en volumen a la de su contemporáneo Orígenes, pero no así en profundidad y originalidad de pensamiento. Hipólito se interesó más en cuestiones prácticas que en problemas científicos. Parece que fue discípulo de Ireneo. Publicó tratados antiheréticos y hasta poesía religiosa. Fue elegido obispo de Roma por un círculo reducido, pero influyente, convirtiéndose así en el primer «antipapa». Hipólito fue uno de los más grandes pensadores de sus días en occidente, si bien escribió en griego. De todos sus escritos, el más interesante es la *Tradición apostólica*, que fue escrito hacia el año 215, y que

---

46. Clemente de Alejandría, *Stromata*, 4.21.
47. Burgess, *Ancient Christian Traditions*, 72.
48. Clemente de Alejandría, *Stromata*, 1.4.
49. Swete, *The Holy Spirit in the Ancient Church*, 125.

era la continuación de un tratado sobre los carismas.[50] Fuera de la *Didaché*, esta obra es la más antigua y la más importante de las constituciones eclesiásticas de la antigüedad.[51]

Según Hipólito, la tradición es la que refuta las herejías. El mismo se muestra sumamente hostil hacia toda forma de herejía o disidencia, manifestándose como un duro conservador celoso de mantener las tradiciones establecidas en los dos primeros siglos cristianos. Hay razón para pensar, entonces, que en la *Tradición apostólica*, Hipólito refleja fielmente lo que se pensaba y hacía en las iglesias romanas hacia fines del segundo siglo. Gregory Dix llega incluso a afirmar que el contenido de esta obra "representa la mente y la práctica no solo de San Hipólito sino de toda la Iglesia Católica del segundo siglo".[52]

El énfasis dominante en la *Tradición apostólica* está sobre el Espíritu Santo y los dones espirituales en un sentido amplio.[53] En la primera oración de su escrito, señala: «Es necesario exponer la parte del discurso que concierne a los carismas —carismas que Dios desde el origen, acordó a los hombres según su voluntad— pues ellos habrán de conducirlos nuevamente hacia su imagen de la que se han alejado».[54] Estos carismas a los que Hipólito hace referencia no son acciones, sino personas: obispos, sacerdotes (o presbíteros) y diáconos, verdaderos

50. Para el texto, véase, Hipólito de Roma, *La tradición apostólica*, Editorial Lumen, Buenos Aires, 1981; Burton Scott Easton, trad., *The Apostolic Tradition of Hippolytus*, Cambridge University Press, Cambridge, 1934; y Gregory Dix, *The Treatise on the Apostolic Tradition of St. Hippolytus of Rome*, SPCK, Londres, 1968.
51. Según Gregory Dix, esta obra es la fuente de evidencia más iluminadora que existe de la vida interna y la práctica religiosa de la iglesia cristiana antigua. *Ibid.*, xliv.
52. *Ibid.*
53. De interés es el artículo de John E. Stam, «Charismatic Theology in the *Apostolic Tradition* of Hippolytus», en *Current Issues in Biblical and Patristic Interpretation*, ed. por Gerald F. Hawthorne Eerdmans, Grand Rapids, Mich, 1975, 267-276.
54. Hipólito de Roma, *Tradición apostólica*, prólogo.

dones de Dios a la Iglesia. De allí que, de manera muy especial, el derramamiento del Espíritu es indispensable para el ejercicio del ministerio. Por eso, con la imposición de manos para la ordenación de obispos, sacerdotes y diáconos, se elevaba una oración rogando tal operación del Espíritu en sus ministerios.[55] En la oración de ordenación sacerdotal, se ruega:

> Dios y Padre de Nuestro Señor Jesucristo, así como un día miraste a tu pueblo ordenando a Moisés elegir a los ancianos a quienes Tú llenaste del Espíritu, mira ahora a tu servidor aquí presente y acuérdale el Espíritu de gracia y de consejo del presbiterio, a fin de que ayude y gobierne a tu pueblo con un corazón puro.
> Además, Señor, cuidando indefectiblemente de nosotros, acuérdanos el Espíritu de tu gracia, y tórnanos dignos, una vez colmados de este Espíritu, de servirte en la simplicidad del corazón.[56]

De este modo, la *Tradición apostólica* enfatiza la relación entre la llenura del Espíritu, el ejercicio ministerial y la vida cristiana de cada creyente, en conformidad con la tradición heredada.

> Movidos por la caridad de todos los santos, hemos llegado a la esencia de lo que conviene a la Iglesia, a fin de que todos aquellos que estén correctamente catequizados observen la tradición que subsistió hasta el presente de acuerdo con la exposición que hacemos y, habiendo tomado conocimiento..., se afirmen en el Espíritu Santo, confiriendo a los que tienen una fe sincera y firme la gracia perfecta, y para que todos los que conduzcan la Iglesia sepan cómo deben enseñar y guardar estas cosas.[57]

---

55. *Ibid.*, 3; 7; 8.
56. *Ibid.*, 7.
57. *Ibid.*, prólogo.

En una impresionante oración elevada para la consagración de la eucaristía, Hipólito ruega: «Te pedimos que envíes tu Espíritu Santo sobre la oblación de la Santa Iglesia. Reuniéndolos, da a todos el derecho de participar en tus santos misterios [la eucaristía] para ser henchidos del Espíritu Santo».[58]

Según Hipólito, el Espíritu Santo es quien asegura la conservación de la tradición.[59] Es el Espíritu quien opera dentro de la estructura de la iglesia, si bien Hipólito admite también su acción fuera de la jerarquía eclesiástica y a través de dones extraordinarios en el Cuerpo de Cristo. Dios ha concedido dones a los hombres conforme a su propio consejo o voluntad, y señala Hipólito: «ya que todos tenemos el Espíritu de Dios».[60]

No obstante, si bien Hipólito admite la vigencia de los dones espirituales, los coloca dentro del marco del orden eclesiástico. Tal es el caso de aquellos que ejercen el don de sanidad. «Si alguien dice: Yo recibí el don de la curación en una revelación, no se le impondrá la mano. Los hechos mismos demostrarán si dijo la verdad».[61] Hipólito hace también referencia al don de enseñanza:

Si hubiera una catequesis (de la palabra), preferirán concurrir allí, estimando, en sí mismos, que es a Dios a quien se escucha en la palabra del que instruye... Nadie deberá llegar con retraso a la iglesia, ya que es el lugar en que se revela la doctrina. Entonces, el enseñante instruirá sobre lo que es eficaz y útil para cada uno, y se escucharán cosas que se ignoraban. Así, se recibe la gracia del Espíritu Santo a través del que realiza la instrucción, de esta manera la fe se fortalece a partir de lo que se escucha... En consecuencia,

---

58. *Ibid.*, 4.
59. *Ibid.*, prólogo.
60. *Ibid.*, 16.
61. *Ibid.*, 14.

cada uno se apresurará a concurrir a la iglesia, el sitio donde el Espíritu Santo florece.[62]

De esta manera, Hipólito relaciona al Espíritu con la Palabra, con el orden eclesiástico, y con el ministerio de todos los creyentes. Esto permite concluir que en Roma, hacia mediados del tercer siglo, y en la tradición eclesiástica que Hipólito representa, «los conceptos neumo-carismáticos y oficial-sacramental... todavía coexisten sin mayor dificultad».[63] Como señala Burgess: «El Espíritu Santo, mientras que opera a través de la jerarquía, está funcionando también a través de ministros laicos y en las asambleas de los creyentes. Pero esta es la última generación en el oeste en la que se reconocerá en general que el Espíritu obra realmente con y a través de toda la Iglesia».[64]

No obstante, según Hipólito, esta acción del Espíritu se verifica solo en aquellos «que tienen una fe sincera y firme», y no en quienes caen en el error o se extravían.[65] Es precisamente el Espíritu quien guarda al creyente de toda tentación y error, ya que «(el Adversario) es alejado por el Espíritu que mora en tu corazón».[66]

Tertuliano de Cartago (160-240)

Era un hombre de una sólida educación y probablemente abogado de profesión. Se convirtió en Roma hacia el año 195, y fue ordenado sacerdote. Algún tiempo después regresó a su ciudad natal (Cartago), donde se dedicó a escribir en defensa

---

62. *Ibid.*, 41. Cf. 35. Probablemente, este «enseñante» o maestro sería un profeta.
63. Hans von Campenhausen, *Ecclesiastical Authority and Spiritual Power in the Church of the First Three Centuries,* Stanford University Press, Stanford, CA, 1969, 177.
64. Burgess, *Ancient Christian Traditions,* 84.
65. Hipólito de Roma, *Tradición apostólica*, prólogo.
66. *Ibid.*, 42.

de la fe cristiana contra los paganos, y en defensa de la ortodoxia contra los herejes. Fue el primer teólogo cristiano que escribió en lengua latina, y por ello, su pensamiento influyó notablemente sobre toda la teología occidental. Atraído por el rigor de la ética montanista abrazó esta convicción. Por esta razón fue separado de la iglesia en el año 213. Burgess lo califica de «el primer teólogo pentecostal de importancia en la Iglesia».[67]

El concepto de Tertuliano en cuanto a la relación del Espíritu Santo con la Iglesia es notable.[68] Para él, la Iglesia y el Espíritu son términos casi equivalentes: «La Iglesia misma es esencialmente, hablando propia y principalmente, el Espíritu mismo».[69] Esta era su manera de negar que la mera asociación de personas «naturales» conformaba la Iglesia, y afirmar la esencia de la Iglesia como creación del Espíritu. Este es esencialmente su énfasis en las obras que escribió antes de volcarse al montanismo, y que reflejan el tono general del cristianismo ortodoxo del norte de África. Así en la *Apología*, uno de sus primeros escritos, señala:

> Y ellos [los paganos] están enojados con nosotros, también, porque nos llamamos hermanos; por ninguna otra razón, pienso, que porque entre ellos mismos tales nombres de consanguinidad son usados para expresar una mera pretensión de afecto... Al mismo tiempo, ¡cuánto más dignos de ser llamados y contados como hermanos son aquellos que han sido guiados al conocimiento de Dios como su Padre común, quienes han bebido de un Espíritu de santidad y que del mismo seno de una común ignorancia han pujado hacia la misma luz de la verdad![70]

---

67. Burgess, *Ancient Christian Traditions*, 62.
68. Véase H.M. Evans, «Tertullian: Pentecostal of Carthage», *Paraclete* 9 Fall 1975: 17-21.
69. Tertuliano, *Sobre la modestia*, 21.
70. Tertuliano, *Apología*, 39.

Para Tertuliano, la acción del Espíritu Santo se manifestaba en sus días de la misma manera que ocurría en tiempos neotestamentarios. En todos sus escritos, el padre norafricano asigna un lugar importante al Espíritu, que llena la vida de la Iglesia con todos los dones prometidos por Dios a través de los profetas y los apóstoles. «Ahora sobre la cuestión de los "dones espirituales", tengo que destacar que estos fueron también prometidos por el Creador a través de Cristo; y pienso que podemos deducir de esto una conclusión muy justa de que la dación de un don no es la obra de otro dios que no sea Aquel que está probado ha dado la promesa».[71]

Precisamente, la vigencia de los dones del Espíritu en sus días era una evidencia clara de la autenticidad de la Nueva Profecía. De allí que, en su ataque contra Marción, Tertuliano lo desafíe a mostrar una evidencia similar, a fin de probar la autenticidad de sus pretensiones.

> Que Marción exhiba, pues, como dones de su dios, algunos profetas, que no hayan hablado por sentido humano, sino con el Espíritu de Dios, que hayan predicho cosas que van de ocurrir y hayan puesto de manifiesto los secretos del corazón; que él produzca un salmo, una visión, una oración —solo que sea por el Espíritu, en un éxtasis, esto es, en un rapto, toda vez que le haya ocurrido una interpretación de lenguas; que él me muestre también, que cualquier mujer de lengua jactanciosa en su comunidad haya profetizado alguna vez de entre aquellas hermanas especialmente santas que él tiene. Ahora, todas estas señales (de dones espirituales) se están manifestando de mi lado sin ninguna dificultad, y concuerdan, también, con las reglas, y las dispensaciones y las instrucciones del Creador.[72]

Precisamente, su encarnizada oposición a Práxeas, que resultó en uno de sus más destacados escritos polémicos,

---

71. Tertuliano, *Contra Marción*, 5.8.
72. *Ibid*.

Contra Práxeas (año 213), tiene que ver con el rechazo por parte de este de los dones del Espíritu Santo. Para este tiempo, Tertuliano ya se había identificado con el montanismo, y acusa a Práxeas no solo de errores en cuanto a la Trinidad, sino también de oponerse a la nueva profecía. La condena de Tertuliano es terminante:

> Práxeas fue el primero que trajo de Asia a Roma este género de perversidad herética. Era hombre de carácter inquieto, hinchado por el orgullo de haber sido confesor, solo por algunos momentos de fastidio que padeció durante algunos días en la cárcel. En aquella ocasión, aun cuando «hubiese entregado su cuerpo al fuego, de nada le habría servido» (1 Corintios 13.3), porque no tenía amor. Había resistido a los dones de Dios y los había destruido. El obispo de Roma había reconocido los dones proféticos de Montano, de Prisca y de Maximila. Con este reconocimiento había devuelto su paz a las iglesias de Asia y de Frigia, cuando Práxeas, urdiendo falsas acusacions contra los mismos profetas y contra sus iglesias y recordándole la autoridad de los obispos que le habían precedido en la sede (de Roma), le obligó a revocar las cartas de paz que había expedido ya y le hizo renunciar a su propósito de reconocer los carismas. Práxeas, pues, prestó en Roma un doble servicio al demonio: echó fuera la profecía e introdujo la herejía; puso en fuga al Espíritu Santo y crucificó al Padre.[73]

De manera particular, Tertuliano llama la atención sobre el don de profecía. Este don poderoso era ejercido como una experiencia de éxtasis en la cual, según Tertuliano, «el alma sensible se sale de sí misma, en una manera que incluso se parece a la locura».[74] Esta experiencia de profecía extática

---

73. Tertuliano, *Contra Práxeas*, 1.
74. Tertuliano, *Sobre el alma*, 45.

proviene de Dios y «puede ser comparada con la gracia real de Dios, como algo honesto, santo, profético, inspirado, instructivo, invitador a la virtud, cuya naturaleza abundante hace que fluya incluso a los profanos».[75] Después de citar las palabras de Pedro en el monte de la transfiguración, y el comentario del texto bíblico de que no sabía lo que decía, se pregunta:

> ¿Cómo que no sabía? ¿Fue su ignorancia el resultado de un simple error? ¿O fue sobre el principio que nosotros sostenemos en la causa de la nueva profecía, que el éxtasis y el arrobamiento son incidentales a la gracia? Porque cuando un hombre está absorto en el Espíritu, especialmente cuando contempla la gloria de Dios, o cuando Dios habla a través de él, necesariamente pierde su sensación (*excidat sensu*), porque es cubierto con el poder de Dios, —un punto en cuanto al cual hay una cuestión entre nosotros y los de mentalidad carnal (físicos).[76]

Tertuliano destaca que lo más valioso del don de profecía es que pone de manifiesto la realidad de que el Espíritu Santo sigue guiando a la Iglesia a la verdad y enseñándole. Si bien el movimiento de la Nueva Profecía, como se conocía al montanismo, era reciente, el Espíritu que se manifestaba en sus días no era otro que el Paracleto que había sido prometido y ya enviado por el Señor. Los cristianos carnales —«físicos», según Tertuliano— en realidad rechazan la Nueva Profecía porque pone en evidencia su glotonería y lujuria. «Son estos los que levantan controversia con el Paracleto; es por esta causa que las Nuevas Profecías son rechazadas: no es que Montano y Priscila y Maximilia predican a otro Dios, ni que separan a

---

75. *Ibid.*, 47.
76. Tertuliano, *Contra Marción*, 4.22. Tertuliano llama «físicos» a estos creyentes de mentalidad carnal, porque piensan que los arrobamientos extáticos y las revelaciones han cesado en la Iglesia.

Jesucristo (de Dios), ni que dejan de lado alguna regla de fe o esperanza particular, sino que ellos sencillamente enseñan un ayuno más frecuente que el matrimonio».[77]

Cuando los críticos del montanismo los acusaban de introducir cosas nuevas y de alejarse de las tradiciones de la iglesia, la respuesta de Tertuliano era: «El Paracleto no trae nada nuevo; todo lo que hace es decir claramente lo que ya ha sugerido, y demanda lo que ha mantenido en estado latente... El Paracleto es más bien un restaurador que un originador».[78] De todos modos, si bien el montanismo no ofrecía nada que fuese esencialmente nuevo, o que no tuviese sus raíces en la tradición católica, en la dispensación del Espíritu había lugar para el progreso y el crecimiento.

El Paracleto, teniendo muchas cosas para enseñar plenamente que el Señor demoró hasta que Él viniera... comenzará dando testimonio enfático de Cristo... y lo glorificará, y nos lo traerá a la memoria. Y cuando Él haya sido así reconocido (como el Consolador prometido), sobre la base de la regla fundamental, Él revelará aquellas «muchas cosas» que atañen a la conducta de la vida.[79]

Es precisamente en el campo de la ética donde Tertuliano se sintió atraído por el montanismo, y donde considera fundamental la acción del Espíritu en la vida del creyente.

La razón por la que el Señor envió al Paracleto fue que, dado que la mediocridad humana era incapaz de asumir todas las cosas de una vez, la disciplina debía, poco a poco, ser dirigida, ordenada y llevada a la perfección por ese Vicario del Señor, el Espíritu Santo... ¿Cuál es, entonces, el oficio administrativo del Paracleto sino este: la dirección

---

77. Tertuliano, *Sobre el ayuno*, 1.
78. Tertuliano, *Sobre la monogamia*, 3, 4.
79. *Ibid.*, 2.

de la disciplina, la revelación de las Escrituras, la reforma
del intelecto, el avance hacia las «mejores cosas»? Nada
carece de etapas de crecimiento: todas las cosas aguardan
su tiempo... Así también la rectitud... al principio fue
rudimentaria, consistente en un temor natural a Dios:
desde esta etapa avanzó, a través de la Ley y los Profetas,
a la infancia; desde esa etapa pasó, a través del evangelio,
al fervor de la juventud: ahora, a través del Paracleto, se
está asentando en la madurez.[80]

En su tratado *Sobre el alma*, Tertuliano hace una clara
referencia al ejercicio de la glosolalia y otros dones de revelación en la congregación como medio de revelación, cuando
refiere:

> Hay entre nosotros en este momento una hermana cuya
> suerte es que ha sido favorecida con diversos dones de
> revelaciones, que ella experimenta en el Espíritu mediante
> visiones extáticas durante los ritos sagrados del día del
> Señor en la Iglesia. Ella conversa con ángeles, y a veces
> incluso con el Señor, y oye y ve comunicaciones misterio-
> sas, entiende los corazones de algunos hombres, y a aque-
> llos que están en necesidad les distribuye remedios. Ya sea
> durante la lectura de las Escrituras, o en la entonación de
> salmos, o en la predicación de sermones, o en el ofrecimien-
> to de oraciones, en todos estos servicios religiosos ella
> encuentra material y oportunidad para sus visiones. Posi-
> blemente nos puede haber ocurrido, que mientras esta
> hermana nuestra estaba absorta en el Espíritu, que hayamos
> predicado en alguna manera inefable acerca del alma.
> Después de que la gente es despedida en la conclusión del
> culto sagrado, ella tiene el hábito regular de informarnos
> cualesquiera sean las cosas que pueda haber visto en visión
> (porque todas sus comunicaciones son examinadas con el

---

80. Tertuliano, *Sobre el velo de las vírgenes*, 1.

cuidado más escrupuloso, en orden a que su verdad pueda ser probada).[81]

Para Tertuliano la iglesia verdadera era la Iglesia del Espíritu, liderada por hombres espirituales y no por meros funcionarios religiosos (obispos).[82] El estaba convencido de que una nueva era del Espíritu estaba comenzando en sus propios días. El Espíritu Santo estaba dando revelaciones de la verdad y voluntad de Dios a través de la Nueva Profecía, representada por el montanismo. Con vigor, Tertuliano defendía lo que él consideraba era una auténtica espiritualidad en los profetas vivientes de su tiempo, frente a la inoperancia y laxitud del grueso de las iglesias que, según él, habían caído en un estado que, como se indicó, describe como «físico». «Nosotros, en cambio», indica él, «con justicia nos llamamos *espirituales* por los carismas que manifiestamente nos pertenecen»[83]

Parece evidente que el contexto eclesiástico en el que se desenvolvía Tertuliano era carismático. Los carismas se incorporaban a todos los creyentes desde el momento mismo de su compromiso con la Iglesia a través del bautismo. En un pasaje sumamente interesante, Tertuliano señala: «Por lo tanto, benditos aquellos a quienes aguarda la gracia de Dios, cuando vosotros salís de ese baño muy santo que trae consigo el nuevo nacimiento y por primera vez levantáis vuestras manos dentro de tu Madre, la Iglesia, junto con vuestros hermanos, pedid al Padre, pedid al Señor que os haga afectos a las riquezas de la gracia, a la distribución de los dones».[84] A la luz de lo que ya hemos visto en Tertuliano, indudablemente se está refiriendo a los dones espirituales cuando habla de la «distribución de los dones». Si es así, la exhortación a los recién bautizados es que procuren los dones del Espíritu y que esperen recibirlos.

---

81. Tertuliano, *Sobre el alma,* 9.
82. Tertuliano, *Sobre la modestia*, 21.
83. Tertuliano, *La monogamia*, 1.
84. Tertuliano, *Sobre el bautismo*, 20.5.

Aparentemente para Tertuliano esto es lo normal y esperable en una comunidad cristiana.

El testimonio de Tertuliano en cuanto a la vigencia y ejercicio de los dones del Espíritu Santo y la operación poderosa de este en la vida de la Iglesia, es de sumo valor. Debe recordarse que le debemos a este hombre el haber acuñado expresiones tales como «trinidad», que han permanecido en el vocabulario teológico hasta nuestros días. A su agudeza como polemista y profundidad como teólogo fijador de la doctrina en occidente, debe agregarse su profundo corazón pastoral y extraordinaria sensibilidad espiritual. Esto último maduró en él todavía más a partir de su compromiso más abierto con el montanismo (cerca del año 207).[85] Es quizás por esto que en sus escritos encontramos más referencias a los dones del Espíritu Santo que en cualquier otro autor cristiano de la antigüedad. Además, la manera en que discute los dones, pone de manifiesto su involucramiento personal en el ejercicio de los mismos, como no ocurre con otros que también tratan con los dones.

Sin embargo, tomando en cuenta las fechas en que Tertuliano escribió las varias obras aquí citadas, se puede concluir que la convicción de este padre en cuanto a los dones no fue algo que llegó después de su compromiso con el montanismo. En realidad, su enseñanza y testimonio sobre la operación poderosa del Espíritu en las iglesias con las que él estaba ligado es bastante consistente tanto en sus obras más tempranas como en las más tardías. De tal suerte que, como indica Kydd: «Los dones del Espíritu no fueron una fantasía pasajera en Tertuliano, ni tampoco fueron novedades que fueron descubiertas más tarde en su vida. Él los conoció a lo largo de toda su carrera literaria, y su alta estima por ellos jamás decayó».[86]

---

85. Sobre el particular, véase: H.J. Lawlor, «The Heresy of the Phrygians», en *Eusebiana*, Clarendon Press, Oxford, 1912, pp. 108-135; R.G. Smith, «Tertullian and Montanism», *Theology* 46 (1943): pp. 127-136; Douglas Powell, «Tertullianists and Cataphrygians», *Vigiliae Christianae* 29 (1975), pp. 33-54.
86. Kydd, *Charismatic Gifts in the Early Church*, 70.

4

HETERODOXIA Y DISIDENCIA

En los primeros siglos de su existencia histórica, el cristianismo tuvo que confrontar crisis que se plantearon tanto en el frente externo como en el interno. En el primero, tuvo que defenderse del judaísmo y el paganismo, mientras que en el segundo, los enemigos fueron el gnosticismo y el montanismo. Estos últimos movimientos tenían como punto de partida el cristianismo, pero lo concebían y expresaban de manera diferente de la corriente troncal o católica. «Mientras los gnósticos eran partidarios de un cristianismo adaptado al mundo, los montanistas predicaban la renuncia total del mismo».[1] No obstante, existe en estos grupos marginales o fuera de la ortodoxia cristiana testimonios abundantes de muchas prácticas cristianas similares a las de la iglesia neotestamentaria.

---

1. Quasten, *Patrología*, 1:243.

Sin embargo, las manifestaciones de tipo carismático parecen haber sido más comunes entre los grupos heréticos y disidentes del segundo siglo, que en la iglesia católica en proceso de institucionalización. De todos modos, el hecho de que la heterodoxia haya «exagerado» el ejercicio de los carismas es prueba de que los mismos estaban vigentes en la ortodoxia. En buena medida, la enorme difusión de algunos movimientos cristianos marginales o heréticos se explica por el hecho de que los dones del Espíritu y sus manifestaciones no eran desconocidos por la generalidad de los cristianos. Sobre el particular, Yves M.J. Congar comenta: «Esta abundancia de carismas y el papel que se les atribuye —especialmente al de la "profecía" —explica que, cuando Montano comenzó a "profetizar" hacia el año 172, se viera rodeado de una atención tan acogedora».[2] Algo similar podría afirmarse en relación con el gnosticismo y otros grupos heréticos.

En este capítulo, procuraremos analizar el ejercicio de los carismas y otras manifestaciones sobrenaturales en los sectores marginales del cristianismo y en aquellos fuera de los límites de la ortodoxia. Lo haremos tratando de espigar elementos cristianos en la fe y la práctica de estos grupos, e intentando leer más allá de su testimonio, las experiencias de los creyentes e iglesias del cristianismo troncal.

Los gnósticos

Los gnósticos fueron de los primeros y más destacados herejes de todo este período. El Nuevo Testamento presenta evidencias de la infiltración de esta herejía en las primeras comunidades cristianas. Los gnósticos dividían a la humanidad en tres grupos: los *neumáticos* o espirituales, que eran los creyentes verdaderos, capaces de alcanzar el «conocimiento oculto» (*gnosis*), que había sido enseñado y transmitido en secreto por los apóstoles y que son los únicos que se podían

---

2. Congar, *El Espíritu Santo*, 94.

salvar con seguridad; los *síquicos* o animales, que en el mejor
de los casos «apenas» se salvaban por la fe y son intermediarios;
y los *húlicos* o materiales, que no se salvaban porque no habían
recibido la luz.[3] Los gnósticos fundamentaban su doctrina en
textos como 1 Corintios 2.7, 14-15.[4] Según ellos: «Muchos
son los húlicos, no muchos son los síquicos, y muy pocos son
los espirituales».[5]

A pesar de la enorme confusión teológica de la mayor
parte de sus planteos doctrinales y éticos, muchos gnósticos
conservaron el fervor de la devoción cristiana primitiva y el
énfasis sobre la vida espiritual que la caracterizaba. Si bien los
gnósticos limitaron la obra del Espíritu Santo al reino del
intelecto y la excluyeron de la naturaleza moral del ser humano, tuvieron una cierta inclinación a enfatizar sus operaciones
espirituales. Con su dependencia del «don superior» del conocimiento para comprender los «secretos del camino santo» y
«las cosas profundas de Dios», los gnósticos fácilmente destacaron la acción del Espíritu Santo, especialmente la vigencia y
ejercicio de sus dones.

En un tratado que lleva por título *La interpretación del
conocimiento*, se discute la cuestión de los dones y la importancia de su adecuado ejercicio dentro de la Iglesia, el Cuerpo
de Cristo. Según Burgess:

> Aparentemente, el autor está escribiendo a una comunidad
> de creyentes gnósticos divididos por la cuestión de los
> dones espirituales. Algunos de los que ejercían dones des-
> preciaban a los «ignorantes» que carecían de gnosis. Otros
> sentían resentimiento cuando sus compañeros se rehusaban
> a compartir sus dones espirituales, o envidia cuando los

---

3. Ireneo, *Contra herejías*, 1.6.1-2, 7.5. véase Luis M. de Cádiz, *Historia de la literatura patrística*, Editorial Nova, Buenos Aires, 1954, 154.
4. George H. Williams y Edith Waldvogel, «A History of Speaking in Tongues and Related Gifts», en *The Charismatic Movement*, ed. por Michael P. Hamilton William B. Eerdmans, Grand Rapids, 1975, 64.
5. Citado en Swete, *The Holy Spirit in the Ancient Church*, 58.

dotados ocupaban un lugar prominente en la congregación.[6]

El documento dice:

> Además, es adecuado que [cada uno] de nosotros [goce] el
> don que ha recibido de [Dios, y] que no estemos celosos,
> dado que sabemos que quien está celoso es un obstáculo en
> su (propia) [senda], dado que solo se destroza a sí mismo
> con el don y es ignorante de Dios. Debería regocijarse [y]
> estar contento y participar de la gracia y abundancia ... No
> [lo] consideres [ajeno] a ti; más bien, como a uno que es
> tuyo, a quien cada uno [de] tus miembros hermanos reci-
> bió. [Si] tú [amas a la Cabeza que los posee a ellos, también
> posees a ese uno de quien es que estos derramamientos de
> dones existen entre los hermanos.[7]

Los documentos gnósticos mencionan a casi todos los
dones espirituales. Sobre profecía se dice: «¿Tiene alguien un
don profético? Compártalo sin dudarlo».[8] También hay indicaciones de la práctica de glosolalia en las varias sectas gnósticas, y hay documentos que aparentemente la atestiguan.[9]

En algunos documentos considerados gnósticos se encuentran declaraciones en relación con la obra del Espíritu
Santo, que no están lejos de la ortodoxia. En lo que se conoce
como las *Homilías* y los *Reconocimientos* clementinos se afirma

---

6. Burgess, *Ancient Christian Traditions*, 40.
7. *La interpretación del conocimiento*, 11.1.15-17, en James M. Robinson, ed., *The Nag Hammadi Library*, Harper & Row, Nueva York,
   1981, 432-433.
8. *Ibid.*
9. Véase, *Ibid.*, 3.2.42, 43-44, 66, en Alexander Böhlig y Frederik Wisse,
   eds., *Nag Hammadi Codices III, 2 and IV, 2: The Gospel of the
   Egyptians*, Nag Hammadi Studies 4, E.J. Brill, Leiden, 1975, 196-197,
   204. Véase también Charles W. Hedrick, «Christian Motifs in the
   Gospel of the Egyptians», *Novum Testamentum* 23 (1981): 251-252.

que «es el Espíritu de preconocimiento el que capacita al verdadero profeta a predecir hechos con precisión, cosa que el falso profeta no puede hacer».[10] Y agrega que «la llenura del alma con el Espíritu Santo está reservada para los salvados, después que han vivido bien aquí; y el efecto será abrirles todas las cosas secretas y escondidas, sin que se formule una pregunta».[11] En otros escritos gnósticos se indica que el Espíritu fue dado por Jesús a los discípulos con el propósito de abrir su entendimiento para recibir misterios. «Todas las generaciones os llamarán benditos, porque os he revelado estas cosas y vosotros las recibisteis de mi Espíritu y os hicisteis inteligentes y espirituales entendiendo lo que digo; y de aquí en adelante os llenaré con toda la luz y todo el poder del Espíritu».[12] En otros documentos se habla de un «bautismo del Espíritu Santo» diferente del bautismo en agua, e incluso de una «unción espiritual».[13]

En general, el gnosticismo prestó bastante atención al Espíritu Santo. No obstante, «si bien la mayoría de los sistemas gnósticos asignaron importancia a la obra del Espíritu, tanto en el bautismo como en la vida, su concepto de la vida espiritual los llevó a buscar la esfera de sus operaciones en el intelecto más bien que en la naturaleza moral del hombre. Por esta razón el tono total de la enseñanza gnóstica sobre el Espíritu difiere ampliamente de la de los cristianos católicos en el segundo y tercer siglos».[14]

Es interesante notar ciertas tendencias al elitismo gnóstico en algunos grupos pentecostales y carismáticos actuales. Es decir, el concepto de que por el «bautismo del Espíritu

10. *Homilías*, 3.14.
11. *Reconocimientos*, 2.21.
12. Véase, Carl Schmidt, ed., *Pistis sophia*, E.J. Brill, Leiden, 1978; y J.H. Petermann, *Pistis Sophia*, Berlín, 1851, 55.
13. Véase, Carl Schmidt, ed., *Koptisch-gnostische Schriften*, GCS, Berlín, 1905, 195.
14. Swete, *The Holy Spirit in the Ancient Church*, 66.

Santo»,[15] han sido «iniciados» a un tipo de vida cristiana superior e introducidos a una dimensión más profunda de la fe que los demás cristianos. Algunos consideran que ellos son los verdaderos creyentes espirituales («neumáticos»), si bien no niegan que otros cristianos (¿de segunda clase?) puedan ser salvos («síquicos»). Para creyentes evangélicos fuera del pentecostalismo y del movimiento carismático, esta actitud ha sido más irritante que su emocionalismo o entusiasmo religioso.

Sin embargo, conviene tener en cuenta que hay una diferencia entre la actitud carismática y la gnóstica, ya que los primeros enseñan que el bautismo del Espíritu Santo —al igual que la salvación— es accesible a todos. Además, las sectas gnósticas no ponían mucho énfasis en la glosolalia, si bien usaban fórmulas de tipo mágico asociadas a la misma.[16] Los gnósticos jamás consideraron a las lenguas como una *señal* o evidencia de la admisión a un círculo de iniciados. Pero en el pentecostalismo hay casos en que la glosolalia *es tenida* como rito o experiencia de iniciación.[17]

Mayormente, lo que provocó la reacción de muchos polemistas cristianos contra los gnósticos fue el abuso de los dones espirituales, y no tanto su ejercicio. Ireneo describe a un seguidor de Valentino, de nombre Marcos, como un charlatán que se autoproclamaba profeta y decía que era capaz de conceder a otros el don de profecía. Con su palabrería, «se dedicaba especialmente a las mujeres, y aquellas que eran bien

---

15. En este libro se usa la expresión «bautismo del Espíritu Santo» (y no «con» o «en» como corresponde bíblicamente), porque es la más común en los medios pentecostales-carismáticos.

16. Hinson, «A Brief History of Glosolalia», 55.

17. D.L. Gelpi dice que el gnosticismo es un fenómeno que se presenta una y otra vez en la escena religiosa. Véase Donald L. Gelpi, *Pentecostalism: A Theological Viewpoint* Paulist Press, Nueva York, 1971, 200. Por su parte, Michael Harper, un líder carismático británico, advierte al movimiento contra el peligro de caer en el gnosticismo. Véase Michael Harper, «Are You a Gnostic?» *Logos Journal* 40, Mayo-Junio 1972: 42-43.

criadas, y vestidas con elegancia, y de gran riqueza, a quienes él buscaba frecuentemente para arrastrarlas tras él».[18] Casos como estos sirvieron para desacreditar manifestaciones legítimas del poder del Espíritu Santo. «Uno puede suponer», señala Burgess, «que también resultaron en un creciente temor a lo novedoso y en una atmósfera menos receptiva hacia aquellos que decían caminar en el Espíritu y ejercer sus dones».[19]

Dentro del gnosticismo puede incorporarse a Marción (m. 160). Natural de Sínope, en el Ponto, su padre fue obispo y él mismo hizo una gran fortuna como armador de barcos. Fue a Roma hacia el año 140, durante el reinado de Antonino Pío, y al principio se ligó a la comunidad cristiana. Pero muy pronto sus ideas suscitaron oposición, al punto que en el 144 fue excomulgado. A diferencia de otros gnósticos, que fundaron escuelas, Marcín constituyó su propia iglesia, con una jerarquía de obispos, presbíteros y diáconos. La liturgia era muy semejante a las de la iglesia en Roma, con lo cual logró muchos seguidores.

No obstante, Marción puso a un lado al Espíritu Santo dentro de su sistema de creencias. Con ello, Marción rechazó como válida y necesaria toda acción o manifestación del Espíritu. Tertuliano lo ataca por su rechazo del don de profecía, lo cual, según él, significaba apagar al Espíritu.[20] En otro pasaje, lo desafía a demostrar la validez de sus enseñanzas mostrando cuáles son los carismas que él y sus seguidores tienen. Y agrega: «Ahora, todas estas señales (de dones espirituales) se están manifestando de mi lado sin ninguna dificultad, y concuerdan, también, con las reglas, y las dispensaciones y las instrucciones del Creador».[21] En definitiva, parece evidente «que el desafío de Marción a la iglesia institucional resultó en un testimonio claro del funcionamiento continuado del Espíritu a través de

---

18. Ireneo, *Contra herejías*, 1.13.1-3.
19. Burgess, *Ancient Christian Traditions*, 44.
20. Tertuliano, *Contra Marción*, 5.15.
21. *Ibid.*, 5.8.

sus dones hacia fines del segundo siglo y comienzos del tercero».[22]

Otro caso interesante es el de Teodoto (m. *ca.* 200), un miembro de la rama oriental del valentinismo. Valentino (m. 160) fue un gnóstico muy influyente, que enseñó en Roma *ca.* 136-*ca.* 160. Sabemos de Teodoto a través de Clemente de Alejandría, que escribió contra él y los valentinos. En los *Stromata* de Clemente hay, a modo de apéndice, algunas citas de escritos de Teodoto, que tratan de los misterios del bautismo, de la eucaristía del pan y del agua, y de la unción, como medios para librarnos de la dominación del poder del maligno.[23]

En un pasaje interesante atribuido a Teodoto, leemos lo siguiente: «Los valentinos dicen que el Espíritu excelente que cada uno de los profetas tenía para su ministerio fue derramado sobre todos aquellos de la Iglesia. Por lo tanto, las señales del Espíritu, sanidades y profecías, están siendo llevadas a cabo por la Iglesia».[24] Aparentemente, Teodoto está diciendo aquí que el Espíritu Santo que inspiró a los profetas del Antiguo Testamento es el mismo que en sus días se estaba derramando sobre la Iglesia. Así lo interpreta Kydd, quien señala: «A partir del hecho de que profecía y sanidades todavía se encontraban en la iglesia, cosas estas que habían caracterizado los ministerios de los profetas, Teodoto puede estar arguyendo que era el mismo Espíritu el que estaba detrás de estas cosas en ambas eras».[25]

Así, pues, según el gnóstico Teodoto, había una suerte de continuidad entre el ministerio carismático de los profetas de la antigüedad y los ministerios carismáticos de la iglesia de sus días. Por cierto, en las referencias de Teodoto, la iglesia no es otra cosa que la «asamblea de los elegidos», lo cual presupone

---

22. Burgess, *Ancient Christian Traditions*, 46.
23. Quasten, *Patrología*, 1:254.
24. Clemente de Roma, *Excerpta ex Theodoto*, 24.1.
25. Kydd, *Charismatic Gifts in the Early Church*, 50.

que se trata de comunidades valentinas y no de la iglesia
católica.[26] Sea como fuere, el testimonio de Teodoto es evidencia de que las señales del Espíritu, y los dones de profecía
y sanidades estaban en operación en las comunidades valentinas orientales en la segunda mitad del segundo siglo. Es
probable que en algunas partes, el ejercicio de los dones
espirituales por parte de cristianos heterodoxos o marginales
haya movido a aquellos más ligados al cristianismo histórico o
católico a un cierto rechazo de los mismos, o por lo menos, a
una cautela vigilante respecto de su promoción y ejercicio
pleno en las iglesias.

Montano y los montanistas

En Montano y los montanistas encontramos uno de los
casos más interesantes para nuestro estudio. El montanismo es
un segundo movimiento de la iglesia primitiva en el que se
atestiguan manifestaciones de carácter carismático. Este movimiento puede ser considerado como un precursor primitivo
del pentecostalismo actual, al menos en algunos aspectos,
como su énfasis en la presencia activa del Espíritu Santo en la
iglesia viviente. Apareció en Frigia alrededor del año 160,
cuando Montano (m. *ca.* 179) y dos profetisas, Priscila y Maximilia, protestaron contra el formalismo y laxitud creciente de
la Iglesia, la declinación de los dones carismáticos, la creciente
clericalización del ministerio, y la pérdida de la expectativa por
la Segunda Venida de Cristo. Debe tenerse en cuenta que
Montano y su movimiento nos son conocidos exclusivamente
a través de fragmentos en escritos anti-montanistas, y por unos
pocos dichos de Montano y sus primeros seguidores registra-
dos por polemistas católicos.

Probablemente el primero en condenar al montanismo
haya sido el obispo Eleuterio (174-189). Eusebio afirma que

---

26. F.M.M. Sagnard, *La gnose valentinienne et le témoignage de St. Irénée*,
     Librairie Philosophique J. Vrin, París, 1947, 302-303.

allá por el año 177 ó 178, este obispo de Roma recibió a Ireneo, quien le entregó dos cartas sobre el montanismo. La primera era de la comuniad cristiana de Lyon; la segunda, de los mártires de Lyon. Parece que ambas cartas abogaban por que los montanistas fueran tratados con más consideración.[27] No obstante, Eleuterio lanzó en contra de ellos una declaración escrita, aparentemente muy virulenta.

Otro opositor del montanismo fue el octavo obispo de Antioquía, Serapión. Su episcopado coincide, más o menos, con el reinado de Septimio Severo. Su carta a Poncio y a Carico trata del montanismo, y afirma que «la llamada nueva profecía de este orden falso es abominada en toda la cristiandad, en el mundo entero».[28] La declaración es algo exagerada, pero testifica de la actitud hostil del cristianismo en proceso de institucionalización contra el movimiento montanista.

Quizás nadie fue más adverso al montanismo que el influyente Eusebio de Cesarea, quien presenta una evaluación muy negativa de Montano en su *Historia eclesiástica*:

> Un convertido reciente, llamado Montano, debido a su inagotable deseo de liderazgo, le dio oportunidad al adversario en su contra. Y se puso de su lado, y estando repentinamente en una especie de frenesí y éxtasis, deliró y comenzó a musitar y decir cosas extrañas, profetizando de manera contraria a la costumbre constante de la iglesia transmitida desde el comienzo por la tradición. Algunos de los que escucharon sus declaraciones espúreas al tiempo que estaban indignados, y lo reprendían como a alguien que estaba poseído, y que estaba bajo el control de un demonio, y que era guiado por un espíritu engañoso, y estaba desviando a la multitud, y le prohibieron hablar, recordando la distinción hecha por el Señor y su advertencia de guardarse vigilantes contra la venida de falsos

---

27. Eusebio de Cesarea, *Historia eclesiástica*, 5.3.4.
28. *Ibid.*, 5.19.2.

profetas. Pero otros imaginándose poseídos del Espíritu
Santo y de un don profético, se exaltaron y se engrieron no
poco; y olvidando la distinción del Señor, desafiaron al
espíritu loco, insidioso y seductor, y fueron engañados y
seducidos por él. Como consecuencia de esto, él ya no pudo
ser mantenido bajo control, como para mantenerlo en
silencio... Y él además entusiasmó a dos mujeres y las lleno
con el espíritu falso, de modo que ellas hablaron salvaje,
irracional y extrañamente, como Montano mismo.[29]

Otro opositor (anónimo) del montanismo cita a Milcíades
(m. 193), que se refiere a su vez a un profeta montanista
llamado Alcibíades, señalando que «un profeta no debe hablar
en éxtasis», como aparentemente lo hacía.[30] Es interesante
notar que esta es la primera denuncia conocida en contra de la
profecía extática. Epifanio de Salamina (*ca.* 315-403) acusa a
Montano de pretender haber recibido revelaciones nuevas del
Espíritu, superiores a las que la iglesia católica ya poseía y que
estaban registradas en las Escrituras. Asterio Urbano, lo describe como alguien que tenía una excesiva lujuria de alma y que
había abandonado la fe a fin de prostituirse con el error.[31]

Algunos críticos del montanismo levantaban acusaciones,
aparentemente falsas, con el fin de descalificar a sus líderes y
al movimiento. Tal es el caso de Apolonio, obispo de Asia, a
quien se refiere Jerónimo, en estos términos:

Apolonio, hombre de muchísimo talento, escribió contra
Montano, Prisca y Maximila una obra notable y extensa.
En ella dice que Montano y sus insensatas profetisas murieron ahorcados, y muchas otras cosas, entre las cuales hay
lo siguiente sobre Prisca y Maximila: «Si niegan que han
recibido regalos, que confiesen que los que los reciben no

29. *Ibid.*, 5.16.11.
30. Citado por Eusebio en *Ibid.*, 5.17.1.
31. Asterio Urbano, *Tres libros contra los montanistas*, 2.

son profetas, y yo produciré un millar de testigos que
probarán que ellas recibieron, en efecto, donativos, porque
es ciertamente por otros frutos que demuestran ser profetas
los que lo son de verdad. Dime, ¿tiñe un profeta su cabello?
¿Mancha un profeta sus párpados con antimonio? ¿Se
adorna un profeta con ricas vestiduras y piedras preciosas?
¿Juega un profeta a dados y a tablillas? ¿Acepta la usura?
Que respondan ellas si estas cosas están permitidas o no,
que mi tarea será demostrar que ellas las hacen».[32]

Es probable que Tertuliano haya escrito un séptimo libro
para responder a estas acusaciones falsas, mientras que otros
escritos suyos que también se han perdido, trataban de los dones
de profecía y el éxtasis que caracterizaba a los montanistas.[33]

El montanismo enfatizaba especialmente el don de profecía. Montano se creía un instrumento especial del Paracleto,
que daba comienzo a una nueva dispensación del Espíritu
mediante sus dones proféticos.[34] Él y sus seguidores afirmaban
que Dios hablaba a través de ellos y se consideraban receptácu-
los vivientes del Espíritu Santo, e incluso aparentemente su
encarnación.[35] De allí que el don de profecía fuese el más
enfatizado por los montanistas, quienes se llamaban a sí mismos «la nueva profecía».[36] Según ellos, Dios hablaba a la Iglesia
a través de profetas y profetizas inspirados, cuya autoridad
debía ser seguida en lugar de la de los obispos, que carecían de
poder. Quizás este ejercicio característico del profetismo ins-
piracionista es lo que provocó las mayores críticas por parte
del cristianismo católico tradicional. Muchos obispos de Asia
Menor se opusieron al movimiento, y algo similar ocurrió en
Roma cuando se extendió allí.

---

32. Jerónimo, *De viris illustribus*, 40.
33. Quasten, *Patrología*, 1:596.
34. Heinz Kraft, «Die altkirchliche Prophetie und die Entstehung des
    Montanismus», *Theologisches Zeitschrift* 11 (1955): 249-271.
35. Labriolle, *La crise montaniste*, 541.
36. *Ibid.*

No obstante, la oposición no fue tanto contra el ejercicio del don de profecía, como a la manera en que los montanistas lo ejercían. Eusebio cita a un escritor anti-montanista, que llama la atención a la manera antinatural en que Montano profetizaba, dejándose llevar por un éxtasis frenético, mientras pronunciaba palabras ininteligibles, más como si fuese un energúmeno que como un verdadero profeta. De igual modo, sus seguidoras profetizaban y hacían predicciones sobre el futuro.[37]

Por otro lado, en las fuentes anti-montanistas hay confusión en cuanto al lugar de la profecía y otras declaraciones extáticas entre los seguidores de la Nueva Profecía. De un lado se los acusa de practicar estos dones, y del otro, se los acusa también de querer su terminación o consumación. Según Asterio Urbano: «El apóstol [Pablo] considera que el don de profecía debería permanecer en toda la Iglesia hasta el tiempo del advenimiento final. Pero ellos no son capaces de mostrar el don como estando en posesión de ellos incluso al tiempo presente, que es apenas el año décimo cuarto después de la muerte de Maximilia».[38]

Por su lado, Ireneo señala que los montanistas rechazaban el don de profecía. Ellos «desprecian el don del Espíritu», indica Ireneo, porque se mantienen alejados de la Iglesia, y no aceptan el don de profecía según es ejercido en la iglesia católica. En definitiva, con su actitud, terminan por liquidar y quitar el don de la Iglesia.[39] Según Burgess:

Bien puede ser que Asterio Urbano perciba una declinación en los carismas entre los montanistas tardíos y que Ireneo esté reaccionando contra el rechazo montanista de lo que ellos percibían como una profecía «falsa» en la iglesia católica. Quizás los montanistas inicialmente vieron a las

37. Eusebio, *Historia eclesiástica*, 5.16.
38. Asterio Urbano, *Tres libros contra los montanistas*, 10.
39. Ireneo, *Contra herejías*, 3.11.9.

profecías de Montano y sus sacerdotisas como finales y solo después de algunas décadas intentaron imitar a sus fundadores... No obstante, Asterio Urbano, Ireneo y Eusebio concuerdan en que la iglesia troncal de fines del segundo siglo y principios del tercero tenía un entendimiento claro de que el don de profecía iba a continuar hasta la «venida final», la parousía. Además, no parece probable que los montanistas hayan estado dispuestos negativamente hacia la profecía, dado que fue su ejercicio del don profético lo que suscitó la controversia. Bien puede ser que ellos reaccionaron contra profetas fuera de su movimiento, especialmente si tales individuos respondían negativamente al montanismo en el proceso.[40]

La glosolalia también estaba presente en el montanismo, y a los más conservadores su práctica pública les parecía escandalosa. Hay tres pasajes en la acusación de Apolinario contra el montanismo, según Eusebio, en los que parece describirse el ejercicio de algún don de revelación a través de lenguas espirituales. Un pasaje dice que Montano «deliró y comenzó a musitar y decir cosas extrañas».[41]

Otro señala que Priscila y Maximilia «hablaron salvaje, irracional y extrañamente, como Montano mismo».[42] Y aun otro dice: «Ellos nos llamaron "asesinos de profetas" porque nosotros no recibiríamos a sus profetas lenguaraces».[43] Nótese que en los tres casos se trata de un habla inusual, incomprensible,

---

40. Burgess, *Ancient Christian Traditions*, 50-51. Para una opinión divergente, véase, David F. Wright, «Why Were the Montanists Condemned?» *Themelios* 2 (1976): 15-22. Según este autor, el problema fue que los montanistas insistían en ejercer los carismas en un tiempo cuando la cristiandad estaba poniendo el énfasis sobre el oficio y el orden en la Iglesia. Una cristiandad institucionalizada seguramente se iba a oponer a toda forma de cristianismo carismático.
41. Eusebio, *Historia eclesiástica*, 5.16.
42. *Ibid.*
43. *Ibid.*

extraña, y considerada como impropia para ser expresada en público. La palabra griega que se utiliza para describir el habla de estos profetas en el tercer pasaje (traducida por mí como «lenguaraces») es *ametrophōnous*. El vocablo puede traducirse de varias maneras, de modo de calificar a estos profetas como locuaces, de lengua irrefrenable, de un hablar incansable y largo, o de hablar mucho y con frecuencia.[44] Sin embargo, es muy probable que la expresión describa a profetas que comunicaban sus mensajes mediante glosolalia.[45]

Además, los montanistas eran acusados por las manifestaciones de desborde que distinguían a sus cultos: sobresaltos convulsivos, gritos, enajenación del juicio, caídas, pérdida de control corporal, etc. También criticaban, no sin bastantes prejuicios e intencionalidad, su calidad de vida, el espíritu aparentemente interesado de los nuevos profetas, y su inspiracionismo. No obstante, Montano exhortaba a las iglesias a usar los dones carismáticos y a vivir un estilo de vida ascético. Su mensaje era: «Tienen la obligación de acoger los carismas».[46] Estas vivencias espirituales eran acompañadas de un fuerte énfasis sobre la ética personal y colectiva. Los montanistas preconizaban un ascetismo estricto y ayunaban mucho.

Probablemente, mucho más que el ejercicio del don profético, la glosolalia y sus posibles excesos, lo que realmente exasperaba del montanismo a la iglesia católica era la severidad de su ascetismo y su disciplina interna. Lo que era verdaderamente nuevo y escandaloso de la Nueva Profecía era que su ascetismo riguroso era el resultado de una serie de profecías, que ellos consideraban como una revelación final de la verdad

---

44. Este es el único lugar en toda la literatura griega en que se utiliza este término, lo cual hace más difícil su traducción precisa. Véase G.W.H. Lampe, *A Patristic Greek Lexicon*, At the Clarendon Press, Oxford, 1961, 88.

45. Véase Latourette, *Historia del cristianismo*, 1:173; Labriolle, *La crise montaniste*, 171; y Emile Lombard, «Le montanisme et l'inspiration», *Revue de Théologie et de Philosophie* 3 (1915): 299.

46. Labriolle, *La crise montaniste*, 136.

de Dios a la humanidad. Esta revelación nueva parecía superar
en autoridad incluso las enseñanzas de Jesús y los apóstoles. A
esto se sumó un fuerte sentido de exclusividad, que sostenía
que solo la «iglesia del Espíritu» podía perdonar pecados, y no
la «iglesia que consiste de un número de obispos».[47]

El montanismo era también apocalíptico, y enseñaba que
el milenio de Cristo era inminente. La inminencia escatológica
y el descenso de la Nueva Jerusalén celestial en Pepuza (Frigia)
eran parte de su prédica. Por este fuerte énfasis escatológico,
durante un tiempo prohibieron los casamientos. El rigorismo
ético, junto con el profetismo, la contestación sectaria, y el
énfasis escatológico resultaron elementos muy atractivos para
muchos cristianos sinceros. Pero, por otro lado, este mismo
ascetismo apocalíptico, unido a un fuerte exclusivismo, y a la
tendencia a atacar sin misericordia al tradicionalismo, y al
creciente clericalismo y secularismo de la iglesia troncal, hicieron del montanismo un blanco inevitable para las críticas más
severas y el rechazo más categórico.

No obstante, el montanismo tuvo una gran difusión e
influencia, no porque introducía algo nuevo a la vida y práctica
de la iglesia, sino porque enfatizaba o reavivaba algo que ya
existía. Aun sus críticos más encarnizados, como Eusebio,
debían admitir:

> Fue en este mismo tiempo, en Frigia, que Montano, Alci-
> bíades, Teodoto y sus seguidores comenzaron a adquirir
> una reputación muy difundida como profetas; puesto que
> numerosas otras manifestaciones de los dones milagrosos
> de Dios, que todavía ocurrían en diversas iglesias, llevó a
> muchos a creer que estos hombres también eran profetas.[48]

---

47. Tertuliano, *Sobre la modestia*, 21.
48. Eusebio, *Historia eclesiástica*, 5.3. Véase Ronald A. Knox, *Enthusiasm: A Chapter in the History of Religion-With Special Reference to the Seventeenth and Eighteenth Centuries* At the Clarendon Press, Oxford, 1959, 25-49.

Es difícil evaluar el montanismo porque no hay mucha información disponible.[49] El movimiento original en Frigia aparentemente se desarrolló casi al borde de la ortodoxia. A mi juicio personal, el montanismo fue más un movimiento disidente que una expresión de heterodoxia. Según sus opositores y críticos, este montanismo frigio era sabeliano. La declaración de Maximilia, según el registro de Eusebio, «Yo soy palabra y espíritu y poder» suena a sabelianismo.[50] No obstante, el ascetismo montanista atrajo a un hombre de la talla de Tertuliano de Cartago (155-220), allá por el año 202. Tertuliano fue un declarado opositor del sabelianismo, al que ligó con el rechazo de la Nueva Profecía.[51] Este padre de la iglesia en el norte de África ingresó al movimiento dos generaciones después de su fundación, y luego de una seria consideración del mismo. Tertuliano fue el más grande de los padres occidentales y consideraba que el montanismo era ortodoxo en su doctrina y práctica ascética. Como ya se indicó, en su controversia contra Marción (que era gnóstico), Tertuliano lo desafió a presentar evidencias de los dones del Espíritu entre sus seguidores.[52]

No es fácil evaluar la naturaleza real del montanismo como movimiento espiritual. Las opiniones varían.[53] Según

---

49. Para un análisis más actual en la investigación sobre el montanismo, véase: F. Blanchetière, «Le montanisme originel», *Revue des Sciences Religieuses* 52 (1978): 118-134 y 53 (1979): 1-22. Véase también Bernard L. Bresson, *Studies in Ecstasy*, Vantage Press, Nueva York, 1966, 27-30; Cecil M. Robeck, Jr., «Montanism: A Problematic Spirit Movement», *Paraclete* 15, Summer 1981, 24-29.
50. Eusebio de Cesarea, *Historia eclesiástica*, 5.16.
51. Tertuliano, *Contra Praxeas*, 1.
52. Véase Tertuliano, *Contra Marción*, 5.8.
53. Hay autores que descalifican totalmente al montanismo. Knox, *Enthusiasm*, 25-49, lo considera como un craso ejemplo de fanatismo religioso. Otros autores lo exaltan en demasía, especialmente algunos escritores pentecostales y carismáticos, sin tomar en cuenta críticamente sus enseñanzas y su lugar en la iglesia antigua. Véase M.F.G. Parmentier, «Montanisme' als etiket voor religieus enthousiasme», *Netherlands Theologisch Tijdschrift* 32 (1978): 310-317.

algunos, se trató del resurgimiento de una tradición moribunda de profecía cristiana frente a la creciente institucionalización de la iglesia. Burgess señala:

> Cuando la profecía estaba en la cúspide no había una organización fija y rígida en la Iglesia. Para el tercer siglo, la vida espiritual libre, espontánea e impetuosa estaba dando lugar a una iglesia que rápidamente estaba desarrollando una regla de fe fija y un canon de oráculos divinos cerrado, gobernada por un orden de obispos establecidos por una regla de sucesión externa. El profeta que gobernaba por revelación estaba dando lugar al obispo que gobernaba con autoridad. El ejercicio libre y espontáneo de los carismas estaba siendo reemplazado por un sistema inflexible de forma y ritual. En este medio ambiente era imposible para la Nueva Profecía existir lado a lado con el nuevo orden sin experimentar gran tensión.[54]

Según otros, el montanismo no fue más que una instancia temprana de los movimientos apocalípticos que han emergido de tiempo en tiempo en la historia cristiana.[55] La historia del cristianismo está llena del testimonio de voces proféticas, que se han pronunciado en los círculos de la tradición menor de la iglesia, y muchas veces en las expresiones marginales o disidentes de la fe cristiana. El celo reformador y apocalíptico de la Nueva Profecía, basado en la convicción del inminente e inmediato retorno de Cristo, la consumación de los tiempos y la consiguiente demanda de santidad de vida ha encontrado eco en muchos movimientos cristianos, como los novacianos, donatistas, valdenses, anabautistas, metodistas y, más recientemente, en los movimientos de santidad, pentecostal, carismático y de renovación. En estos casos también, la oposición de

---

54. Burgess, *Ancient Christian Traditions*, 52.
55. Robin Lane Fox, *Pagans and Christians*, Inglaterra, Harmondsworth, 1988, 404-410.

la tradición mayor ha levantado su voz de crítica y rechazo, y se ha manifestado con oposición y repudio, sin evaluar suficientemente la acción del Espíritu Santo a lo largo de la historia.

Juan Wesley, el fundador del metodismo, consideraba a Montano como uno de los mejores cristianos de su tiempo y a los montanistas como creyentes auténticos y bíblicos.[56] El desarrollo del montanismo es un testimonio incuestionable de que un buen número de carismas (dones de gracia), según se describen en 1 Corintios 12-14, todavía se ejercían en el tercer siglo. Como vimos, Tertuliano los consideraba como evidencia válida y prueba de autenticidad de su propia fe en oposición al hereje Marción. Sin embargo, a partir de aquí, los dones de profecía y lenguas aparentemente comenzaron a declinar. Tertuliano ejerció una gran influencia sobre el montanismo, que en el norte de África llegó a conocerse como «tertulianismo». Con Tertuliano, el montanismo perdió su carácter sectario. Por otro lado, el énfasis cayó sobre el ascetismo más que sobre el carácter extático. La teología de Tertuliano era ortodoxa, y esto hizo más potable su montanismo. Pero él creía que la comunicación directa de Dios con los hombres *no* había terminado con la era de los apóstoles y que su revelación continuaba.

El montanismo fue un avivamiento temprano, que exhortó a la Iglesia a un mayor celo y consagración. Pero, en razón de que Montano y sus profetisas aparentemente habían caído en algunos excesos espirituales y no permitieron que los dones de profecía fuesen evaluados por otros (cf. 1 Corintios 14.29), los dones más sobrenaturales cayeron en descrédito. Según Ireneo de Lyon, el error de muchos en sus propios días fue que, en su rechazo de los excesos montanistas, terminaron por repudiar el Evangelio de Juan, que era el preferido de ellos y todo ejercicio legítimo del don de profecía.

---

56. Williams y Waldvogel, «A History of Speaking in Tongues», 80.

Otros, a fin de poder anular el don del Espíritu, que en los últimos tiempos ha sido, por el buen placer del Padre, derramado sobre la raza humana, no admiten ese aspecto [de la dispensación evangélica] que presenta el Evangelio de Juan, en el que el Señor prometió que Él enviaría al Paracleto; sino que de una vez dejan de lado tanto al Evangelio como al Espíritu profético.[57]

La lucha de la joven iglesia contra el gnosticismo y otras herejías era cuestión de vida o muerte. Esta lucha, de algún modo, afectó también la actitud de la iglesia católica hacia cualquier forma de disidencia, en particular, el montanismo. En este conflicto, Tertuliano enseñó que solo la iglesia institucional tenía el derecho y el poder de interpretar la Biblia. Pero esto abrió el camino para consagrar un grave error: la autoridad docente de la iglesia se concentró en el oficio episcopal. El obispo fue considerado como el depositario de la sana doctrina apostólica y los creyentes perdieron su libre acceso al texto bíblico y a su interpretación bajo la guía del Espíritu Santo. Como señala Yves M.J. Congar: «La Iglesia católica tenía que rechazar la "nueva profecía". Pero esto traía consigo un peligro, el de concebir y edificar la vida de la Iglesia sin carismas y sin Espíritu Santo».[58] Esto ocurrió especialmente durante la primera mitad del tercer siglo, gracias a las enseñanzas de Cipriano de Cartago (m. 258). Según él, la esencia de la Iglesia estaba determinada por la jerarquía episcopal, y no por la vida y participación en el Espíritu Santo. Carisma y oficio eclesiástico se polarizaron debido a la lucha contra la herejía, y la dimensión carismática perdió la partida en favor de la estructura eclesiástica jerárquica.

Según el teólogo católico romano Kilian McDonnell, el montanismo sacó de quicio a la Iglesia: «La Iglesia reaccionó al exceso (del montanismo) con tal vigor extremo, que todas

---

57. Ireneo, *Contra herejías*, 3.11.9.
58. Congar, *El Espíritu Santo*, 95.

las manifestaciones carismáticas fueron consideradas como casi
herejías. La Iglesia jamás recuperó realmente su balance después que rechazó al montanismo».[59] En los siglos que siguieron, cualquier avivamiento espiritual era desacreditado haciendo referencia al antecedente histórico del montanismo. La
iglesia establecida rechazó los fenómenos carismáticos por su
prejuicio anti-montanista, de la misma manera que siglos más
tarde rechazó el bautismo de creyentes por su prejuicio anti-
anabautista.

Paul Tillich concuerda en evaluar la victoria del cristianismo católico sobre el montanismo como una gran pérdida para
la Iglesia:

> La iglesia cristiana excluyó el montanismo. Sin embargo,
> su triunfo sobre ese movimiento también significó una
> pérdida. Dicha pérdida se ve en cuatro aspectos: 1) El
> canon triunfó sobre la posibilidad de nuevas revelaciones.
> La solución propuesta por el Cuarto Evangelio en el senti-
> do de que habrá visiones nuevas, siempre por debajo de la
> crítica del Cristo, se reduce en poder y en significado. 2)
> Se confirmó la jerarquía tradicional contra el espíritu pro-
> fético. Esto significó que el espíritu profético quedó casi
> excluido de la Iglesia organizada y tuvo que escapar a
> movimientos sectarios. 3) La escatología se hizo menos
> significativa de lo que había sido en la edad apostólica. El
> sistema eclesiástico adquirió mucho mayor importancia. La
> expectativa del fin se redujo a una advertencia a cada
> individuo en el sentido de que se preparara para su fin que
> podía llegar en cualquier momento. La idea de un final de
> la historia no volvió a tener peso en la Iglesia después de
> aquel momento. 4) Se perdió la disciplina estricta de los
> montanistas dando lugar a una laxitud creciente dentro de
> la Iglesia. En este aspecto, también sucedió algo que se ha

---

59. Citado en Vinson Synan, ed., *Aspects of Pentecostal-Charismatic Origins*, Logos International, Plainfield, Nueva Jersey, 1975, 34.

repetido con frecuencia en la historia de la Iglesia. Aparecen grupos pequeños con una disciplina estricta; se los mira con sospecha; forman Iglesias más grandes; luego pierden la disciplina original.[60]

Uno podría concluir esta parte diciendo que cualquier parecido con la realidad presente no es pura casualidad. No obstante, a los propósitos de la tesis del presente libro, no quedan dudas de que en la segunda mitad del segundo siglo, las manifestaciones del Espíritu Santo, el ejercicio de los dones espirituales, y otras expresiones de carácter carismático estaban vigentes no solo en la cristiandad católica, sino también en aquellas comunidades ligadas a la heterodoxia y especialmente a la disidencia y el sectarismo cristiano de aquel entonces.

---

60. Paul Tillich, *Pensamiento cristiano y cultura en occidente*, vol. 1: *De los orígenes a la Reforma*, Editorial La Aurora, Buenos Aires, 1976, 71-72.

5

OPOSICIÓN Y FUENTES APÓCRIFAS

omo ya hemos indicado, una buena cantidad de material relacionado con las manifestaciones del Espíritu Santo nos vienen de autores que se opusieron encarnizadamente a las mismas o no comprendieron adecuadamente su significado. El investigador debe mirar por detrás de la polémica, el prejuicio, los preconceptos, y el calor del debate para poder discernir objetivamente qué pensaban y hacían aquellos que son señalados como herejes o fuera de la sana doctrina y práctica de la fe. Algo similar ocurre con las fuentes paganas o aquellas otras que fueron estimadas como fuera de la corriente literaria aprobada por la cristiandad católica. En el caso de la literatura cristiana apócrifa, conviene recordar que se trata de la «literatura popular cristiana» de aquel entonces. Quizás no sea una fuente primaria de mucho valor, especialmente en relación con los apóstoles, pero sí lo es en cuanto a sus autores y lectores inmediatos. En tal sentido, es un material muy rico en cuanto al testimonio de la obra del Espíritu Santo en las iglesias.[1]

La oposición más fuerte al cristianismo estuvo representada por varios autores paganos, que concibieron a la nueva fe como una superstición baja y propia de gente ignorante. En el pensamiento de ellos, el cristianismo era poco menos que una excrecencia del judaísmo, que ya de por sí era evaluado de manera negativa en el mundo greco-romano. Los ataques intelectuales a la fe de Cristo se multiplicaron, generalmente exagerando algunas de sus ideas y prácticas, cuando no inventando abusos y delitos morales. Los cristianos del segundo y tercer siglo se vieron sometidos a un juicio severo por parte de quienes, llenos de prejuicios, los veían con extrañeza y animosidad. En parte, esta cierta cuota de rechazo resultaba de la ignorancia del verdadero carácter del cristianismo y sus prácticas, como también del temor que este inspiraba con sus demandas radicales y su actitud crítica hacia la cultura predominante.

A pesar de su carácter agresivo, denigratorio y condenatorio, los señalamientos de las fuentes paganas adversas constituyen un testimonio indirecto de la fe y las prácticas de los cristianos primitivos. En estos testimonios hay bastante material para analizar en relación con las manifestaciones del Espíritu Santo. Lamentablemente, solo unos pocos escritos de estos autores paganos han llegado hasta nosotros. A otros los conocemos mayormente a través de autores cristianos que procuraron refutarlos.

---

1. Lamentablemente, los textos y los comentarios de esta literatura fueron trabajados por eruditos que desestimaron como ajenas al cristianismo ortodoxo toda manifestación de carácter carismático. Razón por la cual, todo hecho sobrenatural fue tenido como fantasioso, imaginario, y propio de la literatura apócrifa, al margen de la ortodoxia. En su mentalidad racionalista y gobernados por criterios cientificistas, estos eruditos no pudieron valorar adecuadamente la riqueza testimonial de esta literatura en relación con la acción del Espíritu Santo en medio y a través de su pueblo.

Algo similar ocurre con la literatura cristiana apócrifa. A medida que se iban escribiendo, editando y transmitiendo los escritos que más tarde llegaron a constituir el canon de las escrituras cristianas, se fue produciendo paralelamente y con posterioridad una cantidad considerable de literatura. Este material, al igual que los escritos canónicos, tenía el propósito de preservar la memoria de los hechos, palabras y carácter de Jesús y los apóstoles. Muy pronto se vio que la tradición oral corría el riesgo de perderse en razón de la expansión explosiva del evangelio, o podía ser distorsionada por las nacientes herejías o sincretismos que desde temprano amenazaron la integridad de la fe cristiana.

No faltaron autores bien intencionados que quisieron agregar dramatismo o color a los relatos fundacionales del cristianismo. Grandes lagunas de información parecían quedar abiertas en los materiales que pasaron al canon neotestamentario, y algunos se sintieron en la obligación de llenarlas. Es así como comenzaron a aparecer escritos que ofrecían detalles sobre episodios no relatados en los evangelios canónicos en cuanto a la vida de Jesús o no comentados en los Hechos de los Apóstoles en cuanto al ministerio de estos. «Apócrifo» es transcripción de un adjetivo griego que significa «oculto» o «escondido», y se refiere a aquellos libros de tema y título tomados del Nuevo Testamento, pero que no han sido admitidos en el canon bíblico. Estos materiales son de origen cristiano, aunque no siempre en línea con el cristianismo histórico o troncal. La mayoría de ellos fueron escritos en griego, y comprenden los mismos géneros literarios del canon neotestamentario: Evangelios, hechos, cartas y apocalipsis.

Estos textos son de valor para nuestra investigación, ya que ilustran grandemente el ambiente judeo-cristiano en que nacieron y, en algunos casos, confirman la vigencia de las manifestaciones del Espíritu Santo en las comunidades en las que eran leídos y apreciados. De especial valor testimonial son los Hechos apócrifos, que incluyen varias obras, como los *Hechos de Pedro*, *Hechos de Pablo*, *Hechos de Pedro y Pablo*, *Hechos de Juan*, *Hechos de Andrés*, *Hechos de Tomás*, *Hechos de Felipe, Hechos de Bernabé*, y otros. Cada una de estas obras trata de agregar detalles, especialmente fantasiosos y pintorescos, que pudiesen satisfacer la curiosidad y piedad populares, en relación con la vida y ministerio de los apóstoles. Por tratarse de obras destinadas a satisfacer la fantasía religiosa de los creyentes, su confiabilidad como documentos históricos es dudosa. Sin embargo, conviene tomar en cuenta la evaluación de un gran erudito del Nuevo Testamento:

> No obstante, a su manera, la Apócrifa del Nuevo Testamento consiste de documentos importantes. Es bien cierto que, como fuentes históricas de la edad apostólica carecen de valor. El valor permanente de este cuerpo de literatura está en otra dirección, es decir, en que reflejan las creencias de sus autores y los gustos de sus primeros lectores, que encontraron beneficio tanto como esparcimiento en relatos de este tipo. Esto es, la Apócrifa del Nuevo Testamento es importante como documentos históricos que nos dicen mucho, no acerca de la edad con la que ellos profesan tratar, sino acerca de la edad que les dio a luz. Ellos pretenden ser relatos confiables de las palabras y acciones de los apóstoles; en realidad ellos ponen de manifiesto, bajo los nombres de los apóstoles, ciertos ideales de la vida cristiana y conceptos de la fe cristiana corrientes en el segundo siglo y en los siglos que siguieron.[2]

En las páginas que siguen vamos a considerar a uno de los más encarnizados oponentes al cristianismo, a otro que fue un cáustico satirizante, y luego leeremos algunos textos seleccionados de materiales apócrifos. En todos los casos, procuraremos recuperar testimonios de operaciones sobrenaturales del Espíritu Santo. La idea es que, si los opositores del cristianismo utilizaban las manifestaciones carismáticas como elementos

---

2. Bruce M. Metzger, *An Introduction to the Apocrypha*, Oxford University Press, Nueva York, 1957, 263.

escandalosos por los cuales acusar de superstición barata a los cristianos, estas manifestaciones debían estar en vigencia en sus días. Por otro lado, si la religiosidad popular cristiana, expresada en sus elementos más fantasiosos y dramáticos consideraba a los dones del Espíritu y otras manifestaciones como parte de la vivencia de las comunidades cristianas a lo largo del segundo siglo, estas experiencias no eran desconocidas por ellas.

Celso (m. *ca.* 180)

Quienes levantaban calumnias y rumores en contra de los cristianos, hablaban desde su ignorancia. A nivel popular se inventaban muchas historias, con las que se acusaba a los cristianos de ateísmo, incesto o canibalismo. Se decía que cuando se reunían para sus ágapes nocturnos, era solo para participar de orgías y de todo tipo de perversidades entre «hermanos» y «hermanas», lo cual era expresión de su práctica del incesto. Cuando comían, se decía, la carne y la sangre de la que participaban era la de un niño sacrificado ritualmente. Estos rumores estaban muy difundidos entre el populacho. Sin embargo, con el tiempo, hubo gente bien educada que se dedicó a investigar seriamente al cristianismo. Estos intelectuales leyeron los escritos sagrados de los cristianos y averiguaron por sus prácticas reales. Fue así que levantaron preguntas críticas junto con una fuerte refutación del cristianismo, utilizando los argumentos más sofisticados.

Uno de los hombres que más cuidadosamente llevó a cabo esta tarea de oponerse intelectualmente a la nueva religión, y probablemente uno de los primeros en hacerlo, fue Celso. Algunas de sus objeciones han sobrevivido por siglos y todavía se siguen planteando en nuestros días. Según él, la encarnación es imposible. Dios, que es perfecto y no cambia, no puede rebajarse para transformarse en un pequeño bebé. Además, ¿por qué la encarnación ocurrió tan tarde en la historia? En su concepto, Jesús fue tan solo un pobre hombre, incapaz de morir la muerte de un sabio, como fue el caso de Sócrates. Sus enseñanzas no fueron otra cosa que una pobre copia de las enseñanzas más antiguas de Egipto y Grecia. La resurrección de su cuerpo no era otra cosa que una enorme mentira.

Leyendo a Celso y sus objeciones al cristianismo, a través de las líneas de Orígenes, que le respondió varios años más tarde (en el año 248), es posible discernir su conocimiento de que en su tiempo, en las comunidades cristianas que él analiza, las manifestaciones del Espíritu Santo seguían en vigencia. Para un observador tan puntilloso y crítico como Celso, tales manifestaciones no deben haber pasado desapercibidas. Seguramente su ojo escudriñador habrá observado con curiosidad y atención todo aquello que a su juicio fundamentaba su concepto de que el cristianismo era una vil superstición.

Es necesario recordar que Celso era un filósofo pagano platónico bastante ecléctico, y que su actitud era demostrar las debilidades del cristianismo. Era un hombre bien educado, que investigó a fondo el cristianismo y lanzó un ataque sistemático contra la doctrina y la conducta de los cristianos. En su obra *Discurso verdadero*, escrita en griego, Celso (citado y parafraseado por Orígenes en casi la totalidad de su obra) menciona algo que bien podría tratarse del ejercicio de los dones del Espíritu. Dice Celso:

Hay muchos, ... , que si bien no son nadie, con la facilidad más grande y en la más mínima ocasión, tanto dentro como fuera de los templos, asumen los movimientos y gestos de las personas inspiradas; mientras que otros lo hacen en ciudades o entre ejércitos, con el propósito de atraer la atención y provocar sorpresa. Estos están acostumbrados a decir, cada uno por sí mismo: «Yo soy Dios; yo soy el Hijo de Dios; o, yo soy el Espíritu Divino; y yo he venido porque el mundo está pereciendo, y vosotros, oh hombres, estáis pereciendo por vuestras iniquidades. Pero yo quiero salvaros, y vosotros me veréis retornando nuevamente con poder celestial. Bendito es aquel que ahora me hace homenaje. Sobre todos los demás yo haré caer fuego eterno, tanto sobre regiones urbanas como rurales. Y aquellos que no saben de los castigos que les aguardan se arrepentirán y clamarán en vano; mientras que a aquellos que me son fieles yo los preservaré eternamente».

A estas promesas se agregan palabras extrañas, fanáticas y totalmente ininteligibles, cuyo significado ningún ser humano racional es capaz de determinar; porque son tan oscuras que carecen de todo significado, pero ellos permiten a cualquier persona necia o impostora aplicarlas para conformarse a sus propios propósitos.[3]

Como ya se indicó, Celso fue con toda probabilidad el autor de la primera crítica pagana contra el cristianismo de la que tenemos noticia. Probablemente su ataque haya estado dirigido contra Justino Mártir. Su acusación principal contra los cristianos es que su actitud es sediciosa, y termina siendo una innovación y corrupción inaceptable respecto de la tradición religiosa antigua. Su trabajo fue el resultado de una medulosa investigación, llevada a cabo en diversos lugares, como Fenicia y Palestina, y con todo el rigor posible. De hecho, en relación con el pasaje citado, según el comentario de Orígenes, él afirma haber sido testigo pleno y personal de lo que relata. En su ataque, su estrategia es desacreditar al cristianismo atacando sus raíces judías. Es decir, Celso quiere demostrar que el cristianismo es falso, porque está fundado en el supuesto cumplimiento de las profecías judías relativas al Mesías, profecías estas que son absurdas, según él. No es válido que los cristianos fundamenten su pretensión de que Jesús es el Mesías, citando a los profetas del Antiguo Testamento.

Es en su argumento contra las profecías del Antiguo Testamento, que Celso menciona la ridiculez de los profetas cristianos. Estos profetas están imitando un estilo profético totalmente descalificado, según su criterio. Sea como fuere, parece evidente que Celso fue testigo del ejercicio del don profético en algunas comunidades cristianas de sus días. Esto

---

3. Orígenes, *Contra Celso*, 7.9.

es importante, ya que este brillante y crítico pensador llegó a
conocer muy bien al cristianismo, las escrituras del Antiguo
Testamento y algunas escrituras cristianas. No puede haber
dudas en cuanto a la objetividad de su observación, si bien está
equivocado en su juicio.

Celso interpretó las palabras de los profetas como expresando su pretensión de ser divinidades, sin entender un aspecto
importante del lenguaje profético, cual es el uso de la primera
persona: «Así dice el Señor: yo...» Es interesante notar que el
discurso de los profetas que él oyó es bien trinitario: «Yo soy
Dios», «yo soy el Hijo de Dios», «yo soy el Espíritu Divino».
La palabra de juicio y el llamado al arrepentimiento es típico
del mensaje profético, al igual que la palabra de esperanza para
aquellos que responden positivamente al mensaje. En línea con
los profetas del viejo pacto, los profetas del nuevo pacto, bajo
la inspiración del Espíritu Santo, proclaman la misma palabra
profética. Muy probablemente, entonces, Celso fue testigo del
ejercicio del don profético manifestándose de la manera más
legítima en algunas comunidades cristianas.

Otra cosa que llama poderosamente la atención en su
testimonio es la mención del carácter extático del ministerio
de estos profetas. Las expresiones que Celso utiliza para caracterizar el discurso profético y los comentarios que hace de toda
la experiencia parecen referirse al ejercicio del don de lenguas
y probablemente del don de interpretación. Según él, las
palabras eran «extrañas» y utilizando vocablos propios de
«fanáticos», «totalmente ininteligibles». Evidentemente, no se
trataba de idiomas en uso, ya que Celso hubiese podido
reconocerlos, como tampoco era un discurso que siguiese un
patrón racional («cuyo significado ningún ser humano racional
es capaz de determinar»). Celso no podría haber hecho una
mejor descripción de «los diversos géneros de lenguas» que
menciona Pablo en 1 Corintios 12.10.

Muy probablemente lo que Celso oyó fueron mensajes
proféticos que fueron dados a las iglesias en lenguas, y que se
comunicaron mediante el ejercicio del don de interpretación.
De allí la confusión de Celso, que consideraba tal interpretación

como arbitraria al no poder entender el discurso original. A su parecer, esto daba lugar a que cualquier «impostor» o «engañador» diera rienda suelta a su subjetividad e hiciera con las palabras emitidas cualquier cosa que deseara para obtener «sus propios propósitos». La objeción de Celso es la que cualquier persona incrédula o que desconoce los dones del Espíritu Santo haría en una congregación donde se ejercen los dones de profecía, lenguas e interpretación de lenguas. Desde ese ángulo de observación, tales prácticas resultan expresión de fanatismo cuando no de locura, como ya lo advirtiera en sus días el apóstol Pablo (1 Corintios 14.23).

El testimonio de Celso es importante, puesto que se trata de la observación de un investigador cauteloso. Y, según él, estos dones espirituales estaban en pleno ejercicio, por lo menos en Fenicia y Palestina. Como señala Hans Lietzmann: «Cuando Celso agrega que el discurso desbordaba en sonidos incomprensibles y locos, que no encerraban ningún significado, y que, no obstante, eran expuestos por un hombre que solo podía haber sido un fraude, el caso era obviamente un ejemplo de la glosolalia ya conocida con la subsiguiente interpretación».[4] Con esto, podemos concluir con Kydd que, «Celso sin saberlo estaba dándonos alguna evidencia de la supervivencia de los dones del Espíritu entre los cristianos en Palestina en la segunda mitad del segundo siglo».[5]

Luciano (*ca.* 125-192)

Luciano fue un sofista y satirista griego, nacido en Samosata, a orillas del río Eufrates. Era conocido en sus días con el sobrenombre de «el blasfemador», lo cual describe su actitud hacia todo lo que fuese religioso. En sus diálogos afirma que

---

4. Hans Lietzmann, *A History of the Early Church*, vol. 2, *The Founding of the Church Universal*, trad. B.L. Woolf Lutterworth Press, Londres, 1961, 55.
5. Kydd, *Charismatic Gifts in the Early Church*, 39.

todas las cosas que se dicen acerca de los dioses, cualesquiera que sean, son absurdas. Especialmente fue muy cáustico en contra del cristianismo. Su burla contra los cristianos se expresa en su obra *Sobre la muerte de Peregrino*, en la que llega a blasfemar a Cristo mismo. Otra obra en la que hace referencias al cristianismo es *Alejandro el falso profeta*.[6] Luciano trabajó como abogado en Antioquía, para dedicarse luego a ser un retórico sofista componiendo discursos y escribiendo innumerables obras. En cumplimiento de esta profesión, viajó extensamente, visitando varias partes de Asia Menor, Macedonia, Grecia, Italia y Galia. Estuvo en Roma y finalmente se estableció en Atenas (año 165), donde pasó los siguientes veinte años de su vida y desde donde escribió la mayor parte de su abundante obra, consistente mayormente en diálogos de carácter satírico. Luciano terminó sus días en Egipto, según se dice, comido por los perros.[7]

La obra suya que más nos interesa es *Sobre la muerte de Peregrino*, escrita alrededor del año 166. Se trata del relato de la muerte de Peregrino (Proteus) de Parium, quien, después de haber profesado el cristianismo se hizo cínico y finalmente se suicidó quemándose vivo en público en Harpina, cerca de Olimpia, en el año 165. Según Luciano, él fue testigo ocular de este hecho.[8] Las referencias al cristianismo en este diálogo son interesantes, particularmente las menciones que hace Luciano de Cristo, «ese hombre que fue crucificado en Palestina debido a que dio a luz a esta religión».[9]

Luciano habla de los cristianos, sus creencias y su devoción que él considera inhumana. Según él: «Estos desgraciados están convencidos ante todo de que son inmortales y de que van a vivir eternamente. Por tanto, desprecian la muerte que muchos

---

6. Luciano, *Alejandro el falso profeta*, 25 y 38.

7. Sobre Luciano de Samosata, véase, Pierre C. de Labriolle, *La réaction païenne*, Ernest Leroux, París, 1934, 103.

8. Luciano, *Sobre la muerte de Peregrino*, 2.

9. *Ibid.*, 11.

arrostran voluntariamente. Su primer legislador les convenció de que eran todos hermanos. Después de abjurar de los dioses de Grecia, adoran a su sofista crucificado y conforman su vida a sus preceptos. Por eso desprecian todos los bienes y los tienen para su uso en común».[10]

Una de las prácticas cristianas en las iglesias de sus días contra las que más se ensaña Luciano es la profecía. Si bien los oráculos proféticos no eran extraños en la cultura greco-romana, Luciano encuentra en el ministerio profético cristiano un ejemplo claro de charlatanería y abuso. Tanto en su sátira *Sobre la muerte de Peregrino* como en su obra *Alejando el falso profeta*, Luciano describe la carrera de dos profetas embaucadores y charlatanes.[11]

Si bien Luciano está satirizando claramente las actividades de cada uno de estos profetas, los hechos que él narra reflejan seguramente lo que la gente pensaba acerca de estos personajes y su tarea. Como indica Luis M. de Cádiz: «Los filósofos que llevaron la voz cantante en ese movimiento literario contra la secta cristiana, la atacaron por todos los puntos que creyeron vulnerables y se hicieron eco,..., de todas las calumnias que el vulgo lanzaba contra ella».[12] No obstante, en general, en el mundo greco-romano, las personas estaban bastante dispuestas a aceptar un ministerio profético sin mayor criticismo. R.M. Grant coloca esta evidencia en una perspectiva más amplia al mostrar que la creencia en los oráculos proféticos así como en otras «maravillas» operadas por los dioses era común en el mundo mediterráneo de los primeros cuatro siglos cristianos.[13] Grant relaciona esta credulidad con el surgimiento del neoplatonismo y el pitagorismo, según queda bien ilustrado en el consejo dado por el pitagórico Jámblico (250-330): «No dudes

10. *Ibid.*, 13.
11. La palabra que Luciano utiliza para referirse tanto a Peregrino como a Alejandro es «profeta» (gr. *prophetes*). Véase, Luciano, *Alejandro*, 22, 24, 55, 60; y Luciano, *Peregrino*, 11.
12. De Cádiz, *Historia de la literatura patrística*, 119.
13. Grant, *Miracle and Natural Law*, 61-63.

de ninguna maravilla en cuanto a los dioses, ni de ninguna doctrina religiosa»[14] Precisamente, Luciano reacciona contra este tipo de credulidad bastante difundida a nivel popular y, según él, particularmente entre los cristianos. Lo que más ridiculiza es el carácter extático de muchos mensajes proféticos. En más de un caso, la naturaleza extática de la declaración profética era enfatizada mediante una conducta anormal, ya sea con danza, palabras ininteligibles (¿lenguas?), e incluso con paroxismos frenéticos.

Así es como Luciano describe las acciones del profeta Alejandro. Según él, este charlatán profetizaba «declarando algunas pocas palabras sin sentido», como si fuese «un devoto de la Gran Madre en frenesí».[15] Aparentemente, este tipo de conducta era bastante común entre los profetas sospechados de ser falsos o charlatanes y que, en consecuencia, se veían forzados a fingir un estado de éxtasis a fin de parecer auténticos o tener más autoridad. Luciano describe precisamente esta táctica en Alejandro. «Alejandro era un hombre distinguido y notable, afecto como era a tener ocasionales arranques de locura y a hacer que su boca se llenara de espuma. Él lograba esto fácilmente masticando la raíz de la jabonera, la planta que usan los tintoreros; pero a sus paisanos incluso la espuma les parecía sobrenatural e inspiradora de asombro».[16]

Si bien Alejandro era un pagano y Peregrino se supone que era cristiano, para Luciano no había diferencia: ambos eran impostores a los que solo les interesaba aprovecharse de la gente incauta. Por eso, dice de los cristianos: «Si surge entre ellos un hábil impostor, que sepa aprovecharse de la situación, podrá enriquecerse muy pronto dirigiendo a su gusto a esos hombres que no entienden absolutamente nada».[17] De este modo, a pesar de su causticidad e incredulidad, Luciano nos

---

14. *Ibid.*, 75.
15. Luciano, *Alejandro*, 13.
16. *Ibid.*, 12.
17. Luciano, *Peregrino*, 13.

brinda un interesante testimonio de la vigencia del don y el
ministerio profético en buena parte del mundo greco-romano
de sus días.

La literatura apócrifa

Como se indicó, la literatura apócrifa no es una fuente del
todo confiable para documentar los caracteres históricos a los
que hace referencia, pero sí es una fuente valiosa para conocer
la práctica real y corriente de la iglesia, es decir, sus hechos
concretos en los siglos II y III. La Apócrifa es un testimonio
histórico importante de lo que pensaban sus autores y lectores,
ya que sus relatos fantasiosos ponen en evidencia algunas de
esas prácticas. Es así que, en medio de relatos cargados de
dramatismo y espectacularidad, es posible detectar el ejercicio
de los dones espirituales. La atmósfera en muchos de estos
escritos es típicamente carismática. Una y otra vez se repite la
frase «lleno del Espíritu Santo», asociada con el ejercicio de la
predicación, la oración, el testimonio, la operación de milagros, o el ejercicio de los dones espirituales. En los *Hechos de
Pablo* se narra en tres oportunidades que una persona fue «llena
con el Espíritu Santo» y luego comunicó un poderoso mensaje.
En la sección 9 de este libro se dice que Pablo, «lleno del
Espíritu Santo», exhortó a los hermanos. En el mismo pasaje,
un tal Cleobio es lleno con el Espíritu y habla de la muerte de
Pablo, y en la sección 11.3, Pablo es lleno y habla con poder
delante de Nerón.[18]

Entre los dones espirituales mencionados con más frecuencia están los dones de revelación, entre ellos palabra de
ciencia. En los *Hechos de Pedro* se nos refiere que el apóstol
Pablo, lleno del Espíritu Santo, recibió palabra de conocimiento de que una mujer, que se había adelantado para recibir la

18. Todos los textos de los hechos apócrifos están tomados de E. Hennecke
y W. Schneemelcher, eds., *New Testament Apocrypha*, 2 vols. Lutterworth Press, Londres, 1963-1965.

Cena del Señor, había estado involucrada en una situación moral que la descalificaba para participar.[19] En los *Hechos de Pablo* se cuenta de un cierto Patroclo que, al igual que el joven en Troas (Hechos 2.41), cayó desde una ventana y murió. El hombre había sido copero de Nerón, a quien se le dio noticia inmediatamente de lo ocurrido. El texto afirma que Pablo había percibido «en el espíritu» que esto iba a ocurrir.[20] Algo similar se lee en el siguiente pasaje, en el que parece haber una referencia al ejercicio del don de profecía:

> Pero el Espíritu vino sobre Mirta, de modo que ella dijo: «Hermanos, ¿por qué [estáis alarmados a la vista de esta señal]? Pablo el siervo del Señor salvará a muchos en Roma, y nutrirá a muchos con la palabra, de modo que no hay número (para contarlos), y él (?) se manifestará por sobre todos los fieles, y la gloria grandemente [... vendrá] sobre él, de modo que habrá una gran gracia en Roma». E inmediatamente, cuando el Espíritu que estaba en Mirta quedó en paz, cada uno tomó del pan y se regocijó según la costumbre [...] en medio del cántico de salmos de David y de himnos.[21]

Los dones de revelación son mencionados con llamativa frecuencia en estos escritos apócrifos, especialmente el don de profecía. En los *Hechos de Juan* se describen experiencias similares a las anteriores. En un caso, Juan pudo anunciar a la congregación lo que uno de sus miembros había hecho y pensado antes de que tal persona llegara al culto. En otra ocasión, el apóstol pudo leer los pensamientos de otra persona.[22] Evidentemente, en todos estos casos, no se trata de clarividencia o adivinación, ya que la capacidad de conocer lo

---

19. *Hechos de Pedro*, 1.2.
20. *Hechos de Pablo*, 11.1.
21. *Ibid.*, 9.
22. *Hechos de Juan*, 46; 56.

desconocido o recibir una palabra profética está ligada a la actividad del Espíritu Santo. Estas revelaciones ocurrieron cuando los apóstoles o las personas en cuestión fueron «llenos con el Espíritu Santo» o estaban «en el Espíritu». Si es así, lo que tenemos aquí es más o menos lo mismo que encontramos en 1 Corintios 12.8, 10, donde se nos dice que «por el Espíritu» a unos es dada «palabra de sabiduría; a otro, palabra de ciencia según el mismo Espíritu; ... a otro, profecía».

En este sentido, es frecuente también la mención explícita del discernimiento de espíritus. En la *Kerygmata Petrou*, el apóstol Pedro afirma: «Pues a una mente pía, natural y pura la verdad se revela; ella no es adquirida a través de un sueño, sino que es concedida al bueno a través del discernimiento. Porque en esta manera el Hijo fue revelado a mí también por el Padre. Por lo cual yo conozco el poder de la revelación; yo mismo he aprendido esto de él».[23]

Los apócrifos neotestamentarios también testifican de otras manifestaciones del Espíritu, como los diversos géneros de lenguas. En un pasaje de los *Hechos de Pablo*, cuyo texto es conocido como «El comienzo de la estada en Éfeso», se lee:

El ángel del Señor vino a la casa de Aquila, y se paró frente a todos ellos. Habló con Pablo, de modo que todos fueron turbados: porque [este ángel] que estaba parado allí era realmente visible (lit. revelado), pero las palabras que estaba hablando a Pablo ellos (los circunstantes) no las oían. Pero después que él hubo dejado de hablar con Pablo en leguas, ellos cayeron en temor y confusión, y estaban en silencio. Pero Pablo miró a los hermanos y dijo:...[24]

Aparentemente, el ángel habló en lenguas a Pablo, y este interpretó el mensaje a la congregación. Dos dones del Espíritu son mencionados aquí: lenguas e interpretación de lenguas. En

---

23. *Kerygmata Petrou*, 17.5-18.1.
24. «El comienzo de la estada en Éfeso», en *Hechos de Pablo*.

el primer caso, probablemente se trata de las «lenguas angélicas» a las que hace referencia Pablo en 1 Corintios 13.1.

La guerra espiritual y la confrontación con demonios tampoco es desconocida para los autores de la Apócrifa del Nuevo Testamento. En los *Hechos de Pedro* se nos cuenta de un incidente en casa de Marcelo, en Roma. Allí Pedro ve a un joven y percibe que está endemoniado. Entonces ordena al espíritu: «¡Tú también, pues, cualquier demonio que seas, en el nombre de nuestro Señor Jesucristo, sal del joven y no le hagas daño; (y) muéstrate a todos los que están alrededor!»[25] Así, pues, atado por la autoridad del apóstol, el demonio dejó al joven y procedió a destruir una estatua de mármol del emperador. En los *Hechos de Andrés* se nos relata cómo este apóstol le ordena a un demonio a salir de un joven soldado, y este queda libre.[26] Otro pasaje interesante se encuentra en los *Hechos de Pablo*, en ocasión de la visita del apóstol a la ciudad de Tiro. Probablemente, Pablo predica y también echa fuera demonios. El texto dice: «Pero inmediatamente los demonios [huyeron]».[27]

En los *Hechos de Tomás*, se nos cuenta que este apóstol se encontró con una mujer muy hermosa, que durante cinco años había sido atormentada por un demonio. El espíritu inmundo había abusado de ella sexualmente (íncubo). Con angustia la mujer clamó: «Yo sé y estoy persuadida de que los demonios y espíritus y vengadores están sujetos a ti, y todos tiemblan a tu oración. Ora, por tanto, por mí, y saca de mí el demonio que continuamente me veja».[28] Tomás reprendió al espíritu inmundo, que se manifestó de manera visible para el apóstol y la mujer, pero no para el resto de las personas presentes. Y con una voz bien fuerte, que fue oída por todos, el diablo intentó defender su autoridad sobre la mujer. Finalmente, reconociendo

---

25. *Hechos de Pedro*, 4.11.
26. *Hechos de Andrés*.
27. *Hechos de Pablo*, 6.
28. *Hechos de Tomás*, 43.

el poder de Jesús y la autoridad dada al apóstol, el demonio desapareció. La mujer fue liberada y muchos más creyeron al mensaje de Tomás y creyeron en Jesús. «E imponiendo sus manos sobre ellos él los bendijo, diciendo: «¡La gracia de nuestro Señor Jesucristo sea sobre ustedes para siempre!» Entonces la mujer le pidió «el sello» (la unción o llenura del Espíritu Santo). «Entonces él hizo que ella se acercara a él, e imponiendo sus manos sobre ella la selló en el nombre del Padre y del Hijo y del Espíritu Santo. Y muchos otros también fueron sellados con ella». Hecho esto, compartieron la cena del Señor.[29]

En todos estos pasajes encontramos ejemplos de un ministerio de liberación y casos muy similares a los que hoy se presentan y tratan. Los apóstoles disciernen la presencia demoníaca, reprenden a los demonios y los atan en el nombre de Jesús, ordenan a los espíritus inmundos salir de las personas afectadas, y estos obedecen y salen. Las personas terminan confesando su fe en Cristo como Hijo de Dios y Señor, y reciben la unción del Espíritu Santo (el sello). Los dones sobrenaturales de discernimiento de espíritus (1 Corintios 12.10) y de liberación de demonios son claramente mencionados.[30]

El choque de poderes y la guerra espiritual es también testificada por los escritos apócrifos. En los *Hechos de Juan* se narra un interesante episodio en el ministerio de este apóstol, cuando el templo de Artemisa (Diana para los romanos) en Éfeso fue destruido por el poder de Dios. En su oración, Juan declara:

Oh Dios, quien eres Dios por sobre todos los que se llaman dioses; y no obstante eres rechazado hasta este día en la

---

29. *Ibid.*, 47-49. Un relato similar se encuentra en *Ibid.*, 62-67.
30. Según C. Peter Wagner, hay fundamento bíblico para afirmar la vigencia del don de liberación de demonios como un don del Espíritu Santo. Véase Wagner, *Your Spiritual Gifts*, 97-100. Es interesante señalar que un defensor tan celoso de la fe católica, como Ireneo de Lyon, parece considerar que la liberación de demonios merece ser considerada entre los dones espirituales. Véase, Ireneo, *Contra herejías*, 2.49.3.

ciudad de los efesios; quien me pusiste en la mente venir a este lugar, del cual nunca pensé; quien condena toda forma de adoración, convirtiendo a (los hombres) a ti; a cuyo nombre todo ídolo huye, y cada demonio y todo poder inmundo: ahora haz que a tu nombre huya el demonio que está aquí, el engañador de esta gran multitud; y muestra tu misericordia en este lugar, porque ellos han sido extraviados.[31]

Mientras Juan estaba diciendo esto, el altar de Artemisa se rompió en pedazos, y todas las ofrendas se cayeron por el piso al igual que varias otras imágenes que estaban sobre el altar. Casi medio templo se vino abajo y un sacerdote murió al desplomarse parte del techo. El resultado fue un gran temor y la conversión de todos los presentes.

Otros dones espirituales de frecuente mención en los textos apócrifos son los dones de sanidades. En numerosos pasajes se narran episodios de sanidades milagrosas. En los *Hechos de Pablo*, leemos: «Alguien dijo: [Es "mejor para él morir, para que [no] esté en dolor". Pero cuando Pablo hubo aquietado a la multitud [tomó] su mano, lo levantó y le preguntó, diciendo: "Hermócrates, ¿[...] qué es lo que deseas?" Y él dijo: "Quiero comer". (Y) él tomó un pan y se lo dio para comer. En esa hora él quedó sano, y recibió la gracia del sello (la unción) en el Señor, él y su esposa».[32] Ya se hizo mención del caso de Patroclo, quien cayó de una ventana y fue resucitado por Pablo.[33] En relación con el ministerio de Pedro en Roma, se dice: «Y ellos traían las personas enfermas también a él en el día de reposo, rogándole que pudiesen ser curados de sus enfermedades. Y muchos paralíticos eran sanados, y muchos que sufrían de hidropesía y de fiebres de dos o cuatro días, y eran curados de toda enfermedad corporal, al creer en el

---

31. *Hechos de Juan*, 41.
32. *Hechos de Pablo*, 4, (Pablo en Myra).
33. *Ibid.*, 11.1-2.

nombre de Jesucristo, y muchísimos eran agregados cada día a la gracia del Señor».[34]

En los *Hechos de Tomás* se indica que la fama de este apóstol «se esparció por todos los pueblos y villas, y todos los que tenían enfermos o personas perturbadas por espíritus inmundos los traían, y los colocaban sobre el camino por el que él iba a pasar, y él los sanaba a todos en el poder del Señor. Entonces todos los que eran sanados por él decían de común acuerdo y a una voz: «¡Gloria sea a ti, Jesús, que (a todos) por igual has concedido sanidad a través de tu siervo y apóstol Tomás!»[35] En *Hechos de Juan,* 37, se afirma que «Juan sanó todas (sus) enfermedades a través del poder de Dios». Todos estos pasajes y muchísimos más esparcidos por toda la literatura apócrifa recuerdan los dones de sanidades mencionados en 1 Corintios 12.9.

Por cierto, la literatura apócrifa por ser fantasiosa y dramática, está llena de hechos portentosos. De modo que señales, prodigios y maravillas abundan en sus páginas. Los milagros se multiplican en sus relatos, pero no por ello dejan de ser testimonio de la ocurrencia de estos cosas o por lo menos del hecho de que para estos autores y sus primeros lectores los milagros estaban dentro de lo que en sus mentes ellos consideraban como algo posible. Uno de estos hechos milagrosos es la resucitación de muertos, que es mencionada en varios pasajes.[36] Los casos particulares involucran a hombres, mujeres y niños que murieron por una diversidad de causas.

En los *Hechos de Tomás* se relata un caso interesante de resucitación. Una mujer joven había sido asesinada por su amante, quien luego de arrepentirse delante del apóstol fue curado de sus manos que se habían secado al querer llevar el pan de la eucaristía a su boca. Acto seguido, el apóstol fue a la

---

34. *Hechos de Pedro,* 9.1.
35. *Hechos de Tomás,* 59.
36. *Hechos de Pedro,* 26; *Hechos de Pablo,* 8; 11.1-2; *Hechos de Tomás,* 33, 54, y 81; *Hechos de Juan,* 23-24, 47, 52, 75, 80, y 83.

posada donde vivía la mujer y ordenó que la trajesen. La joven fue llevada al medio de la posada yaciendo en una cama. Tomás puso su mano sobre ella y oró, diciendo: «... esto suplicamos de ti y rogamos, que en tu nombre santo tú levantes a la mujer que yace aquí por tu poder, para (tu) gloria y (la confirmación de) la fe de aquellos que están alrededor». Y luego le pidió al joven que la había asesinado, después de orar por la unción sobre él, que la tomara de la mano y le dijese: «Yo con mis manos te maté con hierro, y con mis manos por fe en Jesús yo te levanto». Al hacer esto, la joven se incorporó y se sentó, mirando a la gran multitud que se había reunido. El relato continúa con los detalles de la opresión demoníaca de la que la joven había sido víctima y de las visiones del infierno que había tenido durante el tiempo de su muerte. Esta fue una buena ocasión para que el apóstol predicase el Evangelio y una gran multitud creyese en el mensaje.[37]

La resucitación de muertos es un milagro (1 Corintios 12.10) que ocurrió en varias ocasiones tanto en el ministerio de Jesús como en el de los apóstoles, según el testimonio neotestamentario. Pero el don de «hacer milagros», que más específicamente se refiere a la resucitación de muertos, no terminó con el último de los apóstoles, como parece sugerir el testimonio de la literatura apócrifa. Por lo menos, estos autores, aun exagerando y presentando relatos de naturaleza fabulosa, parecen admitir su vigencia como posible. El éxito y gran circulación de sus obras es indicativo también que sus lectores no estimaban como ajenos o extraños a su propia experiencia tales prodigios.

Resumiendo, la literatura apócrifa nos pone en contacto con la manera de pensar del cristiano común y anónimo de la segunda mitad del segundo siglo, y con el hecho evidente de que en su esquema mental la actividad poderosa y sobrenatural del Espíritu Santo se manifestaba mediante el ejercicio y plena vigencia de los dones espirituales. De este modo, podemos concluir con Kydd, diciendo que:

---

37. *Hechos de Tomás*, 51-59.

Cuando reflexionamos sobre este material, vemos que los Hechos Apócrifos hablan acerca de hechos que nos recuerdan los dones del Espíritu. Ellos hacen referencia a experiencias que van desde el discernimiento de espíritus hasta la resucitación de muertos... Obviamente, estos documentos no nos dicen mucho que podamos confiar en cuanto a los apóstoles. Sin embargo, sí nos dicen un montón acerca de lo que estos autores y los cristianos a quienes ellos escribían podían imaginar que ocurría. Lo menos que podemos decir es que estos cristianos tenían reminiscencias, por más vagas que hayan podido ser, de los dones del Espíritu.[38]

---

38. Kydd, *Charismatic Gifts in the Early Church*, 55.

6

EL CRISTIANISMO DEL SIGLO III

l siglo III fue un tiempo de grandes oportunidades para el testimonio cristiano, pero al mismo tiempo de enormes dificultades. Durante estos años la Iglesia continuó creciendo notablemente, en especial en Ásia Menor. Pero hacia mediados del siglo, fuertes persecuciones pusieron en serio peligro la supervivencia de la Iglesia en muchas regiones y crearon profundos problemas internos entre los cristianos. No obstante, las tormentas generadas por la oposición hicieron que la llama del evangelio se avivara. A comienzos de este período, Tertuliano escribió: «La sangre de los mártires es semilla». Incluso las persecuciones más generalizadas y sistemáticas, como las de Decio (249-251) y Diocleciano (284-305) no lograron detener el avance cristiano. Por el contrario, las iglesias se mostraban vivas, creciendo en número e influencia en la sociedad. La fe proclamada por esta religión minoritaria iba adquiriento, de manera quieta pero profunda, una cada vez mayor fuerza en el ámbito del Imperio Romano.

En algunos casos, la oposición se levantó como una tormenta interna. Para el siglo III, la fe cristiana se estaba transformando en el movimiento más dinámico y cautivante dentro del Imperio. Muchas de las mentes más brillantes se habían transformado en seguidores del cristianismo. Algunos de ellos hicieron el esfuerzo por expresar de una manera intelectualmente potable, conforme los cánones del pensamiento de sus días, el testimonio evangélico. Hacia el año 185 un filósofo estoico convertido llamado Panteno comenzó a enseñar la doctrina cristiana a nuevos creyentes en Alejandría. Su tarea docente fue continuada primero por Clemente y más tarde por Orígenes. A pesar de los períodos de intensa persecución, la escuela para catecúmenos de Alejandría ganó prestigio, y sirvió para fortalecer la fe de muchos y atraer a nuevos convertidos.

El logro más notable de hombres como Clemente y Orígenes fue expresar el evangelio en términos que pudiesen ser entendidos por aquellos que estaban embebidos de las formas más sofisticadas del pensamiento y la cultura griega. En un sentido, se debe a ellos el haber establecido de manera definitiva la respetabilidad intelectual de la nueva fe. Sin embargo, este esfuerzo intelectual no se hizo sin un alto costo: los elementos carismáticos y sobrenaturales de la experiencia cristiana fueron desplazados a un lugar secundario, con miras a darle mayor credibilidad intelectual al evangelio a los ojos de las élites educadas helenísticas.

De todos modos, a lo largo del siglo III la Iglesia expandió sus fronteras geográficas y sociales a un ritmo asombroso. Poco a poco se fue transformando en un imperio dentro del Imperio. No es extraño, pues, que los propios emperadores hayan observado con preocupación el desarrollo creciente de un movimiento tan dinámico, y lo hayan visto como una amenaza a sus pretensiones hegemónicas. Las manifestaciones del poder del Espíritu Santo no hacían más que agregar sospecha, temor y asombro a los paganos que eran testigos de ellas. En más de una instancia, fueron estas manifestaciones la ocasión para la oposición más encarnizada. Sea como fuere, el siglo III también presenta evidencias de que señales, prodigios, maravillas y milagros, junto con variadas expresiones del ejercicio de los dones espirituales, estaban en operación en ese tiempo en muchas comunidades de fe. Como muestra de ello, consideraremos a algunos testigos cristianos importantes de este siglo.

Orígenes de Alejandría (185-255)

Nació en esa ciudad de Egipto, y murió en Tiro de Fenicia. No fue un convertido del paganismo, sino el hijo mayor de una familia cristiana numerosa. Recibió su primera educación de su padre Leónidas, quien murió mártir durante la persecución de Septimio Severo (202). Frecuentó la Escuela Catequista de Alejandría, donde escuchó a Panteno y a Clemente. En 202 fue nombrado sucesor de Clemente, por el obispo Demetrio, cuando la persecución de Severo obligó a Clemente a salir de Alejandría. Durante treinta años Orígenes dirigió la célebre Escuela de esa ciudad, llevándola a su mayor florecimiento. Allí atrajo a un gran número de discípulos por la calidad de su enseñanza, pero también por el ejemplo de su vida. Fue oyente del afamado fundador del neoplatonismo, Ammonio Saccas. Se entregó al estudio de la exégesis bíblica, en la que sobresalió como maestro. Hacia el año 230 fue ordenado sacerdote en Cesarea. Sus homilías, trabajos exegéticos y apologéticos son innumerables.

Orígenes fue un hombre de una conducta intachable y de una erudición enciclopédica, uno de los pensadores más originales de todos los tiempos. Parece ser que este primer «teólogo sistemático» cristiano, asceta y erudito bíblico, en su famosa polémica contra el filósofo pagano Celso, aparentemente negaba la práctica presente de los dones de profecía y de lenguas. Según él, los milagros visibles habían sido necesarios en la iglesia naciente, pero para su tiempo ya no se consideraban tan necesarios (un argumento similar al que casi dos siglos más tarde seguiría Agustín de Hipona).

Sin embargo, como vimos, Celso dice haber encontrado estos carismas entre los cristianos, aunque puede ser que exagere en algunas de sus afirmaciones. Según él: «Hay muchos que, si bien sin nombre, con la más grande facilidad y a la menor ocasión, ya sea con o sin templos, asumen las mociones y gestos de personas inspiradas; mientras que otros lo hacen en cuidades o en los ejércitos, con el propósito de atraer la atención y provocar sorpresa». A esto, Celso continúa diciendo: «A estas promesas se agregan palabras extrañas, fanáticas y totalmente ininteligibles, a las que ninguna persona racional puede encontrar significado: porque son tan oscuras, que no tienen ningún significado; pero ellos (los creyentes) dan ocasión a cualquier tonto o impostor para aplicarlas según su propio propósito».[1]

No obstante, Orígenes escribe allá por el año 248: «Todavía se preservan entre los cristianos huellas de ese Espíritu Santo que apareció bajo la forma de una paloma. Ellos expulsan los espíritus malos, realizan muchas curaciones, ven con antelación determinados acontecimientos según la voluntad del Logos».[2] Orígenes tiene bastante que decir en cuanto al don de profecía. Incluso llega tan lejos como a sugerir que una persona tiene que abrir la boca a fin de recibir el carisma de profecía.[3]

Según él, el Espíritu Santo estuvo activo a través de señales, prodigios y maravillas en el ministerio de Jesús y los apóstoles. «Pero la demostración que siguió a las palabras de los apóstoles de Jesús fue dada de parte de Dios, y fue acreditada por el Espíritu y por poder. Y, por lo tanto, su palabra corrió veloz y rápidamente».[4] En otro lugar, señala Orígenes: «Además, el Espíritu Santo dio señales de su presencia al comienzo del ministerio de Cristo, y después de su ascensión dio todavía

1. Citado en *Contra Celso*, 7.9. Véase Williams y Waldvogel, «A History of Speaking in Tongues», 69; y también Robert Glenn Gromacki, The Modern Tongues Movement, Presbyterian and Reformed Publishing Co., Filadelfia, 1967, 15.
2. Orígenes, *Contra Celso*, 1.46.
3. Orígenes, *Sobre Éxodo* 4.4. Véase también, Orígenes, *Comentario a Cantares*, 1.
4. Orígenes, *Contra Celso*, 3.68.

más; pero desde ese tiempo estas señales han disminuido, si bien todavía hay trazas de su presencia en unos pocos cuyas almas han sido purificadas por el evangelio, y sus acciones reguladas por su influencia».[5]

Si bien condicionado a no llamar la atención sobre las manifestaciones más espectaculares del Espíritu Santo en razón de que su obra apologética *Contra Celso* no se lo permitía, Orígenes apela al argumento de que la autenticidad del cristianismo está probada por sus profecías y milagros. En un interesante pasaje, señala:

> El evangelio tiene una demostración propia, más divina que cualquiera establecida por la dialéctica griega. Y este método más divino es llamado por el apóstol la «manifestación del Espíritu y de poder» «Del Espíritu», en razón de las profecías, que son suficientes para producir fe en cualquiera que las lea, especialmente en aquellas cosas que tienen que ver con Cristo; y de «poder», debido a las señales y maravillas que debemos creer han sido hechas, tanto en muchas otras tierras, como sobre esta, que trazas de ellas se preservan todavía entre aquellos que regulan sus vidas por los preceptos del evangelio.[6]

En respuesta a argumentos de Celso indicando que Esculapio de manera sobrenatural hacía curaciones y pronosticaba el futuro, Orígenes afirma que por la invocación del nombre de Jesús algunos cristianos de su tiempo tenían un maravilloso poder para sanar. Según él: «nosotros [los cristianos] podemos claramente mostrar una multitud incontable de griegos y bárbaros que reconocen la existencia de Jesús. Y algunos dan evidencia de haber recibido a través de esta fe un poder maravilloso para las curaciones, que realizan, invocando ningún otro nombre sobre aquellos que necesitan de su ayuda que

---

5. *Ibid.*, 7.8.
6. *Ibid.*, 1.2.

aquel del Dios de todas las cosas, y de Jesús, junto con una mención de su historia». Además, Orígenes destaca que «por estos medios nosotros también hemos visto liberadas a muchas personas de calamidades dolorosas, y de distracciones de la mente, y locura, y un sin fin de otras dolencias, que no podrían ser curadas ni por hombres ni por demonios».[7] Aparentemente, Orígenes está haciendo referencia principalmente a enfermedades mentales.

En el prefacio de su obra *Sobre los principios*, Orígenes afirma que el Espíritu Santo es quien «inspiró a cada uno de los santos, sean profetas o apóstoles».[8] Fue el Espíritu también quien escribió las Escrituras y les dio un significado espiritual. Este «significado espiritual que encierra la ley no es conocido por todos, sino solo por aquellos sobre quienes es concedida la gracia del Espíritu Santo en palabra de sabiduría y de conocimiento».[9] Precisamente, según Orígenes, uno de los propósitos de los dones espirituales en la vida de la iglesia es capacitarla para examinar y clarificar las enseñanzas de los apóstoles: «los fundamentos de sus declaraciones deben ser examinados por aquellos que merezcan los excelentes dones del Espíritu, y quienes, especialmente por medio del Espíritu Santo mismo, obtengan el don de lenguas, de sabiduría, y de conocimiento».[10] Según Burgess: «Es claro ... que Orígenes entiende que los dones del Espíritu no son para todos los cristianos. Más bien, estos están dirigidos a aquellos que son tenidos por dignos, para aquellos que ya están viviendo una vida cristiana guiada por el Espíritu».[11]

Más adelante, Orígenes señala que «en cuanto al diablo y sus ángeles, y las influencias que se oponen, la enseñanza de la iglesia ha establecido que estos seres realmente existen; pero

---

7. *Ibid.*, 3.24.
8. Orígenes, *Sobre los principios*, prefacio, 4.
9. *Ibid.*, prefacio, 8.
10. *Ibid.*, prefacio, 3.
11. Burgess, *Ancient Christian Traditions*, 77.

qué son, o cómo existen, no lo ha explicado con suficiente claridad».[12] Celso parece que afirmaba que los cristianos ejercían poderes milagrosos por los nombres de ciertos demonios y mediante el uso de encantamientos. A esto, Orígenes responde:

> No es por encantamientos que los cristianos parecen prevalecer (sobre los espíritus malos), sino por el nombre de Jesús, acompañado por el anuncio de los relatos que tienen que ver con él; porque la repetición de estos ha sido frecuentemente el medio de echar a los demonios fuera de los hombres, especialmente cuando aquellos que los repitieron lo hicieron en un espíritu sano y genuinamente de fe.[13]

Sea como fuere, para Orígenes la acción del Espíritu Santo es real y poderosa. Sin embargo, tal obra se verifica solo en los creyentes. Dice él:

> Yo soy de opinión, de que ... la operación del Espíritu Santo no tiene lugar en absoluto en aquellas cosas que carecen de vida, o en aquellas que, si bien viven, son todavía mudas; más aún, no se encuentra incluso en aquellas que realmente están dotadas de razón, pero están involucradas en cuestiones malas, y de ningún modo convertidas a una vida mejor. Pienso que la operación del Espíritu Santo tiene lugar solo en aquellas personas que ya se están volviendo a una vida mejor, y (están) caminando por el camino que lleva a Jesucristo, i.e., que están involucradas en la realización de buenas acciones, y que permanecen en Dios.[14]

La obra del Espíritu en la vida del creyente se concreta mediante la promoción de su crecimiento en santidad. La

---

12. Orígenes, *Sobre los principios*, prefacio, 6.
13. Orígenes, *Contra Celso*, 1.6.
14. Orígenes, *Sobre los principios*, 1.3.5.

santidad del cristiano, que es una experiencia progresiva y no repentina, deriva de la obra del Espíritu Santo en él.[15] Es el Espíritu quien también ayuda al creyente en la oración, e intercede con el Padre cuando la mente humana no puede orar.[16] Él es quien mueve la mente humana e incluso su imaginación hacia las cosas que son de Dios.[17] Su asistencia es fundamental para que los fieles puedan entender y apropiarse de la verdad espiritual, y así evitar el error y la falsedad.[18]

Para Orígenes, como para cualquier verdadero cristiano de todos los tiempos, la evidencia más palmaria de la operación del Espíritu Santo es lo que Él hace en la vida de las personas. La divinidad y vida de Cristo es evidente, no solo por los milagros que Él obró y por las profecías que se cumplieron en Él, sino por el poder del Espíritu Santo transformando a las personas. Por eso, Orígenes se atreve a declarar: «Aunque Celso, o el Judío, a quien introduce en su diálogo, se burlen de lo que voy a decir, lo diré, sin embargo: muchos se han convertido al cristianismo, por decirlo así, contra su voluntad; cierto espíritu transformó sus almas, haciéndoles pasar del odio contra esta doctrina a una disposición de ánimo dispuesto a morir en su defensa».[19]

La predicación del evangelio debe ser hecha con poder para que sea efectiva. Un evangelio de poder es el único que puede provocar cambios radicales en las vidas de las personas. Por eso, exhorta Orígenes:

La palabra de Dios (1 Corintios 2.4) declara que la predicación, por verdadera que sea en sí misma y muy digna de ser creída, no basta a tocar el corazón humano; es necesario que el predicador haya recibido cierto poder de Dios y que

---

15. *Ibid.*, 1.3.8.
16. Orígenes, *Sobre la oración*, 2.14.
17. Orígenes, *Contra Celso*, 4.95.
18. Orígenes, *Sobre los principios*, 2.7.2.
19. Orígenes, *Contra Celso*, 1.46.

la gracia florezca en sus palabras ... Dice el profeta en el salmo 67: «A los que evangelizan, el Señor dará una palabra muy poderosa». Aun concediendo que entre los griegos se encuentren las mismas doctrinas que en nuestras Escrituras, les faltaría, sin embargo, ese poder de atraer y disponer las almas de los hombres a seguirlas.[20]

De ningún modo, Orígenes puede ser considerado un «carismático». Si bien es claro en su evaluación bíblica y evangélica de la persona y obra del Espíritu Santo, el padre alejandrino reduce la obra del Paracleto mayormente a una tarea de inspiración y orientación en la interpretación de las Escrituras. En él puede verse el reduccionismo característico que resulta de toda aplicación de un intelectualismo humano a la acción incomprensible e impredecible del Espíritu. En su esfuerzo por acomodar la comprensión de la experiencia cristiana a las pautas del pensamiento griego pagano, para facilitar su digestión por parte de hombres como Celso, Orígenes parece perder lo más rico de la fe de Cristo: su dimensión de poder en el plano concreto de las vivencias humanas. De todas maneras, como se ha visto, a pesar de las presiones en contrario, este intelectual cristiano pudo reconocer algo de las operaciones del Espíritu entre los creyentes de sus días.

Cipriano de Cartago (200-258)

Ejerció en la ciudad de Cartago la profesión de maestro de elocuencia. Poco tiempo después de su bautismo, que tuvo lugar el 18 de abril del año 246, fue ordenado presbítero y, más tarde, fue obispo de Cartago al morir Donato en el año 248. Este episcopado fue agitado desde el principio por la violenta persecución de Decio, la cual dio margen a las dos famosas cuestiones de la penitencia y del bautismo de los herejes, que tanto ocuparon su actividad pastoral y literaria.

---

20. *Ibid.*, 6.2.

Como obispo mostró gran habilidad ejecutiva, y mucho sentido práctico y bondad de espíritu. Le tocó vivir en una época tormentosa. Dos veces fue víctima de persecuciones. Al estallar la persecución del emperador Valeriano, Cipriano fue desterrado, llevado posteriormente a Cartago y, finalmente, condenado a ser decapitado, cosa que ocurrió el 14 de setiembre del año 258. Cipriano escribió profusamente. Es el autor de muchos tratados y cartas. Se inspiró mayormente en Tertuliano, quien fue su maestro espiritual. De él aprendió su concepto ascético de la vida cristiana. Pocos personajes de la iglesia antigua han sido tenidos en más alta estima por las edades subsiguientes.

La obra escrita de Cipriano está salpicada de numerosísimas referencias a la persona, obra y manifestaciones del Espíritu Santo.[21] Sumamente interesante en cuanto a la obra regeneradora y santificadora del Espíritu Santo es el testimonio personal de Cipriano:

En cuanto a mí mismo, estaba atrapado en ligaduras por los innumerables errores de mi vida previa, de los que no creía que pudiera de alguna manera ser liberado. Así que me incliné a conformarme en mis vicios adheridos. Y en mi desesperación por cosas mejores, solía justificar mis pecados como si fuesen realmente partes de mí y naturales a mí. Pero luego de eso, por la ayuda del agua del nuevo nacimiento, la mancha de años anteriores fue lavada, y una luz de arriba, serena y pura, fue infundida en mi corazón reconciliado, —después de que por la agencia del Espíritu sopló desde el cielo, un segundo nacimiento me había restaurado en un nuevo hombre. Entonces, de una manera maravillosa, las cosas dudosas comenzaron de pronto a resultarme seguras, las cosas ocultas a ser reveladas, las cosas oscuras a ser iluminadas, lo que antes había parecido

---

21. Sobre la comprensión que tenía Cipriano del Espíritu Santo, véase, Campenhausen, *Ecclesiastical Authority*, 268-273.

el poder divino para ayudar a los que sufren de enfermedades físicas, de todo tipo de opresiones espirituales, o se encuentran perdidos en una vida sin paz ni esperanza. Solo un creyente lleno del Espíritu puede tener la autoridad suficiente para, como veremos más adelante, expulsar a los espíritus inmundos que se introdujeron en las personas para atormentarlas.[25] De este modo, según Cipriano, la presencia poderosa del Espíritu en el creyente es fundamental para que este pueda cumplir con el mandato de Jesús, según Marcos 16.15. Nótese que Cipriano está hablando de una operación poderosa y abundante del Espíritu Santo en los creyentes bautizados.

En relación con la controversia suscitada a mediados del tercer siglo en el norte de África, en torno a la cuestión del bautismo y el re-bautismo de los herejes, en la que Cipriano se involucró, hay un documento interesante que ilustra el papel del Espíritu en relación con este sacramento. Se trata del *Tratado sobre el re-bautismo*, de un autor anónimo. En esta obra se hace una distinción entre el bautismo en agua y el bautismo del Espíritu Santo. Cada uno es válido independientemente del otro, pero el segundo es dado por la imposición de manos por parte del obispo. Después de afirmar que «fuera de la Iglesia no hay Espíritu Santo», el *Tratado* agrega: «Y por esa razón, quienes se arrepienten y son corregidos por la doctrina de la verdad, y por su propia fe, que subsiguientemente ha sido mejorada por la purificación de sus corazones, deben ser ayudados solo por el bautismo espiritual, esto es, por la imposición de las manos del obispo, y por la ministración del Espíritu Santo».[26]

Llama la atención el énfasis que pone el *Tratado* en el ministerio del obispo como ministrador del bautismo espiritual o llenura del Espíritu Santo. «Porque cuando por imposición de las manos del obispo el Espíritu Santo es dado a cada uno que cree, como lo hicieron los apóstoles en el caso de los

---

25. Cipriano, *Carta a Donato*, 5.
26. *Tratado sobre el re-bautismo*, 10.

samaritanos después del bautismo de Felipe, mediante la imposición de manos, de la misma manera también ellos confieren sobre aquellos el Espíritu Santo».[27] No obstante, el bautismo del Espíritu no es necesario para la salvación. Pero sí el bautismo en el nombre de Jesucristo, sin importar quien lo administra, debe ser aceptado y suplementado por la invocación del Espíritu Santo, conforme con la práctica tradicional.[28] Este bautismo de santidad debe ser procurado por todos los creyentes.

Volviendo a Cipriano, no debe pensarse que todo lo que Cipriano tenía para decir de la obra del Espíritu Santo estaba limitado a su relación con el bautismo. El don del Espíritu, que según él se recibe en el momento del bautismo, es una herencia que debe ser guardada y usada diligentemente por el bautizado hasta el fin de su vida. Como parte de su propio testimonio personal, Cipriano agrega:

Pero si guardas el camino de la inocencia, el camino de la rectitud, si caminas con un paso firme y seguro, si, dependiendo de Dios con todas tus fuerzas y con todo tu corazón, eres lo que has comenzado a ser, se te dará libertad y poder para hacer en proporción a tu crecimiento en la gracia del Espíritu. Porque no hay, como es el caso con los beneficios terrenales, ninguna medida o restricción en la dispensación del don celestial. El Espíritu fluyendo libremente no está restringido por límite alguno, no está encerrado por barreras dentro de ciertos espacios limitados. Fluye perpetuamente, es exuberante en su afluir. Dejemos que nuestro corazón solo sea sediento, y esté dispuesto a recibir. En el grado en el que dispongamos de una fe con capacidad, en esa medida extraeremos de Él una gracia desbordante. De ahí en adelante es otorgado el poder, con castidad modesta, con una mente sana, con una voz simple, con una virtud

---

27. *Ibid.*, 3.
28. *Ibid.*, 15.

sin mancha, que es capaz de apagar el virus de venenos para la sanidad de los enfermos, para purgar las manchas de las almas necias por la salud restaurada, para ordenar la paz a aquellos que están en enemistad, reposo al violento, amabilidad al indomable, —por medio de pasmosas amenazas para forzar a los espíritus impuros y errantes que se han metido en los cuerpos de los hombres a quienes se proponen destruir a darse a conocer, para forzarlos con fuertes golpes a salir de ellos, para echarlos retorciéndose, aullando, gimiendo con aumento de un dolor constantemente renovado, para golpearlos con azotes, para quemarlos con fuego. Allí se lleva a cabo la cuestión, pero no se ve. Los golpes infligidos están ocultos, pero la pena es manifiesta. Así, en relación con lo que ya hemos comenzado a ser, el Espíritu que hemos recibido posee su propia libertad de acción.[29]

La unción del Espíritu es generosa. Según Cipriano, «el Espíritu Santo no es dado por medida, sino que es derramado todo sobre el creyente ... sin diferencia de sexos, sin distinción de años, sin acepción de personas, sobre todo el pueblo de Dios fue derramado el don de la gracia del Espíritu».[30] Frente a un regalo tan grandioso, los creyentes deben vivir vidas de santidad.

Vivamos como templos de Dios, para que se vea que Dios mora en nosotros. Que nuestras acciones no se aparten del Espíritu; de modo que los que hemos comenzado a ser celestiales y espirituales, no podamos considerar y hacer otras cosas sino las espirituales y celestiales ... Pedimos y rogamos que quienes hemos sido santificados en el bautismo podamos continuar en aquello en lo que hemos comenzado a ser. Y es por esto que oramos diariamente. Porque

29. *Ibid., Carta a Donato*, 5.
30. Cipriano, *Carta 69*, 14.

tenemos necesidad de una santificación diaria, que nosotros que diariamente caemos podamos lavar nuestros pecados por una santificación continua... Oramos para que
esta santificación permanezca en nosotros... pedimos esto
día y noche, que la santificación y vivificación que se recibe
de la gracia de Dios pueda ser preservada por su protección.[31]

De todos modos, Cipriano advierte que es necesario ser
cuidadosos cuando de las manifestaciones del Espíritu se trata.
La herejía y la falsa profecía fácilmente se confunden con las
auténticas operaciones del Espíritu, y terminan por provocar
engaño y escándalo. Sobre el particular, Cipriano cuenta un
caso interesante, que de todos modos pone de manifiesto cuán
vigentes estaban los dones carismáticos y las diversas operaciones del Espíritu Santo en la iglesia del norte de África para
mediados del tercer siglo:

De pronto se levantó entre nosotros una cierta mujer, quien
en un estado de éxtasis se anunció a sí misma como
profetiza, y actuó como si estuviese llena con el Espíritu
Santo. Y estaba tan movida por el ímpetu del demonio
principal, que durante mucho tiempo llenó de ansiedad y
engañó a la hermandad, llevando a cabo ciertas cosas
maravillosas y portentosas, y prometió que ella haría que
la tierra se sacudiese. No era tanto que el poder del
demonio fuese tan grande como para que él pudiese lograr
sacudir la tierra o perturbar los elementos, pero sí que a
veces un espíritu impío, presintiendo y percibiendo que
habrá un terremoto, pretende que él hará lo que ve que va
a suceder. Mediante estas mentiras y fanfarronerías había
sometido tanto las mentes de los individuos, que ellos le
obedecieron y siguieron adondequiera que él les mandaba
y conducía. El también podía hacer que la mujer caminara

---

31. Cipriano, *Tratado sobre la oración del Señor*, 11-12.

en el invierno agudo con los pies desnudos sobre la nieve congelada, y no sentir molestias o daño de ningún grado por ello. Es más, ella diría que estaba apurándose a ir a Judea y a Jerusalén, fingiendo como que había venido de allí. Aquí también engaño a uno de los presbíteros, un campesino, y a otro, un diácono, de manera que ellos tuvieron relaciones sexuales con esa misma mujer, lo que poco después fue detectado. Porque de pronto se le apareció uno de los exorcistas, un hombre aprobado y siempre de buena conducta con respecto a la disciplina religiosa, quien también estimulado por la exhortación de muchísimos hermanos que eran también fuertes ellos mismos y dignos de alabanza en la fe, se levantó en contra de ese espíritu malvado para vencerlo, el cual además, por su falacia sutil, había predicho esto un poco tiempo antes, que un cierto carácter adverso e incrédulo vendría. No obstante, ese exorcista, inspirado por la gracia de Dios, resistió bravamente, y mostró que aquello que antes había sido considerado santo, era realmente un espíritu muy malvado.[32]

Así, pues, la obra poderosa del Espíritu Santo se ve también en la manera que opera, a través de los creyentes, para liberar a las personas de la opresión demoníaca.

Porque así como los escorpiones y serpientes que reinan sobre el suelo seco, cuando son arrojados al agua no pueden valerse ni retener su veneno, así también los espíritus malvados, que son llamados escorpiones y serpientes y son pisoteados bajo nuestros pies por el poder dado por el Señor, no pueden permanecer ya más en el cuerpo de un hombre en quien, bautizado y santificado, comienza a ser habitado por el Espíritu Santo.[33]

---

32. Cipriano, *Carta 74*, 10.
33. Cipriano, *Carta 75*, 15.

A pesar de su fuerte énfasis sobre el orden episcopal en la iglesia, Cipriano es también fuertemente carismático, si bien concentra el ejercicio de los dones proféticos en los obispos. El mismo, como obispo, testifica de haber recibido numerosas revelaciones a través de visiones, muchas de las cuales son descritas en sus cartas.[34] Este es un aspecto del testimonio de Cipriano que no siempre ha sido suficientemente tomado en cuenta. En realidad, como señala Congar, «Al tratar de la vida de la iglesia antigua, es preciso hacer justicia a las visiones, admoniciones, sugerencias atribuidas al Espíritu».[35] En este sentido, es interesante notar la expresión de Cipriano en ocasión del concilio celebrado en Cartago, bajo su presidencia, en la primavera del 252: «determinamos, con la inspiración del Espíritu Santo y el aviso del Señor por medio de repetidas y manifiestas visiones...»[36] Así, pues, como destaca Congar: «La Iglesia quería ser dirigida por Dios; no solo por su Palabra, sino por las inspiraciones e indicaciones que Él daba».[37]

El mismo compartió muchas de estas revelaciones con los fieles de su congregación y con el clero.

Fue mi deber no ocultar estas cuestiones especiales, ni esconderlas solas en mi propia consciencia, —cuestiones por las que cada uno de nosotros puede ser tanto instruido como guiado. Y vosotros de vuestra parte no mantengáis esta carta guardada entre vosotros mismos, sino permitid que los hermanos la tengan para leerla. Porque es el papel de alguien que desea que su hermano no sea advertido e

---

34. Véase, por ejemplo, *Carta* 7, 3-6. Sobre Cipriano y el don de profecía, véase, Cecil M. Robeck, Jr., «Visions and Prophecy in the Writings of Cyprian», *Paraclete* 16, Summer 1982: 21-25. Sobre Cipriano y las visiones, véase, Adolf von Harnack, «Cyprian als Enthusiast», *Zeitschrift für neutestamentliche Wissenscharf* 5 (1902): 177-191; y A D'Alés, *La théologie de Saint Cyprien*, Cerf, París, 1922, 77-83.

35. Congar, *El Espíritu Santo*, 95.

36. Cipriano, *Carta* 57, 5.

37. Congar, *El Espíritu Santo*, 96.

instruido interceptar esas palabras con las que el Señor condesciende amonestarnos e instruirnos.[38]

No obstante, estas visiones y revelaciones son solo para los obispos y sacerdotes, en quienes oficio y carismas se combinan.[39] De modo que si los creyentes desean oír la voluntad de Dios, deben confiar en el obispo para que él la ponga de manifiesto.

> Porque además de las visiones de la noche, durante el día también, la edad inocente de los niños está entre nosotros que estamos llenos con el Espíritu Santo, viendo en un éxtasis con sus ojos, y oyendo y hablando aquellas cosas por las cuales el Señor condesciende en advertirnos e instruirnos. Y vosotros debéis oír todas las cosas cuando el Señor, que me pidió que me alejara, me traiga de vuelta a vosotros ... Yo usaré ese poder de admonición que el Señor me pide que use.[40]

Cipriano representa un punto de inflexión importante en la comprensión de los carismas y su ejercicio en la Iglesia desde los días de los apóstoles. Según Burgess, con «Cipriano de Cartago culminó una tendencia entre los escritores cristianos antiguos que defendía la propiedad del carisma de profecía y el ejercicio de ese don por parte del obispo para sus propios propósitos, haciendo que el mismo, por lo tanto, careciese de poder en las manos de otros».[41] En las palabras de James L. Ash: «El carisma de profecía fue capturado por el episcopado monárquico, usado en su defensa, y dejado a morir una muerte inadvertida cuando la estabilidad del verdadero episcopado lo transformó en una herramienta superflua».[42]

---

38. Cipriano, *Carta 7*, 7.
39. Cipriano, *Carta 68*, 9-10.
40. Cipriano, *Carta 9*, 4.
41. Burgess, *Ancient Christian Traditions*, 86.
42. Ash, «The Decline of Ecstatic Prophecy», 252.

Novaciano (m. *ca.* 270)

Novaciano era de origen frigio. Hacia el año 250 ocupaba una posición influyente en la iglesia de Roma. Fue hombre de personalidad brillante, de gran talento y erudición, aunque un tanto débil de carácter. Se formó bien en la filosofía estoica y era maestro de retórica. Fue el primer teólogo romano que publicó libros en latín y es, por lo tanto, uno de los fundadores de la teología romana. Su lenguaje es culto; su estilo, esmerado y muy estudiado, pero siempre claro y sereno.

En el contexto de las terribles persecuciones de mediados del tercer siglo, Novaciano se opuso a aquellos que habían negado la fe y querían reintegrarse a la Iglesia. Acerca del Espíritu Santo, Novaciano señala que, dentro de la Iglesia, Él es el maestro de toda verdad. El Espíritu Santo obra especialmente mediante la distribución de los dones carismáticos a la Iglesia, para que esta pueda cumplir con su misión en el mundo. El Espíritu que operó en los profetas de la antigüedad es el mismo que obró en los apóstoles y que después de la resurrección fue dado por el Señor a todos los discípulos. En un pasaje sumamente interesante y de gran valor testimonial, Novaciano señala:

> El dio el Paracleto por necesidad a los discípulos, como para no dejarlos huérfanos en ningún grado, lo que era poco deseable, y olvidarlos sin un defensor y algún tipo de protector. Porque él es quien fortaleció sus corazones y mentes, quien señaló los sacramentos del evangelio, quien fue en ellos el iluminador de las cosas divinas. Y ellos siendo fortalecidos, por el amor del nombre del Señor no temieron ni mazmorras ni cadenas, y aun, incluso pisotearon con sus pies a los mismos poderes del mundo y sus torturas, dado que fueron de aquí en adelante armados y fortalecidos por el mismo Espíritu, teniendo en sí mismos los dones que este mismo Espíritu distribuye, y otorga a la Iglesia, la Esposa de Cristo, como sus ornamentos. Él es quien coloca profetas en la Iglesia, instruye maestros, dirige lenguas, da

poderes y sanidades, hace obras maravillosas, ofrece discernimientos de espíritus, concede poderes de gobierno, sugiere consejos, y ordena y arregla cualesquiera otros dones de *charismata* que haya. Y así perfecciona y completa en todo a la Iglesia del Señor en todas partes.[43]

Nótese que Novaciano está hablando de «dones de *charismata*», es decir, dones carismáticos. Esto lo coloca en línea con la enseñanza de Pablo en Romanos 12 y 1 Corintios 12. Evidentemente, Novaciano parece estar muy influido por la enseñanza apostólica sobre los dones espirituales. Esto se ve claramente al comparar la lista de dones mencionados por el obispo romano con las listas de Pablo en Romanos 12.6-8 y 1 Corintios 12.8-10. Cada uno de los dones mencionado por Novaciano tiene su contraparte en alguna de las dos listas paulinas. Es más, a veces parece como que Novaciano se apropia de las palabras mismas del apóstol, como cuando dice: «Ciertamente, hay diversos tipos de deberes en el Espíritu».[44]

Pero, además, Novaciano no solo concuerda con lo que acerca de los dones enseña el Nuevo Testamento, sino que parece que él mismo estaba muy familiarizado con ellos y su ejercicio. Al menos, la manera en que él expone acerca del Espíritu Santo lleva a esta conclusión. Es el Espíritu el que «coloca» profetas en la Iglesia, «instruye maestros», «dirige lenguas», «da» poderes y sanidades, «hace» obras maravillosas, etc. Todos estos verbos están en tiempo presente, con lo cual da la impresión como que el autor está simplemente describiendo lo que ocurría en su iglesia en sus días. Sobre el particular, Kydd concluye: «Si es así, esto sería evidencia de la presencia continua de los dones del Espíritu entre los cristianos en Roma a mediados del tercer siglo».[45]

---

43. Novaciano, *Tratado sobre la trinidad*, 29.
44. *Ibid.*, 29.4. Esto recuerda la expresión de Pablo: «Ahora bien, hay diversidad de dones»
45. Kydd, *Charismatic Gifts*, 62. (1 Corintios 12.4-6).

Por otro lado, Novaciano atribuye la perfección e integridad de la Iglesia a los dones del Espíritu. Kydd señala sobre esto: «No pienso que sea llevar las cosas demasiado lejos decir que Novaciano pondría en dudas que la Iglesia pueda crecer en la manera en que Dios quiere que lo haga sin que los dones estén activos».[46] Su énfasis sobre la santidad en la vida de la Iglesia de sus días y sus altas normas morales presuponen la operación del Espíritu Santo a través de sus dones.[47]

En su *Tratado sobre la Trinidad*, Novaciano presta suma atención a la obra del Espíritu Santo, especialmente en el capítulo 29.[48] Es interesante que inmediatamente después de hablar sobre los dones, Novaciano pasa a discutir la vida cristiana en general. Según él, es el Espíritu quien mejora la moralidad, edifica las relaciones entre las personas, y purifica a la Iglesia. Es en este contexto que afirma que el Espíritu Santo es «el que produce el segundo nacimiento fuera de las aguas ... quien puede transformarnos en templo de Dios y hacernos su hogar, quien intercede ante los oídos divinos por nosotros con gemidos indecibles, cumpliendo los deberes de un abogado, y desplegando los oficios de un defensor, siendo dado como un morador de nuestros cuerpos y como alguien que produce su santidad».[49]

Así, pues, para Novaciano, el Espíritu Santo no solo está activo al comienzo de la vida cristiana de cada creyente, sino también a lo largo de ella. De allí, la relación estrecha entre la operación poderosa del Espíritu y el proceso de santificación del creyente. «Realmente», dice Novaciano en cuanto al creyente lleno del Espíritu, «este es quien tiene deseos contrarios a la carne, porque la carne lucha contra Él. Este es quien refrena

---

46. *Ibid.*, 61.
47. Véase Ronald A.N. Kydd, «Novatian's *De Trinitate*, 29: Evidence of the Charismatic?» *Scottish Journal of Theology* 30 (1977): 313-318.
48. Sobre el particular, véase, Russell J. DeSimone, *The Treatise of Novatian, the Roman Presbyter on the Trinity* Institutum Patristicum Agustinianum, Roma I 1970, 143; 147-148; y 158.
49. Novaciado, *Tratado sobre la Trinidad*, 29.16.

los anhelos insaciables y apasionados, rompe con la lujuria descontronada, saca el ardor ilícito, conquista los impulsos flagrantes, pone a un lado la borrachera, termina con la codicia, evita los excesos disolutos... abandona lo impuro».[50] Al igual que Pablo (véase Gálatas 5.16-25), Novaciano considera que solo el Espíritu puede obrar esta conducta en el creyente. Pero su obra va todavía más allá, ya que es el Espíritu el que liga en amor a los cristianos y quien produce en nosotros su buena voluntad.[51] Esto significa, que el Espíritu es quien une a los cristianos en la Iglesia y crea la comunión entre ellos. De igual modo, es el Espíritu quien «repele a las sectas, prepara la regla de la verdad, y refuta a los herejes»; y es el Espíritu quien «guarda pura e inviolable a la Iglesia por la santidad de una virginidad ininterrumpida y de verdad».[52]

Todo esto, lleva a Kydd a concluir: «Cuando revisamos *Sobre la Trinidad*, 29, parece que Novaciano consideró al Espíritiu como muy activo en su día. Él no está interesado en primera instancia con lo que había ocurrido en algún tiempo anterior en la historia; él está relatando lo que estaba ocurriendo en su tiempo».[53] Efectivamente, su testimonio de la acción del Espíritu Santo en cuestiones tan vitales en la vida del cristiano y la Iglesia como la unidad, la santidad, la oración, el bautismo, y la entrega y operación de los dones espirituales, es sumamente valioso. Sobre todo, es evidencia clara de que para mediados del tercer siglo, los dones y manifestaciones del Espíritu Santo estaban vigentes entre los cristianos en la ciudad de Roma.

No obstante, el problema con Novaciano fue que, al igual que Hipólito, en un momento de su vida, se colocó contra los representantes del cristianismo establecido o troncal. Esto lo marginó y silenció, y creó un nuevo discurso «oficial» en su

---

50. *Ibid.*, 29.18-19.
51. *Ibid.*, 19.
52. *Ibid.*, 26.
53. Kydd, *Charismatic Gifts*, 63.

contra. Este discurso le colocó el epíteto de disidente y here-
siasca, y con ello, incluso su testimonio de la obra del Espíritu
en sus días cayó también en descrédito y cuestionamiento. No
obstante, su *Tratado sobre la Trinidad* resultó ser la mayor obra
teológica en latín que se haya producido en Roma en su tiempo.
Como tal, este escrito es un buen testimonio no solo de la fe
sino también de la práctica de los cristianos en Roma a mediados del tercer siglo. Y, lo más interesante e innegable, es que
Novaciano da evidencias de que los dones del Espíritu estaban
vigentes en sus días en la iglesia romana.

Gregorio Taumaturgo (*ca*. 213-*ca*. 270)

Su apodo significa «obrador de maravillas». Nació en
Neocesarea (en Ponto, Asia Menor) en una familia rica y noble.
Su padre era devoto de deidades paganas. Cuando Gregorio
tenía 14 años, su padre murió y él comenzó a estudiar con el
famoso teólogo alejandrino Orígenes, bajo cuyo tutelaje se
convirtió en un fiel cristiano. Orígenes le enseñó a pensar
críticamente, y a ser un investigador en filosofía, física y ética.
Más tarde Gregorio ponderaría a su maestro como alguien que
lo entrenó a través del carisma divino, hablando como aquellos
que profetizan e interpretan las palabras místicas y divinas.[54]

Al terminar sus estudios, alrededor del año 230, Gregorio
regresó a su ciudad natal, donde tuvo un éxito extraordinario
en llevar a la conversión a su pueblo. «Los métodos de Gregorio
estaban bien adaptados a su propósito. A los milagros paganos
él opuso los cristianos y expuso las prácticas fraudulentas de
los sacerdotes».[55] La conversión de Neocesarea fue asombrosa.
Según su discípulo, Gregorio de Nyssa, había tan solo 17
cristianos. Cuando Gregorio Taumaturgo murió cuarenta
años más tarde, en Neocesarea había solo 17 que *no* eran

---

54. Gregorio Taumaturgo, *Oración y panegírico dirigidos a Orígenes*, 15.
55. Kenneth S. Latourette, *A History of the Expansion of Christianity*, 7
    vols. Zondervan, Grand Rapids, 1970, 1:90.

cristianos.[56] ¿Cómo fue que se logró tal conversión masiva? Por lo menos cuatro de los padres de la iglesia responden a esta pregunta. Uno de los herederos espirituales de Gregorio fue Basilio de Capadocia. En su famosa obra *Sobre el Espíritu Santo*, Basilio arguye que Gregorio debería ser colocado entre los apóstoles y profetas como una persona que caminó por el mismo Espíritu que ellos. Dice Basilio:

> ¿Por ventura no colocaremos entre los apóstoles y los profetas a este hombre que ha tenido por guía, como ellos, al Espíritu Santo, que durante toda su vida ha realizado a la perfección la conducta evangélica? Sí, yo lo proclamo; faltaríamos a la verdad si no contásemos a esta alma en el número de aquellas que estuvieron unidas a Dios. Gregorio fue como una lumbrera luminosa que resplandeció en la Iglesia de Dios.[57]

El mismo Basilio y Máximo (*Homilía 54*) certifican la multitud de sus milagros y profecías, que valieron a Gregorio el sobrenombre de «taumaturgo», es decir, obrador de maravillas o milagros. Específicamente, Basilio informa que por la operación conjunta del Espíritu, Gregorio tenía un poder tremendo sobre los demonios, y estaba tan dotado espiritualmente que su evangelismo era dramáticamente exitoso. Basilio enumera algunos de los milagros atribuidos al ministerio de Gregorio. La lista incluye su ministerio de profecía y el desvío del curso de ríos. Y concluye:

> Por la superabundancia de dones, operados en él por el Espíritu en todo poder y en señales y en maravillas, él fue catalogado como un segundo Moisés por los enemigos mismos de la Iglesia. Así, en todo lo que él logró a través

---

56. Gregorio de Nyssa, *Vida de San Gregorio Taumaturgo*, 46. Véase Fox, *Pagans and Christians*, 517-542.
57. Basilio de Capadocia, *Tratado sobre el Espíritu Santo*, 29.74.

de la gracia, tanto en palabra como en acción, una luz pareció estar brillando siempre, muestra del poder celestial de lo invisible que lo siguió.[58]

Gregorio de Nyssa, otro de los seguidores de Gregorio Taumaturgo, escribió un ensayo sobre su predecesor, que procura explicar el éxito evangelístico del obrador de milagros. A lo largo de su obra, el autor asume que los milagros y otros fenómenos sobrenaturales obrados a través del Taumaturgo resultaron en conversiones masivas.[59] Severo de Antioquía afirma que Gregorio Taumaturgo recibió todos los dones del Espíritu y realizó todo tipo de acciones poderosas, incluso secó un lago y detuvo un río. Según él, el Taumaturgo llevó a cabo sanidades, liberó a personas del error pagano, y recibió conocimiento por medio de la revelación divina.[60] En su historia de la iglesia primitiva, el historiador del cuarto siglo, Sócrates, informa que los paganos no estaban menos atraídos a la fe cristiana por sus hechos maravillosos que por sus palabras. Señala Sócrates que muchos milagros, sanidades de enfermos y expulsión de demonios se produjeron por medio de sus cartas.[61] Jerónimo, quien nos provee con el directorio más antiguo de la Iglesia, habla de informes que circulaban a fines del siglo IV y comienzos del V en el sentido de que los escritos de Gregorio eran superados por las señales y maravillas que acompañaban su evangelización, trayendo gran gloria a las iglesias.[62]

A la luz de estos testimonios, llama la atención que el más grande de los historiadores eclesiásticos de este período, Eusebio de Cesarea, guarda silencio en cuanto al carácter milagroso

---

58. *Ibid.*
59. Gregory de Nyssa, *Vida de San Gregorio Taumaturgo*, 46.
60. Citado en Burguess, *The Holy Spirit: Eastern Christian Traditions*, Hendrickson Publishers, Peabody, Mass, 1989, 206.
61. Sócrates, *Historia eclesiástica*, 27.
62. Jerónimo, *Vidas de hombres ilustres*, 65.

del ministerio de Gregorio y no lo llama Taumaturgo.[63] Sobre el particular, comenta Stanley M. Burgess:

> Este silencio ha sido aprovechado por los «demitologiza- dores» modernos para sugerir que ellos [los testimonios de señales y prodigios] eran meramente ficciones de las ima- ginaciones de los discípulos. Pero tal argumento, basado sobre evidencia negativa —basado sobre la ausencia de evidencia a favor o en contra— no demuestra nada. Los mismos eruditos argumentan, además, que las tendencias filosóficas y reflexivas de Gregorio habrían sido incompa- tibles con un ministerio que evidenciara un «evangelismo de poder». Uno no puede menos que preguntarse cómo, dado este razonamiento, pueden ellos aceptar tan gustosa- mente la misma mezcla en la vida de San Pablo (cf. Hechos 17.28 y Romanos 15.18-19).[64]

Gregorio el Iluminador (*ca.* 240-325)

Según el historiador griego Sozómenos, los armenios fue- ron los primeros en aceptar la fe cristiana como nación. El promotor de esta conversión fue el hijo de un noble armenio, que fue educado como cristiano en Cecarea de Capadocia (Asia Menor), donde los cristianos eran muy numerosos por ese tiempo. Su nombre cristiano fue Gregorio. Después de muchas peripecias, pudo regresar a su país, donde sus enseñanzas fueron muy bien recibidas. Por toda Armenia se destruyeron los ídolos, los templos paganos fueron limpiados de idolatría y consagrados como iglesias cristianas, y muchos sacerdotes se incorporaron al clero cristiano. Gregorio, que hasta entonces no había tenido ninguna posición eclesiástica, fue consagrado como el primer obispo de Armenia, en el año 294. Con el

---

63. Eusebio de Cesarea, *Historia eclesiástica*, 6.30.
64. Burgess, «Proclaiming the Gospel», 281.

tiempo se lo llegó a conocer como «el Iluminador», por causa
de la eficacia de su labor apostólica y por haber iluminado a la
nación armenia con la luz del evangelio.

La fuente principal para conocer la vida y obra de este gran
hombre de Dios es el historiador Agathángelos. Según él,
Gregorio «expuso todas las palabras del Espíritu Santo en
debido orden y explicó su interpretación por el poder del
mismo Espíritu».[65]

Para Gregorio, el Espíritu Santo es el Espíritu creador, que
se movió durante la creación sobre la faz de las aguas y el mismo
que descendió sobre Jesús en la forma de paloma durante su
bautismo. Este Espíritu creativo es también el que recrea a
todos aquellos que vienen a ser renovados por el bautismo. Es
él quien «abre de nuevo la matriz mediante el agua visible,
preparando a los nacidos de nuevo el plumaje nuevo por la
regeneración de la fuente, para vestir a todos los que nacerán
una vez más con ropajes de luz».[66]

En Pentecostés, enseña Gregorio en su *Catecismo* (obra
atribuida a él por la tradición armenia), la obra del Espíritu
Santo se reveló a la humanidad.[67] La venida del Espíritu como
Consolador fue asombrosa e incomprensible.[68] El fue enviado
desde la gloria divina a los que estaban reunidos en el aposento
alto, a fin de atraer a los santos a sí mismo y confirmarles la
obra completa llevada a cabo por Cristo.[69] En aquel día, Él se

---

65. Véase, Robert W. Thomson, ed., *Agathangelos: History of the Armenians*, State University of New York Press, Albany, N.Y., 1976, 267,
371. Agathangelos escribió una *Vida de Gregorio*, que está saturada de
relatos fantasticos y muchas historias de milagros. La obra fue compi-
lada alrededor del año 450.

66. Gregorio el Iluminador, *Catecismo*, párrafos 412-414. Para el texto del
Catecismo, véase, Robert M. Thomson, ed., *The Teaching of St. Gregory: An Early Armenian Catechism*, Harvard University Press, Cambridge, Mass,, 1970).

67. *Ibid.*, párrafo 670.

68. *Ibid.*, párrafo 500.

69. *Ibid.*, párrafo 505.

reveló como fuego, de modo que «los malvados se quemasen y los elegidos fuesen llenos con las copas de gozo del Espíritu, con los dones del tesoro inagotable que jamás deja de ser». Llenos hasta rebosar con el Espíritu, estos primeros cristianos fueron iluminados por el poder de su naturaleza ardiente.[70] A medida que ellos compartían este fuego del Espíritu con gozo, los apóstoles se embriagaron con la copa de la profecía, y se transformaron en portadores de esa copa a través de toda la tierra, dando de beber en el banquete de la boda del reino a los que estaban espiritualmente sedientos.

El Espíritu se reveló como fuego (o lenguas de fuego), dando a entender con esto el horno que quema los pecados, primero de los apóstoles y luego, en razón de sus esfuerzos, aquellos del resto del mundo.[71] El fuego fue el agente santificador del Espíritu.[72] Así, pues, los apóstoles recibieron en sus bocas el fuego de la vida del Espíritu, y con ese fuego ellos purificaron la sal del mundo, sazonando a todos por el fuego.[73] De este modo, se transformaron en antorchas encendidas como en un candelero, esto es, sobre la cruz.[74] Dice Gregorio: «Los justos han sido metidos adentro del horno de la justicia y teñidos con los tintes y colores del Espíritu Santo».[75]

Otra imagen que utiliza Gregorio para referirse al derramamiento del Espíritu es la de una poderosa inundación de aguas, que en los últimos días viene sobre muchos pueblos.[76] Según él, el Espíritu derramó para ellos la dulzura de las fuentes, y «de la fuente de luz ellos bebieron gracia».[77] Los apóstoles trajeron renovación a todo el mundo mediante el agua y el Espíritu, trayendo con ello el vasto mar de la paz y el

---

70. *Ibid.*, párrafo 507.
71. *Ibid.*, párrafo 682.
72. *Ibid.*, párrafo 676.
73. *Ibid.*, párrafo 681.
74. *Ibid.*, párrafo 683.
75. *Ibid.*, párrafo 170.
76. *Ibid.*, párrafo 671.
77. *Ibid.*, párrafos 546 y 681.

río abundante de la salvación, con copas de gozo y de amor llenas por fuentes de un fluir perpetuo.[78]

Gregorio también se refiere frecuentemente al Espíritu como paloma. Es sobre sus alas que los evangelistas de Cristo son levantados. Es así como los apóstoles profetizaron, hablaron en todas las lenguas como para enseñar a todas las naciones, y recibieron revelaciones y visiones. De igual modo, fueron capacitados para revelar los misterios de la Palabra inefable y del matrimonio eterno de Cristo con su Iglesia.[79] Este mismo Espíritu le dio conocimiento para entender la unidad consustancial de las tres personas de la Trinidad, así como para comprender las profecías del Antiguo Testamento y ser guiados a toda verdad. Ellos fueron llenos con el fluir del poder del Espíritu.[80] Fue bajo su influencia que tuvieron éxito en cumplir con la misión que el Señor les había encomendado.

Pero esta obra poderosa del Espíritu no terminó en Pentecostés ni se agotó con los primeros apóstoles. La gracia del Espíritu se reveló y fue derramada sobre toda persona, haciendo de cada uno alguien digno de la nueva gracia de la Deidad.[81] Aquellos que han visto a Dios y han sido llenos y embebidos con el Espíritu han continuado sirviendo al Señor con gracia y poder de lo alto. De este modo, la tradición posterior reconoció también en Gregorio la operación poderosa del Espíritu Santo. Si bien es necesario ser cautos en aceptar todo los prodigios y maravillas que le son atribuidos, especialmente por Agathangelos, es posible concluir que la acción poderosa del Espíritu era tenida como actual en sus días.

78. *Ibid.*, párrafo 682.
79. *Ibid.*, párrafo 699.
80. *Ibid.*, párrafo 674.
81. *Ibid.*, párrafo 673.

7

EL CRISTIANISMO INSTITUCIONALIZADO

acia comienzos del siglo IV, el cristianismo logró superar, al menos en el oeste, las enormes presiones que significaron las grandes persecuciones de las décadas anteriores. Con la «conversión» de Constantino (año 312) la suerte del cristianismo en el ámbito del Imperio Romano, comenzó a cambiar. De religión perseguida pasó a ser la religión favorecida por el Imperio, hasta que con el emperador Teodosio se transformó en la religión oficial del Estado romano (379). Estos cambios radicales de la situación respecto del poder político afectaron profundamente al cristianismo en general. Con ellos, se logró una mayor libertad para el testimonio cristiano, se produjo un gran crecimiento numérico, y la cultura recibió un impacto más profundo de las influencias cristianas. No obstante, las condiciones más favorables relajaron las convicciones cristianas, la ética, el celo evangelístico y misionero, y el compromiso con un estilo de vida según el evangelio del Reino.

El cristianismo se fue institucionalizando poco a poco, cediendo a las presiones imperiales, que apetecían utilizar la fuerza cohesionante de la fe cristiana para lograr los fines políticos de la unificación del Imperio en decadencia. Fue inevitable que las iglesias y su liderazgo se mimetizaran con las estructuras del Estado, y a la sombra de su protección, aprendieran a confiar más en los mecanismos del poder humano que en la efusión del Poder divino. Es así que el proceso de institucionalización del cristianismo estuvo acompañado de una des-carismatización proporcional.

Sumado a estos factores sociológicos y espirituales, cabe mencionar las crecientes controversias teológicas que plagaron este período. La fe implícita en las Escrituras debía ser explicitada mediante fórmulas teológicas. Pero no todos coincidían en dar las mismas respuestas a los interrogantes que la fe y la práctica cristiana suscitaban. Primero, hubo que resolver el problema de la relación entre las Personas dentro de la Trinidad. Luego, la relación entre el Padre y el Hijo. Además, fue necesario afirmar la divinidad del Espíritu Santo y la cuestión de su procedencia, como también discutir la naturaleza humana y divina en Cristo.

Es en este tiempo de tanta controversia y conflicto que se formula una doctrina del Espíritu Santo y se afirma su divinidad. Pero esto mismo suscitó otros problemas, que todavía no se han resuelto. Como señala Paul Tillich, desde que el Concilio de Constantinopla en el año 381 declaró la divinidad del Espíritu Santo en el mismo sentido que la del Hijo, el Espíritu comenzó a ser reemplazado progresivamente en la piedad popular por la devoción a la virgen María.[1] Sobre el particular, Stanley M. Burgess comenta que «mientras ciertos padres de la iglesia del siglo cuarto escribieron efectivamente acerca del papel vital del Espíritu en el acto redentor de Dios, e incluso

---

1. Tillich, *Pensamiento cristiano y cultura en occidente*, 78.

de su continua operación en la iglesia, la impresión general que quedaba en la mente popular era la de su trascendencia y no de su inmanencia».[2]

Además, a partir de comienzos del siglo IV, el inexorable proceso de institucionalización y cristianización fue liquidando el ejercicio de los carismas por parte del pueblo, y fue licuando la fe de este en la operación poderosa del Espíritu a través de señales, prodigios y maravillas. Así comenzó el paradigma de la cristiandad, que sigue todavía vigente en nuestros días, si bien está en franca decadencia. En este paradigma, la Iglesia (*ek-klesia*, «la asamblea de los llamados afuera») pasó a ser la congregación de los «llamados adentro». La Iglesia, el mundo y el Imperio eran una sola cosa. Ser ciudadano del Imperio era ser cristiano y viceversa. Ciudadanía imperial y condición cristiana llegaron a ser sinónimos. El poder de la carne comenzó a imponerse sobre el poder del Espíritu, por lo menos en Occidente.

En este contexto, el sacerdocio universal de los creyentes dio lugar al surgimiento de un clero, y este clero se transformó en el símbolo de lo sagrado. Los carismas que habían estado en manos del pueblo, pasaron a ser el ejercicio exclusivo de los líderes de la Iglesia. Los clérigos se transformaron en los únicos dispensadores del ministerio de la Palabra al pueblo espiritualmente ignorante. Fueron ellos los únicos capaces de ministrar a los enfermos y afligidos; los capellanes imperiales que se ocupaban de mantener el consenso cultural y el control social; los directores de las ceremonias públicas de adoración y los ritos de pasaje como el bautismo, la confirmación, el matrimonio y la muerte. Fueron los miembros del clero los únicos que podían hablar en lenguas, en realidad, en la única lengua religiosa oficial: el latín. Los únicos que podían ungir con aceite para sanidad; los únicos que podían exorcizar a los endemoniados; los únicos que podían tener palabra de ciencia o de sabiduría; los únicos autorizados para interpretar las Escrituras.

---

2. Burgess, *Ancient Christian Traditions*, 98.

De este modo, es a partir de este período y bajo estas circunstancias que comienza a robársele al pueblo creyente el derecho a ejercer los carismas bajo la guía del Espíritu y el privilegio de servir como agentes del poder recibido por la presencia y operación del Espíritu.

No obstante, a pesar de ingresar a un nuevo paradigma en el desarrollo del cristianismo, es posible descubrir la acción del Espíritu Santo, según es testificada por muchos escritores de este período. Algunos de ellos constituyen la expresión máxima del proceso de institucionalización y cristianización, por lo que su testimonio tiene un especial valor documental.

Eusebio de Cesarea (*ca*. 260-339)

Destacado teólogo, considerado como el «padre de la historia eclesiástica», nació alrededor del año 260 en Palestina. Pasó su juventud en Antioquía y Cesarea y fue discípulo del exégeta y mártir Pánfilo (*ca*. 240-309). Ganó el favor del emperador Constantino y fue nombrado obispo de Cesarea (313). Desempeñó un papel importante en el Concilio de Nicea (325), donde actuó como asesor confidencial del emperador y como jefe del partido moderado o semiarriano, que se oponía a la discusión sobre la naturaleza de la Trinidad. Más tarde, fue presidente del Sínodo de Tiro (335), donde se condenó y exilió a Atanasio (296-372). Fue consejero de la corte de Constantino y un escritor prolífico, si bien no se destacó como pensador original y profundo. Su obra cumbre es la *Historia eclesiástica*, que trata desde la fundación de la Iglesia hasta el triunfo de Constantino sobre Licinio. Muchos acontecimientos de la historia del cristianismo antiguo los conocemos a través de esta obra.

El interés que Eusebio tenía en el pasado, lo llevó a considerar y evaluar las manifestaciones del Espíritu Santo, especialmente en la segunda mitad del siglo II. Sin embargo, si bien su aproximación histórica es coherente y adecuada, su evaluación de los hechos que narra está plagada de prejuicios. Como indica Kydd:

Él era un hombre prejuicioso. Sus convicciones teológicas se metieron en el camino de su imparcialidad histórica, y esto no es más cierto en ningún otro lugar que
cuando él está tratando con la herejía o los perseguido-
res. En el caso de aquellos que han distorsionado la fe
verdadera, él jamás les permite hablar por sí mismos sino
que siempre filtra sus ideas a través de escritores «orto-
doxos». Trata las fechas de los grupos herejes como para
hacerlas aparecer lo más recientes posible, reduciendo
así la credibilidad de sus reclamos de ser legítimos sucesores de los Apóstoles.[3]

Así, pues, el testimonio de Eusebio está profundamente
condicionado por su posición como teólogo de la corte imperial, lo cual le quita capacidad crítica y objetividad. En un
sentido, el casamiento de la Iglesia y el Estado que se produjo
a partir de Constantino, significó una profundización del
proceso de institucionalización de la Iglesia y la disminución o
pérdida de la frescura y espontaneidad carismática, que la había
caracterizado en siglos anteriores. Eusebio mismo contribuyó
mucho a este proceso, especialmente con su rechazo radical del
movimiento montanista. Su preocupación mayor era conservar
el status quo favorable logrado con Constantino, más que la
libertad del Espíritu manifestándose de maneras poco contro-
lables e impredecibles.
   No obstante, aun en su ataque contra el montanismo,
Eusebio tiene que admitir la vigencia de los dones del Espíritu
como clave para entender y explicar la rápida expansión de
este movimiento en el corazón de Asia Menor. En su *Historia
eclesiástica*, señala: «Fue en ese mismo tiempo, en Frigia, que
Montano, Alcibíades, Teodoto y sus seguidores comenzaron a
adquirir una reputación amplia en cuanto a la profecía; pues
numerosas otras manifestaciones del don milagroso de Dios,
que todavía ocurrían en muchas iglesias, llevaron a muchos a

---

3. Kydd, *Charismatic Gifts*, 47.

creer que estos hombres también eran profetas».[4] Esta es la manera en que Eusebio explica la rápida difusión del montanismo hacia fines del siglo II. Nótese que, según él, el hecho de que en ese tiempo muchas iglesias todavía ejercían los dones del Espíritu, fue un contexto favorable para la expansión de la Nueva Profecía, como se denominaba en ese tiempo al montanismo. Los creyentes y las iglesias esperaban ver manifestaciones sobrenaturales del Espíritu Santo en aquel entonces, tal como quedó probado al considerar otras fuentes del siglo II.

Además, conviene aclarar que el ataque de Eusebio contra el montanismo no significa su negación de la vigencia y valor del don de profecía o de otros carismas en la iglesia de sus días. En su obra *Preparación para el evangelio*, Eusebio habla del Espíritu Santo y señala que «Él suple a aquellos que están debajo de los poderes superiores (que están) en Él mismo». Y agrega que el Espíritu recibe del Padre, a través del Hijo, los dones que Él dispensa «a aquellos que en parte son dignos a través de la ministración y mediación del Segundo (el Hijo), en la medida alcanzable por cada uno». Y Él mismo «es gobernador y líder de aquellos que le siguen».[5]

En dos ocasiones, Eusebio se refiere positivamente a individuos que manifestaron una vida llena del Espíritu. El primero es Cuadrato, quien al igual que las hijas de Felipe, era conocido por sus dones proféticos. De él y de otros «sucesores de los apóstoles» (como los llama Eusebio), dice que «muchos poderes milagrosos del Espíritu divino operaban a través de ellos, de modo que al oírlos por primera vez multitudes enteras como un cuerpo abrazaban con entusiasmo sincero la adoración del Creador universal».[6] El otro caso es el de Melitón de Sardis, «el eunuco, que vivió enteramente en el Espíritu Santo».[7]

No obstante, quizás influido por su imperial protector, Constantino, Eusebio estaba más preocupado por la unidad del

---

4. Eusebio de Cesarea, *Historia eclesiástica*, 5.3.
5. Eusebio de Cesarea, *Preparación para el evangelio*, 7.15.
6. Eusebio de Cesarea, *Historia eclesiástica*, 3.37.4.
7. *Ibid.*, 5.24.5.

cristianismo que por su vitalidad espiritual. Es por esto que su
reacción contra el montanismo es tan dura y negativa. Con
gran causticidad califica a la «Nueva Profecía» de «seudo-profecía» y «novedad». De igual modo, les recuerda a sus lectores
la distinción que hizo Jesús entre profetas falsos y verdaderos.[8]
Es más, en el caso de los montanistas, él no tiene dudas de que
están inspirados por el diablo y no por el Espíritu Santo.[9] Este
espíritu engañador es calificado por Eusebio como «espíritu
arrogante», que «denigra a toda la Iglesia Católica por todo el
mundo, porque el espíritu de seudo-profecía no recibió ni
honor ni admisión a ella».[10]

Sin embargo, en el caso de Eusebio mismo, en su comentario sobre Isaías, el padre de la historia eclesiástica compara
el poder y las acciones de los serafines con los santos hombres
de Dios que comparten los carismas más excelentes, tales como
profecía, sanidades, resucitación de muertos, hablar en lenguas, y sabiduría y conocimiento.[11] Su discusión del Salmo
78.18 incluye una comparación del rayo que acompaña a una
tormenta con los carismas del Espíritu Santo, con los cuales la
iglesia ha sido adornada.[12]

La conclusión de Burgess sobre la posición de Eusebio en
cuanto a los carismas es:

> A través del curso de la historia cristiana han habido figuras
> clave que han colocado la unidad en la Iglesia por encima
> de cualesquiera otras consideraciones. Eusebio se destaca
> como una de las grandes voces en favor de la unidad en el
> siglo cuarto. Por causa de la unidad, aceptó las decisiones
> del Concilio de Nicea, incluso cuando iban más allá de su
> propia persuasión doctrinal. Atacó a la Nueva Profecía, no
> porque desdeñara a los carismas, sino más bien porque

---

8. *Ibid.*, 5.16.4.
9. *Ibid.*
10. *Ibid.*
11. Eusebio de Cesarea, *Comentario sobre Isaías*, 6.2.
12. Eusebio de Cesarea, *Comentario sobre Salmos*, 77.18.

despreciaba el abuso profético de practicantes auto-proclamados que operaban fuera de la iglesia troncal.[13]

Hilario de Poitiers (*ca.* 300-367)

Nació de nobles padres gentiles. Se dedicó al estudio de las filosofías griega y judía sin hallar en ellas lo que buscaba: la verdad sobre el fin último del ser humano. En su obra principal *Sobre la Trinidad* cuenta cómo halló la verdad en los libros sagrados. En el año 355 fue nombrado obispo de Poitiers, pero poco después fue desterrado a Asia Menor (356-360). A su regreso, luchó por la victoria de la ortodoxia, al punto que llegó a ser para Occidente lo que Atanasio fue para Oriente. Celoso enemigo del arrianismo, se dedicó a combatirlo mientras desplegó una actividad incansable como obispo en Galia. Hilario murió en el año 367, dejando tras suyo una amplísima obra escriba. Entre sus obras se cuentan: *Sobre los Salmos*, *Sobre San Mateo* y *Tratado de los misterios*. Es considerado uno de los grandes himnólogos latinos. En realidad, fue él quien probablemente introdujo en Occidente el canto litúrgico de los fieles. Sin embargo, no le resultó fácil imponerlo entre los galos a causa de la extensión y profundidad excesivas de los himnos compuestos por él.

Hilario se refiere a la obra santificadora e iluminadora del Espíritu Santo haciendo referencia a Juan 16.12-14. Y señala:

> Estas palabras fueron habladas para mostrar de qué manera las multitudes debían entrar al Reino de los cielos; ellas contienen una garantía de la buena voluntad del Dador, y del modo y términos del Don. Ellas nos dicen cómo, debido a que nuestras mentes débiles no pueden comprender al Padre o al Hijo, nuestra fe, que encuentra la encarnación de Dios difícil de creer, será iluminada por el don del Espíritu Santo, el Lazo de unión y la Fuente de luz.[14]

---

13. Burgess, *Ancient Christian Traditions*, 104.
14. Hilario de Poitiers, *Sobre la Trinidad*, 2.33.

Luego cita Romanos 8.14-15 y 1 Corintios 12.3-11, y agrega: «Aquí tenemos una declaración del propósito y resultados del Don; y no puedo concebir qué duda puede quedar, después de una definición tan clara de su Origen, su acción y sus poderes».[15]

Hilario anima a sus lectores a utilizar al máximo al Espíritu Santo, como don de Dios: «Por lo tanto, hagamos uso de este gran beneficio, y procuremos la experiencia personal de este Don tan necesario». Así como ciertas facultades del cuerpo humano permanecen dormidas si no son utilizadas, «así también el alma del hombre, a menos que por la fe se haya apropiado del don del Espíritu, no tendrá la facultad innata de aprehender a Dios, sino que estará privada de la luz del conocimiento». A esto agrega:

> Ese Don, que es en Cristo, es Uno, y no obstante, es ofrecido y ofrecido plenamente, a todos; no es negado a nadie, y es dado a cada uno conforme a la medida de su disposición a recibir ... Este don está con nosotros hasta el fin del mundo, es el solaz de nuestra espera, la seguridad, por los favores que Él concede, de la esperanza que será nuestra, la luz de nuestras mentes, el sol de nuestras almas. Este Espíritu Santo debemos nosotros buscar y procurar, y luego afirmarnos por medio de la fe y la obediencia a los mandamientos de Dios.[16]

Hilario tiene varias referencias a las operaciones sobrenaturales del Espíritu Santo y en particular a sus dones. La fuente de la teología de los dones en Hilario (al igual que en Cirilo de Alejandría y otros padres) es el texto mesiánico de Isaías 11.1-2. Para Hilario este texto se refiere al don del Espíritu Santo y a las diferentes maneras en que Él actúa.[17] Utilizar

---

15. *Ibid.*, 2.34.
16. *Ibid.*, 2.35.
17. Hilario de Poitiers, *Sobre Mateo*, 15.10.

plenamente el don del Espíritu Santo significa ejercer los varios dones espirituales que Él concede. Según el testimonio de Hilario, parece que en su propio día los dones del Espíritu estaban todavía vigentes y eran practicados. Al menos así lo sugiere el siguiente pasaje:

> Porque el don del Espíritu se manifiesta, allí donde la sabiduría habla y son oídas las palabras de vida, y allí donde está el conocimiento que viene del discernimiento dado por Dios, ...o por el don de sanidades, para que por la curación de las enfermedades podamos dar testimonio de su gracia que concedió estas cosas; o por el hacer milagros, para que lo que hacemos pueda ser entendido como que es del poder de Dios, o por profecía, para que a través de nuestra comprensión de la doctrina podamos ser conocidos como enseñados por Dios; o por el discernimiento de espíritus, para que no seamos incapaces de decir si alguien habla con un espíritu santo o pervertido; o por géneros de lenguas, para que el hablar en lenguas pueda ser otorgado como una señal del don del Espíritu Santo; o por la interpretación de lenguas, para que la fe de aquellos que oyen no sea puesta en peligro a través de la ignorancia, dado que el intérprete de una lengua explica la lengua a aquellos que son ignorantes de ella. Así en todas estas cosas distribuidas a cada uno para provecho hay al mismo tiempo la manifestación del Espíritu, siendo evidente el don del Espíritu a través de estas ventajas maravillosas concedidas sobre cada uno.[18]

Así, pues, Hilario de Poitiers enumera los dones del Espíritu, y nota al pasar que las lenguas y su interpretación están ordenadas por Dios y son parte del ministerio de la Iglesia. Además, parece evidente que Hilario consideraba a todos los dones enumerados como vigentes en sus días, ya que utiliza con frecuencia el pronombre personal de la primera

---

18. *Ibid.*, 8.30.

persona plural. En verdad, son los incrédulos y los herejes los que, según él, no tienen el don del Espíritu Santo, y en consecuencia, caminan en el error.

Atanasio de Alejandría (295-373)

Nació en Alejandría, donde recibió su formación clásica y teológica. En su juventud se relacionó con los monjes de la Tebaida, en Egipto. En el año 319 fue ordenado diácono por el obispo Alejandro (¿-328), a cuyo servicio entró como secretario. Acompañó a su obispo al Concilio de Nicea (325), donde llamaron la atención sus discusiones con los arrianos. Tres años más tarde sucedió a Alejandro como obispo de Alejandría. Después de cinco destierros fue rehabilitado en su oficio el 1 de febrero de 366. Pasó en paz el resto de sus días y murió el 2 de mayo del año 373.

El gran tema de discusión en sus días, y el que lo involucró en serias confrontaciones teológicas, fue el de la relación del Padre y el Hijo en la Trinidad. No había en él ni en sus contemporáneos, al menos en Occidente, un interés muy especial en el Espíritu Santo o en su acción. De hecho, el credo de Nicea elaborado por el propio Atanasio, dedica solo una frase al Espíritu: «Creemos también en el Espíritu Santo».

No obstante, la contribución del obispo de Alejandría al desarrollo de la doctrina del Espíritu fue importante. El Espíritu Santo es la unción y el sello; Él es el Espíritu que se mueve en el creyente y a través de quien somos participantes de Dios. Cuando el Espíritu está en el creyente esto significa que la Palabra (Cristo) está en él, dándole el Espíritu, de modo que cuando bebemos del Espíritu, estamos bebiendo de Cristo. Cuando somos movidos por el Espíritu, esto es evidencia de que Cristo mora en nosotros.[19]

Atanasio fundamenta y defiende la persona y obra del Espíritu basándose en su cristología. Entre el Espíritu Santo y

19. Atanasio, *Carta a Serapión*, 1.19-20, 23-24.

el Hijo existe, según él, una relación análoga a la que une al Hijo con el Padre. «Porque la condición propia que hemos reconocido [como la] del Hijo respecto del Padre, veremos que es precisamente la que el Espíritu posee respecto del Hijo».[20] De este modo, Atanasio aplica al Espíritu un esquema lineal-dinámico: del Padre por el Hijo en el Espíritu. El padre alejandrino escribe: «El Padre es luz, el Hijo su resplandor, el Espíritu el que nos ilumina». En otro lugar, dice: «Siendo el Padre fuente y el Hijo llamado río, se dice que bebemos del Espíritu». Y así sucesivamente para todo lo que concierne a la comunicación y relación de la vida divina.[21] Por otro lado, por ser consustancial al Padre y al Hijo, el Espíritu puede hacernos conformes al Hijo y unirnos, mediante esta conformación, al Padre. Es así que podemos ser divinizados por Él.[22]

Atanasio menciona a los dones del Espíritu que estaban en operación en la iglesia de sus días en varias ocasiones. Según él, había obispos que obraban milagros, así como había otros que no lo hacían.[23]

Cirilo de Jerusalén (315-386)

Nació en Jerusalén, de padres piadosos. Allí también se educó. En el año 334 fue ordenado diácono; diez años más tarde, fue ordenado sacerdote y se destacó como predicador y maestro. En el año 350 fue obispo de Jerusalén. En el año 381 participó del Tercer Concilio Ecuménico en Constantinopla. Tuvo muchos problemas con los arrianos, que lo hicieron objeto de sus ataques. Murió el 18 de marzo del año 386.

Cirilo es el autor de veinticuatro lecciones catequéticas. Debe tenerse presente que, en sus días, la enseñanza que precedía al bautismo consideraba extensamente la persona y

---

20. *Ibid.*, 3.1.
21. *Ibid.*, 1.19.
22. *Ibid.*, 1.25.
23. Atanasio, *Carta a Draconcio*, 9.

obra del Espíritu Santo, ya que se consideraba al bautismo
como sacramento del Espíritu. En una de estas lecciones, Cirilo
se refiere a la gracia del Espíritu como agua, y afirma que «el
Espíritu Santo, siendo uno, y de una naturaleza, e indivisible,
reparte a cada uno su gracia, según como Él quiere: ...Y si bien
Él es uno en naturaleza, no obstante muchas son las virtudes
que por la voluntad de Dios y en el nombre de Cristo Él
opera».[24] Y agrega:

> Porque Él emplea la lengua de un hombre para sabiduría;
> el alma de otro Él ilumina por profecía, a otro le da poder
> de echar fuera demonios, a otro le da interpretar las
> Escrituras divinas. Él fortalece el dominio propio de un
> hombre; Él enseña a otro la manera de dar limosnas; a otro
> enseña a ayunar y disciplinarse; a otro enseña a despreciar
> las cosas del cuerpo; a otro prepara para el martirio;
> diversos en diferentes hombres, pero no diversos de Él,
> como está escrito.[25]

Según él, los dones y la enseñanza del Espíritu son un
verdadero antídoto contra los males de este mundo, especialmente la riqueza, el rango y los apetitos de la carne.[26] El
Espíritu no es un fluido o fuerza impersonal, ni una creación
del lenguaje humano. «Él es un Espíritu Viviente, que da
sabiduría en el hablar, hablando y enseñando Él mismo».[27] Su
propósito y manera de obrar en el creyente es única.

> Él viene para salvar, y para sanar, enseñar, amonestar,
> fortalecer, exhortar, iluminar la mente, primero a aquel
> que lo recibe, y después a otros también a través de Él. Y
> así como un hombre, que habiendo estado previamente en

---

24. Cirilo de Jerusalén, *Lecciones catequéticas*, 16.12.
25. *Ibid.*
26. *Ibid.*, 16.19.
27. *Ibid.*, 16.13.

tinieblas de pronto contempla el sol, es iluminado en su visión corporal y ve claramente cosas que no veía, del mismo modo aquel a quien el Espíritu Santo es concedido, es iluminado en su alma, y ve cosas más allá de la visión humana, que Él no conocía ... porque el Verdadero Iluminador está presente con Él. El hombre está dentro de las paredes de una casa; sin embargo el poder de su conocimiento llega lejos, y ve lo que otros hombres están haciendo.[28]

Cirilo describe la plenitud de una vida llena del Espíritu, el poder sobrenatural que la caracteriza, el don de profecía, la presencia y protección permanentes del Espíritu, y los dones de gracia de todo tipo, incluido el fruto del Espíritu. Escribiéndoles a los catecúmenos a punto de ser bautizados, les dice:

> Si eres tenido por digno de la gracia, tu alma será iluminada, recibirás un poder que no tienes, recibirás armas terribles para los espíritus malos; y si tú no arrojas tus armas, sino que guardas el Sello sobre tu alma, ningún espíritu malo se te acercará a ti; porque se acobardará; porque verdaderamente por el Espíritu de Dios son expulsados los malos espíritus.[29]

Y agrega: «Si tú crees, no solo recibirás la remisión de pecados, sino también las cosas que sobrepasan al poder humano. ¡Y también podrás ser digno del don de profecía! ...Y Él te dará dones de gracia de todo tipo, si tú no lo contristas por el pecado».[30] De este modo, Cirilo alienta a los nuevos creyentes a experimentar la presencia y la obra del Espíritu Santo. La única limitación que él impone a los fieles es la de no ir más allá de lo que la Biblia autoriza y menciona.

---

28. *Ibid.*, 16.16.
29. *Ibid.*, 17.36.
30. *Ibid.* 17.37.

Al salir del agua bautismal y ser ungido por quien bautiza, el creyente es dotado por el Espíritu para servir al Señor.

Así como Cristo, al ascender del Jordán, recibió una muestra de la esencia del Espíritu, así a ti cuando saliste de la fuente se te dio una unción que es el antitipo de aquella con la que Cristo fue ungido. Esa unción no fue mero aceite... el santo aceite después de la invocación ya no es más mero aceite común, como dice la gente, sino un don de Cristo y el Espíritu Santo, hecho efectivo por la presencia de su Deidad... y así como con el aceite visible se unge el cuerpo, el alma es santificada por el Santo Espíritu vivificante.[31]

Todo lo que el Espíritu Santo toca es santificado y transformado. Por eso, le dice Cirilo a los catecúmenos: «Tú también eres "santo", dado que tú has sido contado como digno del don del Espíritu Santo. Las "cosas santas" por lo tanto corresponden a las "personas santas"».[32] Evidentemente, en estas palabras es posible escuchar a un buen pastor, que con amor y cuidado pastoral escribe a los catecúmenos o recién bautizados, a quienes orienta especialmente acerca de la obra del Espíritu Santo. Cualquier buen pastor hoy debería hacer lo mismo, ya que la Iglesia es la fuerza del Espíritu y la unción del Santo es fundamental para un servicio efectivo en el Reino. Solo hombres y mujeres llenos del Espíritu Santo pueden ser capaces de proclamar el evangelio del Reino con poder y autoridad de lo alto.

Dídimo el Ciego (310-395)

Quedó ciego a los cuatro años. No obstante, llegó a ser presidente de la escuela catequística de Alejandría y ocupó ese

---

31. *Ibid.*, 22.
32. *Ibid.*, 23.

puesto durante medio siglo. Fue maestro de Rufino (*ca.* 345-410) y de Jerónimo (*ca.* 340-420). Se destacó como apologista en contra del arrianismo. Fue un primer defensor de la verdad ortodoxa, un sólido creyente, y un hombre de excelente carácter cristiano. Escribió comentarios sobre Miqueas, Oseas y Zacarías, y sobresalió en su conocimientos de la Biblia. Según Paladio: «Estaba tan dotado con el don del aprendizaje, que las Escrituras se cumplieron literalmente en él: «El Señor hace sabio a los ciegos».[33]

Entre sus varias obras se destacan dos. La primera, *Sobre el Espíritu Santo* es una protesta en contra del macedonianismo. Fue escrita con anterioridad al Segundo Concilio Ecuménico, que se reunió en Constantinopla (381), y se conserva en una versión latina hecha por Jerónimo. La segunda, *Sobre la Trinidad* está escrita en tres libros y probablemente fue redactada después del Concilio de Constantinopla.

Según él, el Espíritu Santo es el gran Don de Dios a los seres humanos, el punto culminante de todos los dones de Dios, el Don común del Padre y Él es el primer Don, porque Él es amor, y el amor es la razón del Hijo.

El ser de todos los dones divinos. En la substancia del Espíritu Santo está comprendida la plenitud de todos los dones.[34] Nada es dado por Dios sin Él. Todas las ventajas que hemos recibido del favor de los dones de Dios fluyen de esta Fuente.[35] Según él:

> El Espíritu Santo del Nuevo Testamento es idéntico con el Espíritu Santo del Antiguo. Su nombre mismo implica una naturaleza ajena a la de la criatura y similar a la de Dios; una naturaleza esencialmente santa y buena, infinita, indivisible, y por lo tanto no la de una criatura hecha por la Palabra. En su operación, el Espíritu es uno con el Padre y

---

33. Paladio, *La historia lausíaca*, 4.2.
34. Dídimo el Ciego, *Sobre el Espíritu Santo*, 9.
35. *Ibid.*, 4,9,28.

el Hijo, y esta unicidad de operación involucra unicidad de esencia. Él es el Dedo de Dios; el Sello que estampa la imagen divina sobre el alma humana. Pero Él no es meramente una fuerza operativa; Él es una Persona divina.[36]

Dídimo se refiere a la unción del Espíritu como una operación singular suya, cuando cita 1 Juan 2.20 y declara que el creyente tiene una unción del Espíritu Santo, como la que Jesús recibió en su encarnación.[37] A través de esta unción, el alma es fortificada, de modo que puede compartir la vida de Dios. De este modo, iluminada por el Espíritu que mora en el cristiano bautizado como su templo, el alma es digna de la presencia de Dios y se le permite beber de la fuente eterna. Es en el bautismo que el Espíritu regenera y santifica al alma. Esta es una función propia del Espíritu, mientras que el bautismo es el sacramento del Espíritu. Por eso, si uno se acerca a la pileta del bautismo con sinceridad, el Espíritu Santo sirve como el distribuidor de todos los grandes dones.

> [Él] nos renueva en el bautismo, y obrando con el Padre y el Hijo, nos lleva de vuelta de nuestra condición de deformidad a esa de belleza prístina, llenándonos con su gracia de modo que ya no demos lugar a nada que sea indigno de nuestro afecto. Él nos libera del pecado, de la muerte, y de las cosas terrenales. Él nos hace hombres espirituales, que comparten en su gloria divina. Nosotros somos hijos y herederos de Dios y del Padre. Él nos conforma a la imagen del Hijo, haciéndonos co-herederos y sus hermanos —nosotros que vamos a ser glorificados y a reinar con Él. El Espíritu nos da los cielos a cambio de la tierra. Él nos concede el paraíso de su abundancia, Él nos hace más altos que los ángeles. En las aguas de la pileta bautismal, Él extingue el fuego inextinguible del infierno.[38]

---

36. *Ibid.*, 34-36.
37. Dídimo el Ciego, *Sobre la Trinidad*, 2.6.23.
38. *Ibid.*, 2.11.

La obra regeneradora del Espíritu es indispensable para tener los dones celestiales, sin importar cuán perfecta e impecable sea la vida de alguien. Solo la marca del sello de su santificación nos hace santos y nos permite intimar con el Señor. Solo aquellos que han sido vivificados espiritualmente son capaces de entender el poder y la majestad suprema del Espíritu de Dios.[39]

Ambrosio de Milán (340-397)

Fue obispo de Milán, nació en la Galia y estudió derecho en Roma. En el año 370 fue nombrado magistrado consular del Imperio, con sede en Milán, y se ganó la veneración del pueblo por su benevolencia y sabiduría. En 374 recibió la sede episcopal de Milán, y adoptó una decidida posición ortodoxa frente al arrianismo, resistiendo con éxito el intento de la emperatriz Justina de introducirlo en la ciudad. Su conocimiento del griego le ayudó a conseguir un mayor acercamiento entre Oriente y Occidente. Su más valioso legado es el de sus himnos, reunidos en una obra titulada *Canto Ambrosiano*. En muchos de sus himnos, Ambrosio exalta la divinidad del Espíritu Santo y su poder. Como escritor, dejó múltitud de obras, mayormente discursos y exposiciones. Manifestó una gran erudición y vivacidad intelectual. Si bien la sede de Milán no dependía de la de Roma, Ambrosio se mostró respetuoso hacia el obispo de Roma, contribuyendo así a desarrollar la unidad de la Iglesia Católica ligada a Roma y al proceso de rápida institucionalización eclesiástica. Ortodoxo en su doctrina, se destacó como orador y predicador.

Ambrosio de Milán fue el maestro de Agustín de Hipona (354-430). No obstante, probablemente ningún otro maestro de la iglesia entró a sus labores tan desprovisto de conocimientos teológicos como él. Como él mismo indica:

---

39. *Ibid.*, 2.12.

Los hombres tienen que aprender de antemano lo que van
a enseñar. Incluso esto no me cayó en suerte. Yo entré a los
apurones al oficio sacerdotal desde la silla y placa de una
magistratura, y al principio tuve que enseñar lo que no
había aprendido. Conmigo, el aprendizaje y la enseñanza
debieron ir simultáneamente, porque no tuve tiempo para
aprender hasta que me hice maestro.[40]

Sin embargo, le cabe a Ambrosio el mérito de ser el primer
escritor occidental que dedicó una obra separada de cierta
magnitud a la doctrina del Espíritu Santo. Por cierto, no se
trata de una obra original, ya que se basó en sus lecturas de
Atanasio, Basilio y Dídimo sobre la misma cuestión.[41] Su
propósito es ofrecer a sus lectores una explicación cuidadosa
y completa de la naturaleza y obra de la tercera persona de la
Trinidad.

Ambrosio ve al Espíritu Santo como un río caudaloso que
riega a la Jerusalén mística, que es la Iglesia:

Así, pues, el Espíritu Santo es el río, y el río caudaloso, que
según Hebreos fluía desde Jesús en las tierras, tal como lo
hemos recibido en profecía por la boca de Isaías. Este es el
gran río que fluye siempre y nunca falla. Y no solo un río,
sino también uno de una corriente copiosa y de una grandeza desbordante, como también dijo David: «Del río sus
corrientes alegran la ciudad de Dio».
Porque tampoco es esa ciudad, la Jerusalén celestial, regada
por el canal de cualquier río terrenal, sino por el Espíritu
Santo, que procede de la Fuente de Vida, por quien somos
saciados aun con una pequeña corriente suya, y quien
parece fluir más abundantemente entre aquellos tronos,

40. Ambrosio de Milán, *Sobre los oficios*, 1.1.
41. Sweet, *The Holy Spirit in the Ancient Church*, 317-318. Sobre la
    doctrina del Espíritu Santo en Ambrosio, véase, Norman Joseph Belval,
    The Holy Spirit in Saint Ambrose, Officium Libri Catholici, Roma,
    1971.

dominios y poderes celestiales, ángeles y arcángeles, fluyendo en el curso completo de las siete virtudes del Espíritu. Porque si un río que se levanta por sobre sus riberas desborda, cuánto más lo hace el Espíritu, levantándose por sobre toda criatura, cuando él toca, como lo hace, los campos bajos de nuestras mentes, y alegra esa naturaleza celestial de las criaturas con la fertilidad mayor de su santificación.

Y que no te preocupe que aquí [Salmos 46.4] se diga «ríos» o en otra parte «siete Espíritus» [Isaías 11.2], porque por la santificación de estos siete dones del Espíritu, como dijo Isaías, se da a entender la plenitud de toda virtud; el Espíritu de sabiduría y de inteligencia, el Espíritu de consejo y de poder, el Espíritu de conocimiento y piedad y el Espíritu de temor de Dios. Uno, entonces, es el Río, pero muchos los canales de los dones del Espíritu. Este Río, entonces brota desde la Fuente de Vida.[42]

Esta corriente que procede de la Fuente viviente de Dios es realmente la gracia del Espíritu, prometida por el profeta Joel (2.28). El Espíritu Santo es derramado a las almas y fluye en los sentidos, de manera que con este caudal podamos apagar el ardor de la sed de este mundo.

Para Ambrosio, el poder creativo pertenece al Espíritu Santo. Él estuvo involucrado en la creación del mundo; Él fue el autor de la encarnación, dado que Él formó la humanidad del Señor; y Él crea de nuevo a los creyentes por el bautismo.[43] Además, Él es el dador de todos los dones, que vienen del Padre a través del Hijo.[44] El Hijo mismo fue enviado por el Espíritu, quien lo ungió para su ministerio, y el Hijo a su vez envió al Espíritu, y ambos fueron dados por el Padre.[45] Por eso, el Hijo

---

42. Ambrosio de Milán, *Sobre el Espíritu Santo*, 1.16.
43. *Ibid.*, 2.1-5.
44. *Ibid.*, 2.10-12.
45. *Ibid.*, 3.1.

es la mano derecha del Padre, y el Espíritu es su dedo. Esto muestra la cooperación que existe entre ellos: la mano derecha y el dedo de Dios es Dios en operación, es el Padre obrando por el Hijo, y el Hijo por el Espíritu Santo.[46] Por eso, al igual que Basilio, Ambrosio reconoce que toda actividad creadora que el Padre lleva a cabo a través del Hijo recibe su cumplimiento y completamiento en la acción del Espíritu. El Espíritu Santo es Dios en acción. Todo el universo, incluyendo al ser humano, recibe su actualidad y perfección de parte del Espíritu.

Lo que el Espíritu crea es también lo que el Espíritu renueva. Dice Ambrosio:

> ¿Y quién puede negar que la creación de la tierra es la obra del Espíritu Santo, cuya obra también es que ella sea renovada? Porque quienes quieren negar que ella fue creada por el Espíritu, dado que no pueden negar que es renovada por el Espíritu, quieren también separar las personas y deben mantener que la operación del Espíritu Santo es superior a la del Padre y del Hijo, lo que está lejos de la verdad; porque no hay duda de que la tierra restaurada es mejor que la que fue creada.[47]

En esta línea argumental, Ambrosio considera la obra renovadora del Espíritu en los creyentes. Según él, el Espíritu es el autor de la renovación espiritual y del ungimiento de Cristo, o del óleo de alegría.[48] La misión del Espíritu en relación con los seres humanos es como la de Cristo: ser fuente de vida. «El Espíritu no es, entonces, enviado como si fuese de un lugar, ni tampoco Él procede como si fuese de un lugar, sino que Él procede como el Hijo, como el Hijo mismo dice: "Yo he venido del Padre, y he venido al mundo"».[49]

---

46. *Ibid.*, 3.3-5.
47. *Ibid.*, 2.5.34.
48. *Ibid.*, 1.9.102; 2.7.64.
49. *Ibid.*, 1.11.119.

Además, según Ambrosio, el Espíritu Santo creador es también el dador de toda revelación: «Porque nuestro conocimiento procede de un Espíritu, a través de un Hijo a un Padre; y de un Padre a través de un Hijo a un Espíritu Santo es entregada la bondad y la santificación y el derecho soberano del poder eterno».[50] No obstante, su papel en el plan de salvación no se cumplió hasta Pentecostés, cuando Él descendió con pleno poder.[51] Fue entonces que el Espíritu se transformó en el lazo primario que liga a Cristo con su Iglesia. La Iglesia es edificada por el Espíritu, que une a judíos y gentiles en un solo pueblo.[52] Sin la infusión del Espíritu Santo no puede haber una bendición completa, y es Él quien infunde sus dones a las almas individuales:

> Y la sabiduría de Dios dice: «Os enviaré profetas y apóstoles». Y «A uno es dada», como está escrito, «a través del Espíritu, palabra de sabiduría; a otro, palabra de ciencia, según el mismo Espíritu; a otro fe, en el mismo Espíritu; a otro, el don de sanidades, en el mismo Espíritu; a otro, la operación de milagros; a otro, profecía». Por lo tanto, según el apóstol, la profecía no es solo a través del Padre y del Hijo, sino también a través del Espíritu Santo, y en consecuencia el oficio es uno, y la gracia una. De modo que encuentras que el Espíritu es también el autor de las profecías.[53]

Según él, pues, cada creyente recibe los dones mencionados en 1 Corintios 12 que desea o merece, según su capacidad. Incluso el ministerio sacerdotal es un don del Espíritu.[54] Sin embargo, no es posible saber con seguridad si Ambrosio está

---

50. *Ibid.*, 2.12.130.
51. *Ibid.*, 3.14.98-99.
52. *Ibid.*, 2.10.110.
53. *Ibid.*, 2.13.143.
54. Ambrosio de Milán, *Sobre la penitencia*, 1.2.8.

simplemente repitiendo lo que dice la Biblia, o si sus palabras
reflejan sus propias experiencias y la práctica en su Iglesia. No
obstante, para él, el Espíritu Santo es esencialmente no alguien
que recibe, sino alguien que imparte.[55] Por eso, cuando se
afirma que somos bautizados con agua y el Espíritu, no hay una
equiparación de los dos bautismos. El agua es meramente el
símbolo de nuestro entierro en la muerte de Cristo, mientras
que el Espíritu es el poder que nos resucita a una novedad de
vida, e imprime en nosotros la imagen divina.[56] Es precisamente en el sacramento de la confirmación que el Espíritu sella el
alma del creyente y le imparte sus siete dones (véase Isaías
11.2): «Y recuerda que recibiste el sello del Espíritu; el espíritu
de sabiduría y de inteligencia, el espíritu de consejo y de poder,
el espíritu de conocimiento y piedad, y el espíritu de santo
temor, y preserva lo que has recibido. Dios el Padre te selló,
Cristo el Señor te fortaleció, y te dio las arras del Espíritu en
tu corazón».[57]

Crisóstomo de Constantinopla (347-407)

Juan Crisóstomo fue el gran padre de la iglesia oriental y
uno de los pioneros de la teología de la Iglesia Ortodoxa. Nació
en Antioquía y fue educado religiosamente por su madre. En
el año 381 fue ordenado diácono, a los dos años de ser
bautizado, y en el 386 fue consagrado sacerdote y predicador.
Fue el más grande orador de su tiempo, lo que le valió el
sobrenombre de «Boca de Oro»: Crisóstomo. En el año 398,
contra su voluntad, fue nombrado metropolitano de Constantinopla. Allí atacó la inmoralidad de la corte imperial. Después
de largas luchas fue desterrado. Murió en el exilio el 14 de
setiembre del año 407, con las palabras que fueron el lema de
toda su vida: «¡Gracias a Dios por todo!»

---

55. Ambrosio de Milán, *Sobre el Espíritu Santo*, 1.5.
56. *Ibid.*, 1.6.
57. Ambrosio de Milán, *Sobre los misterios*, 7.42.

El siglo IV fue, para la Iglesia Griega, un siglo de oro, ya que en él nacieron y vivieron algunos de sus más grandes representantes. Entre ellos estaba Crisóstomo. Sin embargo, Juan no había pensado en dedicarse a la Iglesia. Su primera vocación, así como sus estudios, le llevaron previamente al ejercicio de la abogacía (al igual que Ambrosio de Milán). Fue solo más tarde cuando, por el estudio de las Sagradas Escrituras, decidió dedicarse a la predicación evangélica que, en el seno de la Iglesia Griega, entonces como ahora, nunca estuvo vedada a los laicos.

Crisóstomo fue un hombre de gran piedad y experiencia religiosa. En sus sermones presta una considerable atención a la persona y obra del Espíritu. No obstante, su énfasis se orienta más bien hacia el fruto del Espíritu (Gálatas 5.22-23), que hacia los dones extraordinarios del Espíritu y las señales sobrenaturales de su acción.[58] Su preocupación mayor no era de carácter misionológico, sino ético. El estilo de vida y la conducta de sus oyentes eran para él más importantes, que los recursos que estos necesitaban para el bien común y la edificación de la Iglesia. No es extraño, pues, que él viera al Espíritu Santo más como la fuente de fortaleza y santificación, que como la fuente de los recursos espirituales para el servicio. En su concepto, una vida cristiana piadosa «era el más grande de los milagros, la más maravillosa de las señales».[59]

No llama la atención, entonces, que Crisóstomo rechace los carismas. Él afirma que no entiende los dones de 1 Corintios 12, porque ya no ocurren. Confesando su ignorancia práctica sobre el tema, Crisóstomo escribe en relación con 1 Corintios 12.4-11:

Todo este lugar es muy oscuro: pero la oscuridad es producida por nuestra ignorancia de los hechos a los que

---

58. Sobre el concepto de Crisóstomo en cuanto a los dones, véase, Andrew T. Floris, «Chrysostom and the Charismata», *Paraclete 5*, Winter 1971, 11-22.
59. Crisóstomo, *Homilía* 14, sobre Romanos.

se hace referencia y a su cesación, siendo que como tales
solían ocurrir pero ahora ya no tienen lugar. ¿Y por qué no
ocurren ahora? Porque, mirad ahora, la causa de la oscuridad también ha producido en nosotros otra pregunta: esto
es, ¿por qué ocurrieron entonces, y ahora no lo hacen
más?... Bien, ¿qué fue lo que pasó entonces? Quienquiera
que era bautizado hablaba inmediatamente en lenguas y no
solo con lenguas, sino que muchos también profetizaban,
y algunos hacían muchas obras maravillosas... pero más
abundante que ninguna otra cosa era el don de lenguas
entre ellos.[60]

Como puede verse, este gran predicador no negaba el
ejercicio de los dones en la iglesia de tiempos neotestamentarios, pero sí dejaba en claro que tales carismas habían terminado hacía tiempo. Estos dones habían jugado un papel fundamental en los comienzos de la iglesia, pero para sus días ya
habían cesado.

De manera más específica, tal era su comprensión del don
de lenguas. En tiempos antiguos, según él, cuando los paganos
convertidos eran bautizados, hablaban lenguas desconocidas
(pero existentes), como el persa, latín e indio. Según su explicación, era el Espíritu quien hablaba. Sin embargo, una vez que
la Iglesia se había establecido, dones tales como las lenguas ya
no eran necesarios.

La posición de Crisóstomo sobre este particular es bien
fuerte, al punto que parece tener una cuestión personal contra
el hablar en lenguas, quizás debido a alguna mala experiencia
habida en su vida.[61] En consecuencia, la iglesia oficial de sus
días debía desalentar dones tales como profecía, lenguas e
interpretación, porque fácilmente podían confundirse con manifestaciones de «un espíritu inferior».[62] Lo interesante es que

60. Crisóstomo, *Homilías sobre las Epístolas de Pablo a los Corintios*,
    Homilía 29.1.
61. Hunter, «Tongues-Speech», 134.
62. Véase, Gromacki, *The Modern Tongues Movement*, p. 16.

el don de lenguas se ha practicado de manera más o menos ininterrumpida en la Iglesia Ortodoxa Griega, especialmente en los monasterios, hasta el día de hoy.

Este obispo del siglo IV parece sugerir también que los milagros habían cesado para sus días. Según él: «Que nadie, por lo tanto, espere milagros (hoy)... Si por el contrario practicamos esta (la caridad), y toda la abnegación que fluye de ella, no tendremos necesidad de señales; incluso por el otro lado, si no la practicamos, no ganaremos nada con las señales».[63]

Hay que tener en cuenta que Crisóstomo está indicando esto frente al hecho de que su siglo vio el surgimiento de una hagiografía saturada de lo milagroso. El gran predicador afirma que «Pablo poseía una virtud muy superior a la palabra y capaz de obrar mayores hazañas, pues con su sola presencia y sin pronunciar una palabra aterraba a los demonios». Pero, agrega Crisóstomo, «los hombres de hoy, aun juntándose todos, aun con mil oraciones y lágrimas», no lograrían lo que en una ocasión pudieron los delantales de Pablo (Hechos 19.12). Además, señala, «Pablo, con sola su oración, resucitaba muertos y hacía otros prodigios tales que llegó a ser tenido por Dios por los gentiles (Hechos 14.10-12), y aun antes de salir de la presente vida, fue digno de ser arrebatado hasta el tercer cielo, donde se le comunicaron palabras que a la humana naturaleza no le es lícito escuchar». En contraste, «los hombres de ahora... No quiero decir nada desagradable ni pesado, pues tampoco esto lo digo con ánimo de insultarlos, sino maravillado mas bien de cómo no tiemblan de ponerse en parangón con varón tan grande».[64]

Parece muy claro que Crisóstomo habla como lo haría cualquier cesacionista de nuestros días. La pregunta que queda es si su rechazo es el resultado de una ausencia verificada y real de los carismas del Espíritu y de otras operaciones sobrenaturales,

---

63. Crisóstomo, *Homilía* 46 sobre Mateo.
64. Crisóstomo, *Los seis libros sobre el sacerdocio*, 4.6.

o más bien, nace de su ignorancia personal de tales manifestaciones de poder. Por otro lado, no es extraño que alguien a la cabeza de la iglesia en la capital misma del imperio oriental desestimase como fuera de lugar los dones espirituales y las señales milagrosas, en razón de ofrecer a las autoridades imperiales una imagen más potable del cristianismo, según los criterios por los que estas eran guiadas. El juicio y la actitud de Crisóstomo tienen una actualidad notable, y son un testimonio elocuente de la relación directa que existe entre institucionalización eclesiástica y cesacionismo.

Gregorio de Nacianzo (329-388)

El proceso de institucionalización afectó también al Imperio Romano Oriental. En esta región de amplio desarrollo del testimonio cristiano, especialmente en Asia Menor, habitaba la mayor cantidad de cristianos en el mundo de aquel entonces. Allí también se producían en estos años los debates teológicos más encarnizados. Frente a diversas herejías, como el arrianismo, se levantaron líderes que articularon un pensamiento ortodoxo y ayudaron a fijar la doctrina cristiana. Entre los líderes eclesiásticos más destacados de este tiempo cabe mencionar a los grandes teólogos de Capadocia: Basilio Magno, Gregorio de Nisa y Gregorio de Nacianzo. Al primero lo consideraremos en el próximo capítulo. Los otros dos serán tratados en este, ya que de algún modo, en razón de su posición en la estructura eclesiástica, representan el cristianismo institucionalizado de su tiempo. No obstante, en cada uno de ellos se percibe una vivencia profunda de la obra del Espíritu y su testimonio da cuenta de su acción poderosa en la iglesia de sus días.

Gregorio de Nacianzo fue amigo de Basilio Magno y de su hermano Gregorio de Nisa, con quienes constituyó el trío conocido como los «Grandes Capadocios». Nació en Capadocia (Asia Menor), cerca de Nacianzo, donde su padre era obispo. Le gustaba la vida solitaria y contemplativa. Se educó en Atenas, y finalmente llegó a ser obispo en el año 372, y más tarde (en 379) ocupó la sede de Constantinopla, como restaurador de la fe ortodoxa. Gregorio tuvo gran influencia sobre la formación del pensamiento ortodoxo. Su habilidad como predicador era superior a la de cualquiera de sus asociados, pero la ejerció en las más variadas posiciones. Como escritor está a la altura de su amigo Gregorio de Nisa. Como él, y junto a Basilio Magno, es considerado uno de los grandes padres orientales, y posteriormente, en Oriente se le dio el título de «teólogo». Se destacó también como poeta y activo líder eclesiástico. Fue presidente del Concilio Ecuménico de Constantinopla en 381. Más tarde, dejó todos estos privilegios para volver a la vida solitaria, donde se entregó a sus estudios y trabajos literarios, hasta su muerte.

Gregorio se sentía como viviendo en la era del Espíritu. Según él, en sus días se estaba cumpliendo la promesa divina y la esperanza de los creyentes. Los días de la presencia física de Cristo entre sus discípulos habían terminado, y ahora era el tiempo del Espíritu.[65] La acción del Espíritu se verifica dentro del creyente:

> En cuanto a las cosas del Espíritu, que el Espíritu esté conmigo, y me conceda tanto discurso como deseo; o si no es esto, que sea en la proporción debida a la ocasión. De todos modos, Él estará conmigo como mi Señor; no de manera servil, ni esperando una orden, como algunos piensan. Porque Él sopla donde quiere y sobre quién Él quiere, y en la medida en que Él quiere. Es así como somos inspirados tanto a pensar como a hablar del Espíritu.[66]

Pero la acción del Espíritu se verifica también en la Iglesia, especialmente en el sacramento del bautismo. Según Gregorio, Jesús bautiza en el Espíritu, lo cual es el bautismo perfecto.[67]

---

65. Gregorio de Nacianzo, *Sobre Pentecostés*, 5.
66. *Ibid.*
67. Gregorio de Nacianzo, *Oración sobre las luces santas*, 17.

Gregorio expresa la importancia del ejercicio de los dones del Espíritu en la ministración sacerdotal, haciendo referencia a su propia experiencia personal:

> ¿Cómo puedo atreverme a ofrecerle el sacrificio externo, el antitipo de los grandes misterios, o vestirme con el hábito y el nombre de sacerdote, antes de que mis manos hayan sido consagradas por obras santas; ... antes de que mi oído haya sido abierto lo suficiente a la instrucción del Señor, y Él haya abierto mi oído para oír sin pesadez, y haya colocado un aro de oro con sardónice precioso, esto es, la palabra de un hombre sabio en un oído obediente; antes de que mi boca haya sido abierta para fluir en el Espíritu, y esté bien abierta para ser llenada con el Espíritu que habla misterios y doctrinas; y mis labios [hayan sido] ligados, para usar las palabras de sabiduría, por el conocimiento divino, y, como agregaría, soltarse en su debido momento; antes de que mi lengua haya sido llenada con exultación, y se haya tornado en un instrumento de la melodía divina, despertando con gloria, despertando bien temprano, y trabajando hasta que se pegue a mis mandíbulas ... y me haya rendido al Espíritu?[68]

El Espíritu Santo reparte una diversidad dones a cada creyente, pero al mismo tiempo, Él es el que desarrolla la unidad del Cuerpo de Cristo. Haciendo un contraste con la confusión que Dios provocó en la torre de Babel, Gregorio señala como un milagro la armonía que el Espíritu produce en la Iglesia. «Porque siendo derramado un mismo Espíritu sobre muchos hombres, esto los pone nuevamente en armonía. Y hay una diversidad de dones, que necesitan todavía de otro Don para discernir cuál es el mejor, allí donde todos son dignos de alabanza».[69]

---

68. Gregorio de Nacianzo, *Apologeticus de fuga*.
69. Gregorio de Nacianzo, *Sobre Pentecostés*, 16.

De gran valor para nuestro propósito es su testimonio de una sanidad que experimentó su padre, mientras todavía era obispo. Lo interesante del relato es el reconocimiento del anciano obispo de que su sanidad fue el resultado de la operación poderosa del Espíritu Santo.

Todo su cuerpo estaba encendido con una fiebre excesiva, ardiente. Su fortaleza había decaído. No podía tomar comida, su sueño se había alejado de él, estaba en gran aflicción, y agitado con palpitaciones. Dentro de su boca, el paladar y toda la superficie superior estaba completamente tan ulcerada y dolorida, que le era difícil y peligroso tragar incluso agua. La pericia de los médicos, las oraciones de sus amigos, por más fervientes que fuesen, y toda atención posible eran por igual sin efecto. Él mismo, en esta condición desesperante, mientras su aliento se acortaba y aceleraba, no tenía percepción de las cosas presentes, sino que estaba totalmente ausente, inmerso en los objetos que por tiempo había deseado, ahora alistados para él. Nosotros estábamos en el templo, mezclando súplicas con los ritos sagrados, porque con desesperanza en cuanto a todos los otros, habíamos recurrido al Gran Médico, al poder de esa noche, y al último socorro, con la intención, diría, de guardar una fiesta o de lamentar; de tener un festival o de prestar los honores funerales a alguien que ya no estaba allí. ¡Oh, esas lágrimas que fueron derramadas en ese momento por todo el pueblo! ¡Oh, voces y lamentos e himnos mezclados con la salmodia! En el templo, ellos buscaron al sacerdote, en el rito sagrado al celebrar, en Dios a su digno soberano, con mi Miriam para guiarlos y para batir la pandereta no de triunfo, sino de súplica; aprendiendo entonces por la primera vez a ser avergonzados por la desgracia, y a invocar al mismo tiempo al pueblo y a Dios...

¿Cuál fue, entonces, la respuesta de aquel que era el Dios de esa noche y del hombre enfermo? ... El tiempo del misterio llegó, ... cuando se guarda el silencio para los ritos

solemnes; y entonces él fue levantado por aquel que levanta
a los muertos ... Al principio se movió un poco, luego más
decididamente; luego con una voz débil e indefinida llamó
por nombre a uno de sus siervos que tenía cuidado de él, y
le pidió que se acercara y le trajera sus ropas, y lo sostuviera
con su mano. Él se acercó alarmado y gustosamente lo
asistió, mientras él, apoyándose en su mano como sobre un
cayado, imitando a Moisés sobre el monte, acomodó sus
manos temblorosas en oración, y en unión con o en nombre
de su pueblo celebró anhelante los misterios, con tan pocas
palabras como sus fuerzas le permitían, pero, según me
parece, con la intención más perfecta. ¡Qué milagro! En el
santuario sin un santuario, sacrificando sin un altar, un
sacerdote lejos de los ritos sagrados: no obstante, todo esto
estuvo presente para él en el poder del Espíritu reconocido
por él, aunque no visto por aquellos que estaban allí.
Entonces, después de agregar las palabras de acción de
gracias acostumbradas y después de bendecir al pueblo, él
se retiró nuevamente a su cama y después de tomar un poco
de comida, y gozar del sueño recuperó su espíritu y su salud
se mejoró gradualmente para el nuevo día de la fiesta como
nosotros llamamos al primer domingo después del festival
de la resurrección. Él entró al templo e inauguró su vida
que había sido preservada, con todo el clero, y ofreció el
sacrificio de acción de gracias. Para mí esto no me parece
menos notable que el milagro en el caso de Ezequías, quien
fue glorificado por Dios en su enfermedad y oraciones con
una extensión de la vida.[70]

Inmediatamente después de este relato, Gregorio cuenta
de un milagro similar en relación con su madre, quien no podía
comer y que fue sanada a través de un sueño, en el que se veía
comiendo de una canasta llena de panecillos blancos. También
describe un viaje por mar cuando él era joven y antes de su

---

70. Gregorio de Nacianzo, *Sobre la muerte de su padre*, 28-29.

bautismo, en el cual sufrió una tormenta terrible. Sus padres, que estaba a muchos kilómetros de distancia, tuvieron una visión durante la noche en el mismo momento en que la tormenta estaba en su peor momento. Sus oraciones pidiendo liberación para su hijo fueron oídas y a su regreso a casa el milagro quedó confirmado.[71]

Gregorio de Nisa (335-395)

Junto con su hermano Basilio Magno y Gregorio de Nacianzo constituyen el trío conocido como los «Grandes Capadocios». Gregorio de Nisa fue uno de los tres Gregorios que ilustraron la Iglesia de Oriente. Era hermano menor de Basilio y amigo de Gregorio de Nacianzo. En su juventud ejerció el oficio eclesiástico de lector y fue profesor de elocuencia. Mejor aconsejado, volvió a su antigua vocación eclesiástica, y en el año 371 fue consagrado obispo por su hermano Basilio para la sede de Nisa. Aquí sostuvo combates con los arrianos, que finalmente lograron desterrarlo. A la muerte del emperador romano de Oriente, el arriano Valente (328-378), un edicto de tolerancia le permitió volver. Asistió en 379 al Sínodo de Antioquía, y en el año 381 al Concilio de Constantinopla. El mérito principal suyo es su demostración y defensa de la fe cristiana. Su originalidad y capacidad intelectual fue notable.

De manera singular, Gregorio relacionó la acción del Espíritu en el creyente y en la Iglesia con los sacramentos o «misterios» de la Iglesia. A su vez, es a través de los sacramentos que el Espíritu transforma al ser humano a la imagen de Dios y lo perfecciona en la vida cristiana. Hay, pues, en todo esto, un verdadero proceso de «deificación», que es operado por el Espíritu en la vida de la persona, a través de los sacramentos. De este modo, el Espíritu transforma los elementos sacramentales (agua, pan, vino, aceite, etc.) a través de su poder santificador.

---

71. *Ibid.*, 31.

Y el creyente, al participar de estos elementos materiales santificados, es transformado por la misma bendición o santificación del Espíritu. No son los elementos solos los que proveen el don del renacimiento espiritual, sino «la visitación del Espíritu que viene sacramentalmente para hacernos libres».[72]

Con el bautismo, el creyente es regenerado por el Espíritu e introducido a una vida en el Espíritu, en la que la gracia fluye constantemente para aquellos que la aceptan. Cuando una persona es regenerada, el Espíritu Santo viene a ella y mora en ella, haciendo arder su alma. El Espíritu es para el creyente como una paloma que imparte dones, en este caso, el fruto del Espíritu.

> Permite tiempo a la Paloma para que vuele a ti, esa Paloma que Jesús hizo bajar por primera vez en figura desde el cielo. Esa Paloma es sencilla, mansa y muy fértil. Cuando ella encuentra a una persona limpia, como una leña encendida bien preparada, ella mora en esa persona y enciende su alma a la manera de un ave que empolla sobre sus huevos para incubarlos. La Paloma luego da a luz a muchos vástagos excelentes. Estos hijos son buenas acciones, palabras santas, fe, piedad, justicia, temperanza, castidad y pureza. Estos son los hijos del Espíritu, pero son nuestra posesión.[73]

En cuanto a los dones espirituales, Gregorio los relaciona también con el crecimiento en la vida cristiana. Después de citar 1 Corintios 13.1-8, señala:

> Incluso si alguien recibe los otros dones que el Espíritu imparte (me refiero a las lenguas de ángeles y profecía y conocimiento y la gracia de sanar), pero jamás ha sido

---

72. Gregorio de Nisa, *Sobre el bautismo de Cristo.*
73. Gregorio de Nisa, *Contra aquellos que difieren el bautismo.*

totalmente limpiado de las pasiones turbulentas dentro suyo a través del amor del Espíritu, y no ha recibido el remedio final de la salvación de su alma, tal persona está todavía en peligro de perderse si no guarda sólido y firme al amor entre sus virtudes.

No te conformes con sus dones, pensando que en razón de la riqueza y de la generosa gracia del Espíritu ninguna otra cosa te es necesaria para la perfección. Cuando estas riquezas vengan a ti, sé modesto en tu pensamiento, siempre sumiso y pensando del amor como el fundamento del tesoro de la gracia para el alma ... La «nueva creación» es el mandato apostólico ... Él denomina como nueva criatura a la morada del Espíritu Santo en un alma pura y sin culpa, alejada del mal y de la maldad y de la vergüenza.[74]

---

74. Gregorio de Nisa, *Sobre el modo cristiano de vida.*

8

EL MOVIMIENTO MONÁSTICO

espués de su supuesta conversión en el año 312, Constantino concedió la paz a las iglesias dentro del Imperio Romano. Esto significó enormes ventajas, pero entrañó también graves peligros. Como dice Jerónimo: «La Iglesia creció en riqueza y poder, pero se empobreció en virtudes». Al contemplar a las décadas que siguieron, parece evidente el retroceso de los cristianos en el fervor religioso y en la moralidad. Las causas de esta decadencia espiritual y moral fueron múltiples. Faltó el estímulo de las persecuciones. Muchos nuevos convertidos no abandonaban sus vicios paganos, porque su conversión se debía a conveniencia más que a un verdadero cambio de vida. Las controversias teológicas fueron causa de que muchos obispos y líderes religiosos dieran ejemplos poco edificantes a los fieles, que por otro lado, no siempre entendían los vericuetos de las cuestiones que se debatían. El permanente hostigamiento de los pueblos bárbaros sobre las fronteras del Imperio, y en algunos casos su

ingreso violento al mismo, sembraban la inquietud por todas partes e impedían una vivencia más profunda de la fe. La instrucción religiosa del pueblo era muy pobre, cuando no casi totalmente ausente.

Cuando se lee la literatura cristiana de este tiempo, es posible ver a los padres de la iglesia quejarse continuamente en sus homilías y en sus escritos del escaso entusiasmo religioso, la chatura espiritual y la bajísima moralidad de los creyentes. Junto con este clima de creciente deterioro de la vida y el testimonio cristiano, no es extraño constatar un creciente descuido del ejercicio de los dones del Espíritu Santo y la disminución de los testimonios de señales, prodigios y maravillas. A pesar de todo esto, la acción del Espíritu no desapareció ni se interrumpió. Él pudo encontrar vidas de hombres y mujeres a través de los cuales expresar su poder. No es raro incluso saber de familias enteras de personas obedientes y llenas del Espíritu, como la de Basilio el Grande, cuya madre y hermanos fueron extraordinarios ejemplos de consagración y servicio.

El Estado imperial acogió la influencia positiva de estos cristianos sujetos al señorío de Cristo y sancionó leyes civiles, que tuvieron un profundo sentido moralizador. Fueron prohibidos los juegos de gladiadores. Se prohibió la crucifixión, por respeto a la muerte de Cristo. Se castigó el infanticidio y el aborto. La esclavitud perdió mucho de su brutalidad. Se conservó y amplió la ayuda a los pobres y menesterosos, y es así como aparecieron los primeros asilos y hospitales para indigentes, peregrinos y extranjeros. Pero estos destellos de progreso moral no fueron suficientes para balancear el estado generalizado de debacle espiritual, que se estaba gestando en aquellos años.

Si bien la espiritualidad y la moralidad continuaron su marcha descendente, hay que afirmar también que había un sector significativo dentro de la cristiandad que llevaba una vida de altísima vivencia espiritual y que se había propuesto como ideal la imitación perfecta de Jesucristo. Expresión de esto es el desarrollo admirable de la vida ascética o vida monástica. Es precisamente en estos ámbitos donde con más frecuencia, a partir del siglo IV, se pueden ver manifestaciones y evidencias de la acción poderosa del Espíritu Santo.

El monasticismo surgió también como una reacción contra la centralización clerical y la restricción de los dones del Espíritu. Pero los monjes se transformaron en una especie de aristocracia espiritual, en cristianos de «primera clase», según un nuevo tipo de concepción gnóstica. Es así que los carismas sobrevivieron básicamente en dos contextos: bajo el control institucional del clericalismo, dentro de las organizaciones monásticas; o bien en grupos periféricos perseguidos o muy lejos del tronco principal de las iglesias establecidas. En el segundo caso, el resultado fue una tendencia al fanatismo, cuando no se cayó en flagrantes herejías. Por eso, su aislamiento fue inevitable, y la condena oficial llevó a estos grupos a su casi desaparición. En otros casos, todas sus energías se agotaron en sus esfuerzos de supervivencia frente a la intolerancia de la jerarquía eclesiástica.

En este capítulo consideraremos los testimonios que provienen del primer contexto, es decir, del movimiento monástico que, tanto en Oriente como en Occidente, se desarrolló con cierta anuencia del clero establecido. En este caso, los testimonios de la acción poderosa y sobrenatural del Espíritu Santo son sorprendentes y abundantes. El problema aquí no es la falta de material, sino la evaluación y selección del mismo, ya que en las hagiografías se da una profusión asombrosa de lo legendario y fantástico. De modo que, buena parte de la tarea del investigador consiste en desentrañar de la abundancia de relatos prodigiosos la verdad de los hechos acaecidos.

Los monjes del desierto

El ideal de imitación perfecta de Cristo brotó desde tiempos bastante remotos dentro del cristianismo. Muchos fieles, por amor a Cristo, adoptaron un tenor de vida apartada del mundo, caracterizada por un retiro del mismo más o menos perfecto, el voto de castidad y la entrega a una estricta vida penitencial. Este tipo de vida fue asumido por los ascetas, que comenzaron a crecer en número e importancia a partir del siglo IV, especialmente en Oriente.

Sobre la base de la vida ascética, tanto de hombres como de mujeres, se edificó lo que se puede considerar como el primer estadio de la vida monacal: el anacoretismo.[1] En ocasión de las persecuciones sistemáticas contra el cristianismo, especialmente durante el siglo III (Decio y Diocleciano), muchos cristianos abandonaron las ciudades y se fueron a vivir al desierto. Allí permanecieron incluso después de acabadas las persecuciones, llevando una vida solitaria, entregados a su perfección religiosa y la comtemplación.

Una vez que el martirio dejó de ser el ideal del cristiano perfecto, por haberse terminado las persecuciones sangrientas, la vida monacal se convirtió en el sustituto por excelencia. De este modo, los monjes pasaron a ser una suerte de herederos de los mártires, y la ascesis el estilo de vida que se suponía seguía más de cerca las huellas de Jesús. Este deseo de imitación de Cristo fue el que pobló los desiertos de anacoretas, como Pablo el Ermitaño (m. 341).

Antonio (250-356)

El movimiento nació en Egipto, y comenzó con el ejemplo de Antonio, quien se estableció a unos pocos kilómetros del Mar Rojo, al sur de la actual ciudad de El Cairo. Antonio llevó al principio una vida solitaria, desde el año 270. Hacia el año 290 ya se habían juntado a él algunos discípulos, los cuales formaron un conjunto de celdas de ermitaños bajo su dirección. Esta fue precisamente la novedad introducida por él a la

---

1. Los anacoretas eran personas que se retiraban del mundo para vivir una vida solitaria de silencio, oración y mortificación. Técnicamente, el término incluye a los cenobitas (es decir, a aquellos que vivían en una comunidad), como también a los ermitaños, si bien generalmente se lo restringe a estos últimos. Los ermitaños son anacoretas que viven retirados en una ermita (santuario o capilla pequeña) y cuidan de ella.

vida ascética. Este género de vida anacorética se difundió rápidamente por todo Egipto gracias a la influencia de Antonio. Estos anacoretas vivían solitarios cada uno en su choza, pero recibían la dirección de un padre espiritual, que era como el director del conjunto de chozas más o menos cercanas. En el caso de Antonio, según el testimonio de Juan Casiano, su vida fue un ejemplo de renunciamiento, sacrificio y martirio diario por amor a Cristo.[2]

Se atribuye a Atanasio de Alejandría una obra biográfica sobre Antonio.[3] El impacto de este libro sobre el surgimiento del ascetismo fue notable.

Según esta obra, Antonio fue un hombre lleno del Espíritu Santo y poderoso en milagros, señales y maravillas. «Cuando muchos estaban ansiosos y dispuestos a imitar su disciplina, y sus conocidos vinieron y comenzaron derrumbar y sacar por la fuerza la puerta [del lugar donde estaba encerrado], Antonio, como de un templo, salió iniciado en los misterios y lleno con el Espíritu de Dios. Entonces por primera vez él fue visto fuera del fuerte por aquellos que habían venido a verlo».[4] Después de casi veinte años de vida solitaria y de crucifixión al mundo como un mártir viviente, Antonio comenzó a actuar bajo el poder del Espíritu. «A través de él, el Señor sanó las dolencias corporales de muchos de los que estaban presentes, y limpió a otros de malos espíritus. Y Él le dio gracia a Antonio en el hablar, de modo que consoló a muchos que estaban dolidos, y unió a aquellos que estaban en discordia, exhortando a todos a preferir el amor de Cristo antes que todo lo que está en el mundo».[5]

2. Juan Casiano, *Colaciones*, 24.2; e *Instituciones*, 4.34-35.
3. Atanasio de Alejandría, *La vida de san Antonio*. Sobre el contenido y valor histórico de esta obra, véase, A.C. Baynes, «St. Anthony and the Demons», *Journal of Egyptian Archaeology*, 40, 1954, 7-10; y Jean Daniélou, «Les démons de l'air dans la "Vie d'Antoine"», *Studia Anselmiana 38, 1956, 136-145*.
4. Atanasio de Alejandría, *La vida de san Antonio*, 14.
5. *Ibid*.

Lo que sigue, es un relato que abunda en la descripción de milagros, señales y maravillas. Especialmente se destaca la capacidad que tenía Antonio para discernir espíritus inmundos y para liberar a quienes estaban oprimidos por ellos. La llenura del Espíritu es la que da el poder y la autoridad para liberar a aquellos que están afligidos por los demonios. *La vida de san Antonio* narra el siguiente caso:

> Martiniano, un oficial militar, vino y perturbó a Antonio. Porque tenía una hija afligida con un espíritu malo. Pero cuando él continuó por un buen rato golpeando a la puerta, y pidiéndole que saliese y orase a Dios por su pequeña, Antonio, no soportando abrir, miró por arriba y dijo: «Hombre, ¿por qué me llamas? Yo también soy un hombre tal como tú. Pero si tú crees en Cristo a quien yo sirvo, ve, y conforme tu crees, ora a Dios, y esto va a ocurrir». Inmediatamente, por tanto, él partió, creyendo e invocando a Cristo, y recibió a su hija limpia del demonio. El Señor, que dijo «Buscad y os será dado», hizo también muchas otras cosas a través de Antonio.[6]

Este poder de discernir espíritus y de echarlos fuera en el nombre de Jesús no es dado por el Espíritu sin cierta preparación previa. «Hay necesidad de mucha oración y de disciplina, para que cuando un hombre ha recibido a través del Espíritu el don de discernimiento de espíritus, él pueda tener poder para reconocer sus características: cuáles de ellos son menos malos y cuáles más; de qué naturaleza es el empeño de cada uno; y cómo cada uno de ellos es vencido y echado fuera».[7]

El texto también abunda en el relato de sanidades diversas. En muchos casos, Antonio ni siquiera hizo una oración por la sanidad de los que fueron curados. «Muchos de los

---

6. *Ibid.*, 48.
7. *Ibid.*, 22.

que padecían, cuando él no quería abrir su puerta, dormían afuera de su celda, y por su fe y oraciones sinceras eran sanados».[8]

Llegó un momento en el que Antonio tuvo que mudarse de lugar, debido a la cantidad de gente que se agolpaba para recibir un milagro y que interrumpía de este modo su vida solitaria. Llama la atención la manera en que Antonio reconoce con humildad que todas estas acciones de poder son el resultado de la obra de Cristo en él, como alguien que sigue al Espíritu. «Antonio ... no sanaba dando órdenes, sino por medio de la oración y hablando en el nombre de Cristo. De modo que era claro a todos que no era él mismo quien obraba, sino el Señor quien mostraba misericordia por sus medios y sanaba a los dolientes. Pero la parte de Antonio era solo oración y disciplina».[9]

Otro don del Espíritu que se le atribuye es el de profecía, especialmente la capacidad de ver cosas. En cierta oportunidad mientras él se encontraba en las montañas, observó lo que estaba ocurriendo en Egipto. También tuvo una visión, en la que vio

La mesa de la Casa del Señor, y mulas alrededor de ella por todos lados en un círculo, y estaban pateando las cosas que había en ella, tal como una manada patea cuando cae en confusión. ... Estas cosas vio el anciano, y después de dos años, ocurrió la irrupción presente de los arrianos y el despojo de las iglesias, cuando de manera violenta sacaron los vasos, e hicieron que los paganos se los llevaran ... y en su presencia hicieron con la Mesa como quisieron. Entonces nosotros todos entendimos que estas patadas de las mulas significaban para Antonio lo que los arrianos, insensiblemente como bestias, estaban haciendo ahora.[10]

8. *Ibid.*, 48.
9. *Ibid.*, 84.
10. *Ibid.*, 82.

Pacomio (*ca.* 292-346)

Otro gran representante del anacoretismo egipcio fue Pacomio. Con él comenzó un nuevo estilo de vida ascética. Había sido soldado y después anacoreta, hasta que se transformó en el creador del cenobitismo. Cuando en anacoretismo egipcio estaba en pleno proceso de desarrollo, Pacomio dio forma en el sur de Egipto al cenobitismo o vida monástica propiamente dicha. La vida cenobítica consiste sustancialmente en una forma de vida común, bajo un superior así designado. La vida cenobítica se extendió rápidamente por todo Egipto, como más conforme con el ideal de perfección evangélica. Cada monje vivía por separado en su choza, pero todos dentro de una misma área y llevando vida de comunidad, bajo una misma autoridad. Como indica Burgess:

> Los padres del desierto ejercieron una autoridad carismática tanto sobre los monjes como las monjas que los seguían, así como sobre la gente cristiana que no había tomado los votos. Es interesante notar que, mientras los monjes coptos tenían reglas formales, ellos descansaban menos en ellas que la mayoría de otros ascetas tanto en Oriente como en Occidente. En lugar de esto, había una confianza fuerte en la palabra y dirección carismática de un anciano que era considerado por su discípulo obediente como un *pneumatoforos*—i.e. una persona llena del Espíritu Santo. En el proceso, los desiertos de Egipto se transformaron en centros de entrenamiento del Espíritu (muy diferentes de los medios académicos de la escuela catequética de Alejandría) en los que el novicio aprendía por el ejemplo de su maestro a discernir entre el mal y los pensamientos justos que brotaban de dentro de la mente humana.[11]

---

11. Burgess, *Eastern Christian Traditions*, 138-139. Sobre la autoridad carismática de los padres del desierto, véase, François Neyt, «A Form of Charismatic Authority», *Eastern Churches Review* 6:1, Spring 1974,

Hay varias biografías de Pacomio, en las que se mencionan diversos milagros y acciones sobrenaturales obradas por el Espíritu Santo a través de él. En una de ellas, leemos que Dios, en lugar de llenar la tierra con tristeza, escogió más bien llenarla con un Espíritu embriagador, que especialmente bendijo a aquellos que siguieron la vida monástica, como Pacomio.[12] Al igual que Antonio, el padre del monasticismo cenobítico egipcio también sufrió en varias ocasiones dramáticos ataques demoníacos, de los que salió airoso.[13] En otros casos, Pacomio sanó a muchos enfermos, como una mujer con flujo de sangre, y una niña afligida poseída por demonios.[14] Además, el monje recibió en muchas ocasiones visiones en relación con herejías y otras situaciones, atribuidas a la revelación del Espíritu.[15]

Estos mismos padres del desierto enseñaron y entrenaron en los dones del Espíritu a sus discípulos, a partir de su propio ejemplo y práctica. De allí que, asociadas a las vidas de los grandes padres, había una serie interminable de historias de señales, prodigios, milagros y maravillas, como también testimonios de los múltiples dones carismáticos que estos ejercían. Es así como, en el caso de Pacomio, se cuenta de este monje del desierto en Egipto, muerto a mediados del cuarto siglo, hablaba la lengua de los ángeles, y en cierta ocasión, habló griego y latín en el Espíritu, si bien jamás había tenido oportunidad de aprender estos idiomas. Una variante del relato dice que después de tres horas de oración ferviente pudo hablar en latín con un visitante occidental.[16]

No es extraño que multitudes hayan salido al desierto para conocer a estos hombres y mujeres de Dios. Los informes

52-65; y Jean-Claude Guy, «Educational Innovation in the Desert Fathers», *Eastern Churches Review* 6:1, Spring 1974, 44-51.

12. Véase, Apostolos N. Athanassakis, trad., *The Life of Pachomius* Scholars Press, Missoula, Montana, 1975, 5.
13. *Vida de Pacomio*, 18, 20, 52.
14. *Ibid.*, 41, 44.
15. *Ibid.*, 102, 48.
16. Williams y Waldvogel, «A History of Speaking in Tongues», 69.

hablan de miles de monjes y monjas en desierto egipcio. Para mediados del siglo V, se calculaba que la mitad de la población adulta de Egipto (excluyendo Alejandría) estaba involucrada en la vida anacorética, y en algunas partes del país había villas en las que no había adultos que no estuviesen bajo los votos monásticos.[17] Estas personas desarrollaron una forma de religiosidad popular asociada al anacoretismo, que esperaba lo milagroso como normal. «Estas expectativas incluían exorcismos, la concesión de fertilidad a mujeres estériles, la restauración de objetos perdidos o robados, la aparición de un santo dado o de la Virgen María, y especialmente, la sanidad de los enfermos tanto en la mente como en el cuerpo».[18] De este modo, el ejercicio de los carismas y las operaciones sobrenaturales del Espíritu, no fueron extrañas para los cristianos que vieron en la vida apartada en el desierto, el ideal de su compromiso con Cristo.

Macario (*ca.* 300-*ca.* 390)

Macario fue un destacado monje del desierto egipcio, de fines del siglo IV. A los treinta años comenzó su vida anacoreta y vivió durante sesenta años como ermitaño. Muy pronto fue seguido por un grupo de discípulos, que admiraban su sabiduría, discernimiento espiritual y ejemplo de vida. Se dice que se ocupaba intensamente de la oración y que había entrado en un estado de éxtasis continuo. Para cuando llegó a los cuarenta años, Macario era conocido por ejercer los dones de sanidades, liberación de demonios y profecía.[19] Paladio y Casiano cuentan que Macario de Egipto resucitó un hombre muerto, con el propósito de convencer a los herejes que no creían en la resurrección de los muertos.[20] Los informes hablan también de

---

17. Stephen Gaselee, *The Copts,* The Royal Central Asian Society, n.f. Londres, 35.
18. Burgess, *Eastern Christian Traditions*, 138.
19. Paladio, *Historia lausíaca*, 17.2, 5.
20. Juan Casiano, *Colaciones*, 15.3; Paladio, *Historia lausíaca*, 17.11.

que en cierta ocasión el monje egipcio fue transportado física-
mente por Dios del desierto al río Nilo.

La *Apophthegmata Patrum* (los dichos de los padres)
mencionan con frecuencia el conflicto de Macario con los
demonios. A través de las pruebas espirituales, el santo probó
ser invulnerable a las fuerzas del mal en razón de su profunda
humildad y dependencia del Espíritu. Los demonios huían de
él debido a su fe en Dios.[21] Precisamente, por haber ejercido
los dones del Espíritu, Macario fue considerado como digno
del sacerdocio.[22] Fue un predicador famoso, que dejó una
buena cantidad de homilías, diálogos, dichos, y cartas. Estos
escritos, según indica Burgess: «Comparten la expectativa
diaria de lo milagroso, una dependencia de los dones de gracia
divinos para vencer a las fuerzas demoníacas, una consciencia
profunda de los efectos del pecado, y, como resultado, una vida
de oración y un estilo de vida ascético que va en procura de un
ideal de perfección extremadamente alto».[23]

Macario insiste en que a través de la oración, el alma se
llena de un éxtasis indecible al poder ver con los ojos humanos
la luz que está en Dios. Él habla del Espíritu como la antorcha
divina en el corazón, sin cuya operación no se puede descubrir
la imagen real. El Espíritu es una luz inefable, y la luz del
Espíritu es la vida del alma.[24] La mente del cristiano está
siempre encendida con una llama celestial debido a la luz del
Espíritu que mora en él.[25] Por eso, todo conocimiento verdadero es revelado por el Espíritu, que deja impresiones secretas
e indecibles en la mente humana. Y quienes de veras son
guiados por el Espíritu no pueden aprender de ningún otro,

---

21. Véase, Benedicta Ward, trad., *The Sayings of the Desert Fathers*, Mowbray,
    Londres y Oxford, 1975, 130.
22. Paladio, *Historia lausíaca*, 17.2.
23. Burguess, *Eastern Christian Tradition*, 144.
24. Macario de Egipto, *Homilía* 1.7. Véase, Arthur J. Mason, *Fifty Spiritual
    Homilies of St. Macarius the Egiptian* SPCK, Londres; Macmillan,
    Nueva York, 1921).
25. Macario de Egipto, *Homilía* 5.11.

sino que en su mente ellos pasan, por la operación del Espíritu, a otra era, la del Reino celestial.[26]

En Macario, el Espíritu Santo es el traje de bodas que se recibe cuando el creyente busca la unión con Dios. Quienes están vestidos con el Espíritu divino son hijos de luz y son transformados en «Cristos y Dioses». La riqueza que viene de Dios es la operación del Espíritu.[27] Pero la acción del Espíritu no solo tiene que ver con provisión, sino también con la consciencia del proceso divino en uno mismo. Es a través del espejo del Espíritu que las bendiciones inefables de Dios se pueden ver.[28] El don del Espíritu está más allá de toda medida, como un tesoro real, y esta abundancia hace que Macario aliente a sus seguidores a «vestirse con la púrpura del Espíritu».[29]

El Espíritu sala y leuda el alma humana con el poder de Dios.[30] Él es quien provee nutrimiento al alma a partir de una amplia gama de comida y bebida espiritual, ya que el alma humana puede recibir su alimento del mundo o del Espíritu.[31] Cuando el Espíritu nos llena, quedamos verdaderamente satisfechos, y ser embriagados con el Espíritu es una embriaguez inefable.[32]

Macario enseña abundantemente acerca de los dones del Espíritu. Según él, el Espíritu da dones y gracias a algunos sin necesidad de que se retiren del mundo, mientras que otros deben esperar hasta más adelante.[33] Los dones del Espíritu («dones reales») son dados a todo el que los pida.[34] No deben ser buscados como fines en sí mismos, sino que más bien ellos

---

26. *Ibid.*, 15.2; 49.2.
27. *Ibid.*, 18.6.
28. *Ibid.*, 5.5.
29. *Ibid.*, 50.4.
30. *Ibid.*, 1.5; 24.3-4.
31. *Ibid.*, 1.11-12; 31.5.
32. Véase, Granville Penn, ed., *Institutes of Christian Perfection*, John Murray, Londres, 1816, 145.
33. Macario de Egipto, *Homilía* 29.1-2.
34. *Ibid.*, 4.6; 39.1.

son dispensados por Cristo a todos aquellos que buscan una vida en Él.[35] Cada persona está adornada de manera singular, y cada una retiene su propia naturaleza y personalidad, si bien está llena con el mismo Espíritu.[36] Cada uno es cada uno, pero el Espíritu obra en todos y cada uno de manera singular. Los dones espirituales son dados de modo que el creyente pueda tener poder.[37] Con este poder, el creyente lleno del Espíritu puede «volar por sobre toda maldad».[38]

Ammonas (fines s. IV)

A fines del siglo IV adquirió renombre otro monje del desierto, conocido por el nombre de Ammonas. Sabemos muy poco sobre él. Aparentemente pasó unos catorce años en el desierto egipcio, bajo la tutela de Antonio. Luego pasó a dirigir un monasterio y quizás fue incluso ordenado obispo. Se le atribuyen unas trece cartas, en las que expresa la absoluta necesidad de la llenura del Espíritu para hacer frente al pecado y a los demonios. El creyente debe pedir a Dios, con todo su corazón, que llene su vida con el Espíritu Santo, el mismo Espíritu que obró en los grandes profetas del Antiguo Testamento. Cuando esto ocurre, los misterios del cielo son revelados al creyente tan pronto como el Espíritu es recibido. No hay palabras que puedan describir estas maravillas y la intensidad de esta experiencia. El creyente es liberado de todo temor y es inundado por el gozo celestial. Es como si la persona ya hubiese sido transportada al Reino de los cielos mientras que todavía está en el cuerpo. El creyente lleno del Espíritu, ya no necesita orar por sí mismo, sino que puede dedicar todo su tiempo al amor, el servicio y la intercesión por otros.[39]

---

35. *Ibid.*, 45.7.
36. *Ibid.*, 32.3.
37. *Ibid.*, 27.17.
38. *Ibid.*, 44.6.
39. Ammonas, *Carta* 8. Véase, Derwas J. Chitty, ed., *The Letters of Ammonas: Successor of Saint Antony* Sisters of the Love of God Press, Oxford, 1979.

Según Ammonas, el Espíritu Santo imparte gozo y dulzura a medida que los fieles purifican sus corazones. Cuando los creyentes persisten en este proceso de purificación y de búsqueda del rostro de Dios con lágrimas y ayuno, negándose a sí mismos, reciben un gozo mayor que antes, y son establecidos aun más firmemente.[40] *Es, precisamente, al pasar y vencer a las pruebas y tentaciones, que el creyente adquiere el don espiritual de discernimiento. Este discernimiento no tiene tanto que ver con los malos espíritus como con el propósito de conocer y entender la voluntad de Dios, en oposición a la voluntad propia y el engaño satánico.*[41] *Ammonas menciona varios dones espirituales, entre ellos, asombro, llanto, fortaleza y la capacidad de llevar fruto. De hecho, el fin de todos los dones espirituales es poder prestar un servicio más efectivo, ya que los individuos «reciben dones y ayudan a los hombres».*[42]

El monasticismo oriental

Si bien el ideal monástico nació en Egipto, muy pronto se difundió por todo el mundo cristiano durante el siglo IV. De todas partes iban personas devotas a Egipto para conocer a los padres del desierto y recibir sus enseñanzas. De este modo, la vida y práctica cristianas cópticas tuvieron una influencia notable. Las hagiografías de Pablo, Antonio, Pacomio y otros comenzaron a recorrer el mundo cristiano, con sus relatos de portentos y maravillas obrados por estos hombres bajo el poder del Espíritu. Así, pues, en Oriente comenzaron a aparecer monjes que imitaban el ideal de vida solitaria de los egipcios, incluso con alguna exageración. A continuación, consideraremos algunos ejemplos.

---

40. Ammonas, *Carta* 9.
41. Ammonas, Carta 11.
42. Ammonas, Carta 6.

Efraín de Siria (306-373)

Nació no antes del año 306, y su fallecimiento suele fijarse en el año 373. Su patria fue Nisibis, en Mesopotamia. Sus padres eran cristianos y fue discípulo de Jacobo Afraates, obispo de aquella ciudad, quien le llevó al Concilio de Nicea (325). Afraates lo nombró maestro de su escuela episcopal en Nisibis. En el año 363, la ciudad cayó bajo el dominio persa y la escuela fue suprimida y Efraín emigró a Edesa, centro espiritual y religioso de toda la región. Basilio lo ordenó diácono; se duda si llegó a la dignidad sacerdotal. Se cree con fundamento que vivió de ordinario, como ermitaño, en un monte próximo a la ciudad, donde recogió alumnos y discípulos, y de donde bajaban con frecuencia a predicar a sus moradores. Allí compuso la mayoría de sus libros, escritos en idioma siríaco, y que le granjearon gran fama y lo constituyen en el más grande de los escritores en lengua siríaca. Teodoreto lo llama «el Arpa del Espíritu».[43]

Efraín fue un prolífico escritor de comentarios bíblicos, homilías (incluyendo obras controversiales), e himnos u odas. Especialmente, se destacó en la poesía, a la que recurrió como medio de enseñanza, exhortación y adoración. De allí que, al igual que otros escritores orientales, le preste mucha atención a la obra del Espíritu Santo. Para él, la vida cristiana consiste en permitir al Espíritu Santo efectuar nuestra entrada en el tiempo sagrado (i.e. el tiempo de la celebración litúrgica, especialmente de la eucaristía) en cualquier momento de la vida. El Espíritu es también quien quita las escamas de los ojos de modo que el cristiano pueda reconocer el mundo como transfigurado y el Reino de Dios como existiendo dentro suyo. En esta mezcla de lo terrenal con lo celestial, de lo temporal con lo no temporal, de lo conocido con lo desconocido, la obra del Espíritu Santo es central.[44]

---

43. Teodoreto, *Carta 145*; cf. *Carta 151*.
44. Burgess, *Eastern Christian Traditions*, 178.

La acción del Espíritu se hace evidente a lo largo de todo el plan de salvación, y se extiende en el tiempo lineal ordinario desde el comienzo de la creación hasta el clímax de las edades y el juicio final. Efraín ve la operación poderosa del Espíritu creador cuando se movía sobre la faz de las aguas para crear al mundo, tanto como cuando se mueve en las aguas del bautismo para crear nuevas personas. En el acto de bautismo, la persona que ha nacido de nuevo se transforma en un hijo de Dios, con la posibilidad de llegar a ser una criatura divina. Por la acción del Espíritu Santo, la criatura caída es transformada y llevada de nuevo a su prístino estado paradisíaco.[45]

Al bautismo le sigue la unción con aceite, por la que el Espíritu imprime sus marcas sobre sus seguidores. Como un anillo de sello cuya impresión queda sobre la cera, así el sello escondido del Espíritu es impreso por el aceite sobre los cuerpos de aquellos que son ungidos en el bautismo.[46] Los cuerpos son ungidos con óleo para el perdón de sus pecados. De este modo, el aceite acompaña al cristiano bautizado en su necesidad, quien sale de las aguas del bautismo vestido con la armadura del Espíritu Santo, brillando a la semejanza de los ángeles.[47] Es así como se recibe el don del Espíritu. Por eso, «aquellos cuyos cuerpos han sentido la humedad del agua, deben sentir en sus almas el don del Espíritu ... pudiendo [sus] almas sentir interiormente el derramamiento del Espíritu sobre ellas».[48] El nuevo bautizado se viste el vestido o ropaje del Espíritu, como lo hicieron los apóstoles desnudos, porque en el nuevo paraíso de la iglesia ninguno de los santos está desnudo.[49]

Otra imagen del Espíritu característica en Efraín es la del fuego. En Efraín, como en muchos otros escritores orientales,

---

45. Véase, Jean Daniélou, *From Shadows to Reality*, The Newman Press, Westminster, MD, 1960, 23-30.
46. Efraín de Siria, *Himnos sobre la virginidad*, 7.6.
47. Efraín de Siria, *Himnos sobre la epifanía*, 3.1-3.
48. Efraín de Siria, *Homilía sobre nuestro Señor*, 53.
49. Efraín de Siria, *Himnos sobre el paraíso*, 6.9.

el fuego del Espíritu es impartido a los participantes en la eucaristía a fin de santificarlos.[50] Su calor divino provee de vestido a los que de otro modo andarían desnudos. Este calor del Espíritu tiene una virtud vivificadora. Efraín de Siria habla del calor divino del Espíritu que derrite todo lo que está congelado, quebrando la capa de hielo del pecado, madurando todas las cosas, y trayendo la primavera a la iglesia. Los labios que están cerrados se abren y son capaces de hablar sin temor «como pájaros en las alturas», con lenguas de fuego enviadas por el Espíritu.[51]

En los escritos de Efraín, la actividad del Espíritu Santo no está limitada a los misterios sacramentales. En la lectura y comprensión de las Sagradas Escrituras, el Espíritu está activo inspirando al creyente para entender el texto. Para ilustrar este punto, él comparte varias experiencias personales, que le ocurrieron mientras estaba leyendo la Biblia. En cierta ocasión, mientras estaba meditando en los primeros versículos del Génesis, fue lleno por el Espíritu con tal gozo, que se sintió como elevado y transportado desde «el seno del libro al seno mismo del paraíso».[52] De igual modo, Efraín se refiere a las visiones proféticas, tanto de los profetas del Antiguo Testamento como los del Nuevo. En la iglesia primitiva, al igual que con los profetas, el Espíritu Santo reveló el plan divino y habló a través de la boca de los fieles.[53] Los apóstoles fueron arquitectos del Espíritu, porque después de Pentecostés se dedicaron a restaurar la fe que estaba siendo sacudida. Estos hombres y mujeres fueron bautizados en el Espíritu y nutridos con la medicina de la vida.[54] Además, recibieron los varios dones del Espíritu.[55] De este modo, mediante la «imposición de manos»,

50. Efraín de Siria, *Himnos sobre la fe*, 10.8-13.
51. *Ibid.*, 10.7-17.
52. Efraín de Siria, *Himnos sobre el paraíso*, 5.3.
53. Efraín de Siria, *Himnos sobre la fe*, 60.5-6.
54. Efraín de Siria, *Himnos de Nisibis*, 46.8.
55. Efraín de Siria, *Comentario sobre el Diatessaron*, 3.1.5, 22.1.

el sacerdocio de Cristo fue delegado de los apóstoles a los obispos.[56]

Efraín mismo había ejercido ciertos dones de maneras poco comunes. Se dice que había recibido del Espíritu el don de lágrimas, con tal abundancia que para él era tan natural llorar como para otros lo es respirar.[57] Efraín habla de dones especiales en otras personas, incluso se refiere a un monje que era conocido por haber cantado los salmos del Espíritu.[58] Sin embargo, estos dones no debían ser buscados, ya que buscarlos podía disminuir la bendición de Dios. Los dones del Espíritu son como miembros que ayudan a la Iglesia a crecer, y no son para el beneficio o jactancia de un individuo.[59]

Finalmente, para Efraín, el Espíritu ha venido a morar en el templo, o sea, en la Iglesia. Pero también mora en los cuerpos vivientes individuales, y esta morada del Espíritu es el poder de la resurrección, poder que se experimenta tanto aquí como en el más allá.[60]

Basilio Magno (331-379)

Oriundo de Cesarea, en Capadocia, fue obispo de esa ciudad del 370 al 379. Fue un gran guía de la Iglesia, y el fundador del monasticismo en la Iglesia Oriental, con sus votos de obediencia, castidad y pobreza. Tuvo oportunidad de visitar los centros monásticos de Palestina, Siria y Egipto, donde aprendió mucho de lo que más tarde aplicó en el Ponto. Basilio es recordado por establecer una regla monástica, que todavía hoy es seguida por los monjes en la cristiandad oriental. Esencialmente fue un asceta y un teólogo, seguidor de Atanasio.

---

56. Efraín de Siria, *Himnos de Nisibis*, 17.2-6.
57. Gregorio de Nisa, *Contra Euconio*.
58. Henry Burgess, *Selected Metrical Hymns and Homilies of Ephraem Syrus*, Robert B. Blackader, Londres, 1853, 44.
59. Efraín de Siria, *In Paulum*, 3.
60. Efraín de Siria, *Himnos de Nisibis*, 49.9, 50.7.

Estudió en Capadocia, Constantinopla y pasó un tiempo en Atenas. Su estilo tenía influencias de Platón y Homero. Conoció personalmente al famoso orador Libanio. Fue un gran obispo, de profunda conciencia social cristiana y defensor de los más humildes.

De todos los padres de la iglesia antigua probablemente ninguno mostró más interés en las cosas del Espíritu que Basilio. Tanto es así, que se le dio el título de «Doctor del Espíritu Santo». Su obra *Sobre el Espíritu Santo* muy posiblemente es la más grande sobre el tema que se haya producido en toda la historia del cristianismo. Basilio vivió en la misma región de Asia Menor que Gregorio Taumaturgo. Él admiraba al Taumaturgo como un *pneumatoforos*, un receptáculo activo, un portador y distribuidor del Espíritu. Sus conclusiones sobre la acción del Espíritu Santo reflejan el grado profundo de la influencia del obrador de maravillas sobre su propia vida y ministerio.

En la historia del cristianismo, se reconoce a Basilio como el hombre que proveyó a la cristiandad oriental con la descripción más articulada y poderosa de la persona y oficios de la Tercera Persona de la Trinidad. Burgess dice que «La comprensión de Basilio sobre el alcance total de la obra del Espíritu Santo en la vida del creyente es quizás la más excepcional en el mundo antiguo».[61]

El Espíritu es el creador de la Iglesia, que, a su vez, cumple su misión a través del Espíritu en la santificación de la creación. En la Iglesia hay una sinfonía o armonía que está conducida por el Espíritu, quien vence la división, contradicción y corrupción.[62] La Iglesia es el Cuerpo de Cristo y la comunión del Espíritu, una hermandad y comunidad de amor gobernada e inspirada por el Espíritu Santo. El Espíritu es el alma que mora en la Iglesia, así como Cristo es su cabeza.[63] La Iglesia es la

---

61. Burgess, *Ancient Christian Tradition*, 139.
62. Basilio, *Sobre el Espíritu Santo*, 16.38.
63. Basilio, *Carta 90*, 1; *Homilía sobre los Salmos*, 48.1.

asamblea de todos aquellos a quienes el Espíritu Santo llama de todas las naciones del mundo con su *kerygma* de salvación a través de los profetas, los apóstoles, y todos aquellos en generaciones posteriores que han recibido los dones de la palabra y la enseñanza.[64] Así, pues, uno de los conceptos singulares de Basilio en cuanto a la Iglesia es que esta es un cuerpo carismático, en el que cada persona ejerce dones únicos y particulares, sin los cuales la comunidad como un todo se vería empobrecida. Basilio veía a la Iglesia como un cuerpo de miembros individuales, cada uno con un don particular dado por el Espíritu:

> Dado que los dones del Espíritu son diferentes, y uno no puede recibir todos [los dones] ni todos [recibir] los mismos dones. Cada uno debe permanecer con sobriedad y gratitud en el don que le fue dado, y todos deben armonizarse unos con otros en el amor de Cristo, como miembros en un cuerpo. De modo que aquel que es inferior en dones no debe desesperarse en comparación con aquel que sobresale, ni tampoco debe el más grande despreciar al menor. Porque quienes están divididos y en discordia con los demás merecen perecer.[65]

De este modo, la edificación o la vida y crecimiento de la Iglesia dependen de que haya la cooperación mutua de sus miembros en el ejercicio y participación de los dones que cada individuo ha recibido.[66] La Iglesia crece y se expande en la medida en que el Paracleto opera en ella a través de la instrumentalidad de creyentes dotados con los dones de palabra y enseñanza.[67]

---

64. *Ibid.* Véase, W.K.L. Clarke, *The Ascetic Works of St. Basil*, SPCK, Londres, 1925, 127-128.
65. Basilio, *Los morales*, 60.1.
66. Basilio, *Reglas tratadas extensamente*, 7.2.
67. Basilio, *Homilía sobre los Salmos*, 48.1.

La predicación cristiana no es una tarea que pueda hacerse por iniciativa propia ni tampoco puede ser impuesta. La proclamación del evangelio es un carisma del Espíritu Santo, un ministerio sagrado que debe ser ejercido en la comunidad cristiana para el beneficio de otros. Aquellos a quienes se les confía el carisma de la palabra y de la enseñanza en la Iglesia deben tomar sus voces prestadas del Espíritu de modo que él pueda escribir palabras de vida eterna en los corazones de los creyentes. De este modo, uno de los carismas que Basilio alentaba más era el de una predicación de poder, si bien también enfatizaba el don de enseñanza. Quienes tienen el don de enseñanza, dice él, son estimulados por la gracia divina. Sus palabras son como flechas afiladas por el poder del Espíritu.[68]

Basilio tendía a depender mucho del liderazgo de aquellos que tenían y ejercían los dones espirituales. Para él, la autoridad y el ministerio en la Iglesia estaban más allá de la posición o experiencia que se tenía, y dependían totalmente en los dones espirituales con que se contaba. Como obispo, prefería dar responsabilidades de liderazgo a monjes menores o hermanos laicos, pero que estuviesen dotados espiritualmente. Él esperaba que aquellos que ejercían el liderazgo y tenían responsabilidades en la Iglesia fuesen personas de alto nivel espiritual, que tuviesen dones de discernimiento de espíritus y pudiesen sanar a los enfermos. También debían ser capaces de predecir el futuro (i.e., tener dones proféticos: Hechos 11.27-28; 20.22; 21.10.11).

Según Basilio, los carismas son dones del Espíritu Santo, dados y aceptados para el beneficio de otros.[69] De este modo, los carismas no son fines en sí mismos sino instrumentos de virtud. Su propósito, pues, es el servicio al prójimo. Estos dones no consisten solo de profecía y sanidades, sino también de todos los bienes y servicios terrenales. Junto con los dones espirituales, que producen unidad en el Cuerpo de Cristo, la

---

68. *Ibid.*, 44.4, 6.
69. Basilio, *Esbozo previo de la vida ascética*, 3.

koinonia de las posesiones materiales contribuye a la edificación de la comunión cristiana.[70]

Las comunidades monásticas fundadas y organizadas por Basilio se caracterizaron por ser profundamente carismáticas. Paul J. Fedwick concluye que «Un estudio más profundo [del ordenamiento carismático de las comunidades basilianas] casi seguramente mostrará que la estructura ministerial de sus hermandades fue más bien suelta, flexible y abierta, permitiendo considerablemente más libertad para las manifestaciones carismáticas que las que uno estaría listo o dispuesto a admitir».[71] Fedwick muestra que en la enseñanza de Basilio, el Espíritu está activo en cada etapa del crecimiento del alma, ya sea en su purificación, iluminación o perfección. Y esto es especialmente cierto en relación con la comunidad monástica ideal.

Pero Basilio no limita la obra del Espíritu al contexto monástico. Todos los creyentes son recipientes del don del amor, que es el más sublime de todos los dones del Espíritu, y la síntesis de todas las obligaciones del ser humano hacia Dios y sus prójimos. Por eso, el aspecto más impresionante de la vida e influencia carismática de Basilio fue su singular combinación del ministerio de predicación y enseñanza con la acción social cristiana. El monje capadociano creó una comunidad, llamada «Pueblo Nuevo», y más tarde conocida como Basilead, para llenar las necesidades sociales de miles de personas, entre ellas viudas, huérfanos, leprosos, pobres e incluso viajeros.[72] *En este proceso, Basilio guió a otros al rol de pneumatoforos*: aquellos guiados por el Espíritu para dar de sí mismos en lugar de buscar lo suyo propio. Y él mismo, primero como monje y más tarde como obispo, fue el mejor

---

70. Basilio, *Homilía sobre los Salmos*, 11.5.
71. Paul J. Fedwick, *The Church and the Charisma of Leadership in Basil of Caesarea*, Pontifical Institute of Medieaeval Studies, Toronto, 1979, 39.
72. Gregorio de Nacianzo, *Panegírico sobre san Basilio*.

ejemplo del *pneumatoforos*, expresando como pocos antes de
él o después de él, la extraordinaria riqueza de la vida en el
Espíritu. Su confianza en la vitalidad de la provisión divina es
inquebrantable, tal como puede verse en las palabras finales de
su tratado sobre el Espíritu Santo:

> Mi tarea ahora está hecha. Si encuentras que he hablado
> satisfactoriamente, hagamos que esto sea el final de nuestra
> discusión de estas cuestiones. Si piensas que algún punto
> requiere mayor elucidación, ora para que no dudes en
> proseguir la investigación con toda diligencia, y en agregar
> tu propia información levantando cualquier pregunta no
> controversial. Ya sea por medio mío o a través de otros, el
> Señor concederá una explicación plena sobre cuestiones
> que todavía necesitan ser clarificadas, conforme al conoci-
> miento suplido a aquellos que son dignos por el Espíritu
> Santo. Amén.[73]

Epifanio de Salamina (315-403)

En el año 335 fundó un monasterio en Eleuterópolis, cerca
de Gaza (Judea), su ciudad natal. De allí, después de treinta
años (367) pasó a Constancia (Salamina) en Chipre, donde
sirvió como obispo. Fue muy amigo de Jerónimo, y lo acompañó cuando este fue a Roma, en el año 381, a visitar al obispo
Dámaso. Epifanio adquirió una gran reputación por sus conocimientos y santidad. Se le debe a Epifanio la conservación del
Credo de Constantinopla (381), en el que se señala que «el
Espíritu Santo no es distinto del Padre ni del Hijo respecto a
la substancia».[74]

Se lo conoce a Epifanio como uno de los caza herejes más
celoso de los tiempos antiguos. Sus obras contra las herejías y

---

73. Basilio, *Sobre el Espíritu Santo*, 30.79.
74. Epifanio, *Ancoratus*, 73.

en favor de la ortodoxia suman cerca de ochenta, entre ellas el *Ancoratus*. Sin embargo, de todas ellas, la mejor conocida es *Panarion*, generalmente citada de manera abreviada como *Haer.*, que conserva muchos extractos de obras que ya no existen. Entre estos fragmentos, Epifanio presenta el registro de algunas declaraciones de Montano y sus seguidores. Entre ellas, según Epifanio, Montano afirmó: «He aquí el hombre es como una lira, y yo vuelo sobre ella como un plectro. El hombre duerme, y yo permanezco despierto. He aquí es el Señor que sacude los corazones de los hombres, y les da corazones a los hombres».[75] En otro pasaje, pone en boca de Montano las siguientes palabras: «Yo soy el Señor Dios Todopoderoso, morando en el hombre. No es un ángel ni un embajador, sino yo, Dios el Padre, que vengo».[76]

Es muy probable que Epifanio esté correctamente registrando palabras de profecía dadas por Montano, pero que sin entender adecuadamente el ejercicio de este don carismático, tomara estas expresiones como indicativas de la falsedad de Montano y su arrogancia espiritual. En el mismo sentido cita a la profetiza Maximilia, cuando dice: «No me oigáis a mí, sino oíd a Cristo».[77] Nuevamente Maximilia aparece diciendo: «Después de mí ya no habrá más profetizas, sino la consumación».[78] Y también: «El Señor me envió a ser la líder del partido, informante, intérprete de esta tarea, profesión, y pacto, constreñida, sea que él quiera o no, a aprender del conocimiento de Dios».[79]

Epifanio registra fragmentos similares tomados, según él, de labios de la otra profetiza de Montano, Priscila: «Cristo vino a mí en la semejanza de una mujer, vestido con un ropaje brillante, y él plantó sabiduría en mí y reveló que este lugar

---

75. Epifanio, *Panarion*, 48.4.
76. *Ibid.*, 48.11.
77. *Ibid.*, 48.2.
78. *Ibid.*
79. *Ibid.*, 48.12-13.

[Pepuza] es santo, y que aquí desciende Jerusalén desde los cielos».[80]

Epifanio señala, en oposición a los excesos del montanismo, que los verdaderos profetas profetizaron sin perder su razón.[81] Él también informa que Montano pretendía haber recibido una revelación más plena del Espíritu Santo que aquella que poseía la Iglesia. Por otro lado, parece que sus discípulos reclamaban poco menos que la obligación de ejercer los dones del Espíritu Santo. «Tenéis la obligación de acoger los carismas», decían ellos, según Epifanio.[82] En el año 375, Epifanio reacciona a esta demanda, señalando: «Tenemos el deber de aceptar también los carismas». Pero añade: «La santa Iglesia de Dios los acoge igualmente, pero (en ella) se trata de carismas verdaderos, autentificados por el Espíritu para ella; que le vienen de los profetas, de los apóstoles y del Señor mismo».[83] De este modo, parece claro que Epifanio no descarta los carismas ni su ejercicio en sus días, sino los excesos montanistas en relación con los mismos.

El monasticismo occidental

Los primeros conatos de monasticismo en Occidente tienen que ver con ciertas formas de ascetismo de origen remoto. Pero el antecedente más importante para este movimiento en esta parte del mundo fue la obra y el ejemplo de Atanasio de Alejandría. En el año 340 llegó a Roma acompañado de dos monjes, Isidoro y Ammón, que causaron gran admiración. *La Vida de San Antonio*, escrita por el mismo Atanasio, ejerció un poderoso influjo y deshizo algunos prejuicios que existían en

80. *Ibid.*, 49.1.
81. *Ibid.*, 48.2. Citado también en Pierre C. de Labriolle, ed., *Les sources de l'histoire du montanisme*, Librairie de l'Université, Friburgo, 1913, 117.
82. Epifanio, *Panarion*, 48.1. Véase, Labriolle, *La crise montaniste*, 136.
83. Epifanio, *Panarion*, 48.1. Véase Labriolle, *Les sources de l'histoire du montanisme*, 115, n. 88.

Occidente contra los monjes orientales. Así fue que, pronto comenzaron a proliferar los monasterios por todas partes. En el norte de Italia, Ambrosio y Eusebio de Vercelli fundaron sus monasterios. En Roma, Jerónimo hizo lo propio, después de haber hecho varios años de vida ermitaña en la Tebaida, donde conoció el anacoretismo y el cenobismo. Estando en Roma, llamado por el obispo Dámaso (383-385), contribuyó a difundir el amor a la vida monástica. De sus cartas y demás escritos se sacó un conjunto de normas, que se conocen como *Regla de San Jerónimo*, si bien él no escribió una regla propiamente dicha.

En África, Agustín de Hipona fomentó de muy diversas maneras la vida monástica. Compuso una *Regla* (*Regula ad servos Dei*), la cual completada con la *Carta 211*, dirigida a una monja, constituyen la *Regla de San Agustín*. En Francia, Martín de Tours fue el pionero de la vida monástica, al fundar monasterios en Tours y Poitiers. A su muerte en 397 existían en Francia más de dos mil monjes. En el sur de Francia (Marsella), Casiano fundó en 410 el monasterio de San Víctor. Sus *Instituciones* y sus *Colaciones* son un buen conjunto de normas sobre la vida monástica. San Cesáreo de Arlés, monje primeramente en el monasterio de Lerins, fundado por Honorato (405), compuso dos *Reglas*, para monjes y monjas, y una *Recapitulación*, donde expone la organización de la vida monástica de su tiempo. En España, el Concilio de Zaragoza (380) ya habla de monjes en esa región. El ascetismo era conocido desde mucho antes. El Sínodo de Elvira, de principios del siglo IV, habla en sus cánones 4 y 13 de vírgenes consagradas a Dios.

Al igual que ocurrió en Oriente, es en el monasticismo occidental donde con más frecuencia se encuentran los testimonios de las operaciones sobrenaturales del Espíritu Santo. Vamos a considerar dos casos sumamente interesantes, ambos ubicados en la Galia cristiana (Francia).

Martín de Tours (¿ - 397)

Martín era hijo de padres paganos. Al igual que su padre, sirvió como oficial del ejército, hasta que, siendo catecúmeno todavía y encontrándose en el norte de Galia, vivió una experiencia singular. Había compartido su capa con un mendigo en un frío día de invierno, y esa noche, en un sueño, vio al Señor con la mitad de su capa que había regalado, y que le decía que había sido él el mendigo a quien de este modo Martín había bendecido. Después de bautizado y de abandonar el ejército, se unió a Hilario de Poitiers (ca. 300-367), famoso campeón de la ortodoxia nicena. Después de intentar ganar a sus padres a la fe cristiana, se hizo ermitaño. Otros se reunieron con él y se formó un grupo, que vino a ser el comienzo de una comunidad monástica. De este modo, y con el tiempo, llegó a ser el principal dirigente del monasticismo en Galia.

Los ciudadanos de Tours querían que fuese su obispo y lo constriñeron a que aceptase esa responsabilidad. Así lo hizo, mientras continuaba viviendo como un ermitaño y realizando numerosos milagros. Su fama creció muy pronto y muchos lo siguieron en su vida monástica. Gracias a sus esfuerzos evangelizadores se convirtió la mayor parte del distrito rural cercano a Tours. Él guió a sus frailes a la predicación, a la destrucción de los templos paganos, y a la administración del bautismo a miles.

Conocemos de Martín a través de una hagiografía escrita por Sulpicio Severo, *Vida de San Martín*, que fuera una de las primeras obras en su género. Severo, su biógrafo, nació de una familia aristocrática en Aquitania hacia el 360, y fue bautizado quizá hacia el 389 para consagrarse finalmente a la vida monástica y al estudio. Conoció personalmente a Martín de Tours, quien fue su consejero. Su biografía de Martín fue escrita en vida aún del mismo y fue publicada hacia el año 400. En ella, Sulpicio destaca el ascetismo, espiritualidad y santidad de Martín, al tiempo que subraya el carácter sorprendente de sus milagros. Con un fuerte tinte apologético y propagandístico, la obra de Sulpicio debe ser considerada con cautela ya que al igual que cualquier hagiografía tiende a la exageración.

Luego de narrar la infancia de Martín y los primeros años de ministerio, Sulpicio muestra al obispo de Tours cumpliendo su vocación de monje y taumaturgo. Relata su ministerio de evangelización rural, sostenido por sus dones de sanidades, echando fuera a los demonios de las vidas de muchas personas, y llevando a cabo una guerra espiritual intensa.[84] La conclusión del libro de Severo presenta a Martín como maestro espiritual, asceta y santo.[85] De este modo, la suya fue la vida y la espiritualidad militante de un soldado convertido en monje y obispo.

La profusión de elementos milagrosos en el relato de Severo ha generado no pocas polémicas y críticas en algunos estudiosos. Se lo acusa de impostor y exagerado en atribuir a Martín hechos sobrenaturales que no existieron. Otros han indicado que Severo es coherente con el género de literatura que produce, y que escribe con la libertad típica de la hagiografía de la época, mezclando verdad y ficción, según la inspiración, a la vez mística y popular, de su imaginación.[86]

El lector debe estar advertido que cuando tratamos con los testimonios de la acción del Espíritu Santo en el monasticismo, estamos básicamente utilizando como fuentes de información material hagiográfico. Este tipo de literatura generalmente apela a lo fantasioso e imaginario para elevar la figura del santo o santa de que trata. Todo esto supone un problema de credibilidad y objetividad del testimonio en consideración. No obstante, muchos de los milagros, señales, prodigios y maravillas que se mencionan guardan relación con los milagros que se registran en el Nuevo Testamento. Este puede ser un buen criterio para despojar a las hagiografías del componente fantasioso y desentrañar la riqueza del testimonio cierto de la

---

84. Sulpicio Severo, *Vida de San Martín*, 5-7.
85. *Ibid*., 8.
86. Entre los críticos, véase, E. Charles Babut, *Saint Martin de Tours*, París, 1912). Entre los defensores de Severo, véase, C. Jullian, «Remarques critiques sur les sources de la *Vie de saint Martin*, sur la vie et les oeuvres de saint Martin», *Revue des Etudes Anciennes* 24 (1922); y H. Delehaye, «Saint Martin et Sulpice Sévère», *Analecta Bollandiana* 38, 1920, 5-136.

operación poderosa del Espíritu a través de los creyentes. Como señala Burgess:

> Los cristianos del siglo cuarto leían y se maravillaban de las acciones de los santos y santas, acciones que estaban mucho más allá de las que se esperaban de los creyentes comunes. El poder detrás de tales maravillas era atribuido al Espíritu Santo, cuyos dones extraordinarios estaban reservados para unas pocas personas especiales. Desde el siglo IV en adelante, este número selecto vino de entre el episcopado y los ascetas destacados. Los monjes ahora estaban caminando en los zapatos de los mártires —y, de igual modo, ellos habían heredado el manto del Espíritu.[87]

Juan Casiano (365-435)

Nació en la Escitia, pero algunos escritores piensan que era de origen provenzal (Francia). Desde muy pequeño, se dedicó a la vida religiosa, y para ello viajó a Tierra Santa. Recibió su educación juvenil en Belén y luego residió durante unos diez años entre los monjes de Egipto y de Nitria. Hacia el año 400 fue ordenado diácono en Constantinopla por el patriarca Juan Crisóstomo, a quien defendió ante al papa Inocencio I, cuando cayó en desgracia y fue desterrado de su sede. Más tarde fue a Roma, donde recibió la ordenación sacerdotal. No es seguro que haya regresado a Constantinopla, pero se sabe con certeza que en el año 410 fijó su residencia en Marsella (Francia), donde fundó dos monasterios, uno para varones (el famoso monasterio de San Víctor) y otro para mujeres.

Su pensamiento teológico era ortodoxo, si bien en materia de la gracia sostenía una postura semi-pelagiana. A pedido de quien más tarde llegó a ser el papa León I, escribió un tratado titulado *Siete libros sobre la encarnación del Señor contra*

---

87. Burgess, *Ancient Christian Traditions*, 123.

Nestorio (430). Sin embargo, su contribución mayor tiene que ver con el surgimiento del monacato occidental. Casiano fue una suerte de misionero del cenobismo egipcio en Galia. Si bien no fue él quien introdujo el monasticismo en Europa, sí fue él uno de los más entusiastas propagandistas del mismo en el sur de la Galia. Con sus escritos austeros contribuyó al fomento de las prácticas ascéticas y a la instrucción y edificación de los monjes. Sus dos obras principales son: *Sobre las instituciones de los cenobios y sobre los remedios de los ocho vicios principales* (conocida como *Instituciones*), y *Colaciones de los grandes Padres* (conocida como *Colaciones*, es decir, conferencias).

La que más nos interesa es la segunda, ya que en sus *Colaciones*, Casiano refiere las conversaciones que él y su amigo Germán tuvieron con los monjes de Egipto. Además, esta obra está dedicada especialmente al fomento de la vida interior y espiritual de los monjes. Por su tema, su estilo sencillo y popular, este libro tuvo mucha aceptación y a lo largo de toda la Edad Media fue muy estimado como manual para la vida espiritual en los círculos cenobíticos.

Casiano nos dejó un testimonio interesante de lo que puede ser la práctica de la oración en lenguas, bajo la inspiración del Espíritu Santo. La oración es uno de los elementos esenciales de la vida monástica. La oración constante es fundamental para llegar a la perfección. Pero hay varios niveles de oración. La oración perfecta solo se alcanza gradualmente y a través de varias etapas. La última etapa es solo para aquellos que han desarraigado de su alma todo lo que es dañino, y que, en consecuencia, pueden entregarse de lleno a la oración de fuego que trasciende a toda expresión y comprensión humana.[88] Esto es lo que Casiano denomina como «oración perfecta». Este tipo de oración se caracteriza por la presencia de una llama incomprensible y consumidora, que atraviesa todos los niveles y formas de la oración, y ofrece «a Dios las oraciones indecibles de la fuerza más pura, que el Espíritu mismo ...

---

88.   Juan Casiano, *Colaciones*, 9.15.

[pronuncia] con gemidos que no pueden ser pronunciados ... o [que puedan ser] recordados por la mente [con posterioridad]».[89] Quien vive esto es también inundado por un gozo y arrobamiento indecibles.

Incluso, llega un momento en el que, cuando una persona contempla a Dios en una oración perfecta e incorruptible, no se pueden pronunciar palabras. Pero la mente está encendida con una agudeza de espíritu incalculable, que resulta en el éxtasis del corazón.[90] Esta experiencia de oración sublime y extática es el resultado de la acción secreta del Espíritu Santo. Casiano la propone como la meta que debe ser buscada por cada uno de sus monjes. Así, pues, describe la oración perfecta en estas palabras:

> Yo siento que por la visitación del Espíritu Santo he obtenido propósito de alma, firmeza de pensamiento, agudeza de corazón, junto con un gozo inefable y la traslación de mi mente; y en la exuberancia de los sentimientos espirituales he percibido, por una iluminación repentina del Señor, una abundante revelación de ideas de las más santas, que anteriormente estaban totalmente escondidas para mí.[91]

Cualquier cristiano que haya experimentado la unción o llenura del Espíritu, con sus manifestaciones características, puede sentirse identificado con el tipo de experiencia que Casiano describe.

El Espíritu Santo es también quien permite al creyente pasar de un conocimiento meramente práctico y natural a un conocimiento espiritual y sobrenatural. En el decir de Casiano, esto es ascender a los «secretos de los misterios invisibles».[92]

---

89. *Ibid.*
90. *Ibid.*, 10.1.
91. *Ibid.* 10.10.
92. *Ibid.*, 14.1.

Este conocimiento tiene que ver con la comprensión de los significados más secretos de las Escrituras, pero también de la realidad. El creyente lleno del Espíritu puede, de este modo, «contemplar con el ojo puro del alma los misterios profundos y escondidos; porque esto no se puede obtener por el aprendizaje humano, ni alguna condición del mundo, sino solo por la pureza del alma, por medio de la iluminación del Espíritu Santo»[93]

Tal parece como que Casiano está refiriéndose aquí al don carismático de palabra de ciencia o conocimiento. Sea como fuere, él compara este conocimiento espiritual con el aceite que fue derramado sobre la cabeza de Aarón y que descendió sobre su barba y llegó hasta el borde de sus vestiduras (Salmos 133.2). Este conocimiento espiritual es «más dulce que la miel y que el panal» Salmos 19.10b).[94] Otra vez, cualquier hermano en Cristo que haya recibido del Espíritu el don de palabra de ciencia, puede hacer propias las expresiones de Casiano.

Al igual que el apóstol Pablo, Juan Casiano relaciona la presencia del Espíritu Santo en la vida del creyente con el desarrollo de ciertos dones espirituales y con las varias manifestaciones del fruto del Espíritu. Casiano divide los dones en tres grupos o sistemas. Están aquellos dones que son impartidos por el Espíritu para sanidad (sanidad de los enfermos, resucitación de muertos, limpieza de leprosos, expulsión de demonios). Están aquellos otros que son para la edificación de la Iglesia (sabiduría, conocimiento, fe, etc.). Y están también los dones falsos, inventados por los demonios engañadores.[95]

De entre todos los dones, probablemente el más apreciado por Casiano sea el de discernimiento de espíritus. Consistente con los escritos de los padres del desierto, Casiano también considera a este don como una rareza y algo especial. Según él, el discernimiento de espíritus es la recompensa más grande de

---

93. *Ibid.*, 14.9.
94. *Ibid.*, 14.14.
95. *Ibid.*, 15.1.

la gracia divina. Este don debe ser utilizado para discernir los espíritus que se manifiestan en el monje mismo, así como para identificar a los espíritus inmundos que operan en los endemoniados.[96]

Según Casiano, el ejercicio de los dones espirituales caracterizó el ministerio de los profetas y apóstoles. Todos ellos recibieron de Dios alguna porción de su Espíritu. Pero todos ellos no llegaron a la estatura de Cristo, quien es en sí mismo toda la plenitud de la Deidad.[97] No obstante, cualquier creyente que busque la perfección puede recibir estos dones. Sin embargo, nadie debe ser admitido a la vida monástica en base a su ejercicio de algún don espiritual, porque los verdaderos dones espirituales son actos de la gracia de Dios y son dados para ayudar a los individuos en sus actividades específicas en la vida. De este modo, los dones son entendidos por Casiano como herramientas con las cuales servimos al Señor, y no como elementos sobre los cuales podemos gloriarnos.[98]

Todos los creyentes debemos ser templos de Dios, en los que el Espíritu de Dios puede morar y funcionar.[99] Ningún miembro de la Iglesia puede pretender tener todos los dones ni ejercer los ministerios de otros miembros, porque todos tenemos diferentes dones (1 Corintios 12.28).[100] Además, todos los dones espirituales son dados por un tiempo, y luego pasarán, es decir, no son permanentes. Lo único que permanecerá es el amor.[101] Y sin el amor, incluso los dones más excelentes (como podría ser el martirio) desaparecerán. Así que, lo máximo de la perfección no está en los dones espirituales o en la ejecución de milagros, sino en la pureza del amor, que es eterno.[102] Por eso, la excelencia de los dones no

96. Véase, *Ibid.*, 2 y 7.12.
97. Juan Casiano, *Siete libros contra Nestorio*, 5.14.
98. Juan Casiano, *Colaciones*, 15.2.
99. Juan Casiano, *Instituciones*, 9.3.
100. Juan Casiano, *Colaciones*, 14.5.
101. *Ibid.*, 1.11.
102. *Ibid.*, 11.12; 15.1-2.

consiste en milagros, sino en humildad. Es mejor expulsar a los pecados propios, que a los demonios ajenos.[103] Es más, Casiano llega a sugerir que si bien muchos de los monjes tenían abundancia de dones espirituales, debían abstenerse de usarlos, a menos que una necesidad extrema o inevitable los llevara a hacerlo.[104]

A pesar de estas advertencias prácticas, es evidente que Casiano presenta suficientes ejemplos de la vigencia y operación de los dones espirituales en sus días. En sus escritos hay abundantes referencias a monjes conocidos por sus hechos portentosos y sobrenaturales. Casiano cuenta de Macario de Egipto, que resucitó a un muerto; o de un abad llamado Abraham que curó los pechos de una mujer de modo que pudo amamantar a su infante, y que también sanó a un hombre paralítico durante muchos años.[105]

---

103. *Ibid.*, 15.7-8.
104. *Ibid.*, 15.2.
105. *Ibid.*, 15. 3-5.

9

EL CRISTIANISMO DEL SIGLO V

a hemos considerado los efectos de la conversión de Constantino, la alianza con el Imperio Roma- no, y la creciente institucionalización de la iglesia en Occidente sobre el ejercicio de los carismas del Espíritu y la valoración de sus manifestaciones sobrenaturales en la iglesia. Estos factores continuaron teniendo sus conse- cuencias a lo largo del siglo V. Sin embargo, desde un punto de vista político, las crisis más graves de Occidente durante este siglo fueron la debacle del Imperio Romano, la profundización de las invasiones bárbaras, y la separación entre el este y el oeste. En Oriente, los emperadores bizantinos, si bien también padecieron las invasiones y tuvieron que mantener una política defensiva contínua contra los bárbaros, lograron mantener su autoridad gracias a no tener fracturas internas. Pero en el oeste las cosas fueron diferentes. En el primer cuarto del siglo, los visigodos se establecieron en el sur de Galia, y en el segundo los vándalos asolaron el norte de África, mientras los hunos penetraban en Galia e Italia. La defensa contra estos adversarios fue asumida por generales bárbaros al servicio de Roma. Estos generales fueron desplazando a los emperadores, hasta que por fin terminaron con el Imperio y crearon sus propios reinos germánicos.

En este siglo tan convulsionado, la Iglesia fue un reflejo de esta situación política, de modo que fue inevitable la separación entre la iglesia oriental y la occidental, entre Roma y Constantinopla, arguyendo cuestiones teológicas. Los debates teológicos crearon una enorme ansiedad colectiva y atomizaron las fuerzas para el testimonio cristiano. Lo político y lo teológico estuvo íntimamente ligado, con lo cual las controversias adquirieron un grado de virulencia y violencia inusitado. El imperio de la carne se fue imponiendo al dominio del Espíritu. Las grandes masas de convertidos nominales que ingresaron a la Iglesia, no tenían una verdadera y auténtica experiencia de conversión, que les permitiese conocer la realidad de la presencia del Espíritu en la vida, y mucho menos, experimentar su poder y manifestaciones.

No obstante, a pesar de la turbulencia, confusión, ansiedad, y conflictos de este siglo, el Espíritu Santo no se quedó inactivo o inoperante en medio de su pueblo. De ello dan testimonio numerosos siervos del Señor, tanto de Oriente como de Occidente, algunos de los cuales consideraremos en las páginas que siguen.

Cristiandad oriental

La cristiandad oriental durante el siglo V se vio afectada notoriamente por las decisiones y secuelas de dos importantes concilios ecuménicos: el de Éfeso (431) y el de Calcedonia (451). Estos cónclaves pusieron fin respectivamente a las controversias nestoriana y monofisita, pero el resultado práctico fue el desmembramiento de la Iglesia y la división entre el este y el oeste. Hacia Oriente, en las provincias persas de Nisibis y Seleucia se impuso el nestorianismo, mientras que en las de Siria y Osroene predominó el monofisismo. La mayor parte de los testimonios escritos de esta cristiandad oriental están en lengua siríaca y son de teología nestoriana.

Hacia fines del siglo V, el emperador bizantino cerró la escuela teológica de Edesa, que era tenida por centro nestoriano. La escuela se instaló entonces en el territorio persa de Nisibis. De este modo, a partir del sínodo de Ctesifonte (año 486), el nestorianismo pasó a ser la forma de cristianismo oficial de los cristianos que vivían dentro del Imperio Persa. Estos cristianos querían romper todo tipo de relación con el Imperio Romano, y especialmente librarse de la acusación de que eran espías al servicio del emperador de Constantinopla. Separados de Occidene, los nestorianos persas fueron grandes misioneros y llevaron el evangelio tan lejos como Chang-an, en la China.

En todo este proceso es posible detectar testimonios de la acción del Espíritu Santo. Sorprende que, a pesar de las persecuciones, las controversias teológicas, la división entre Oriente y Occidente, y la turbulencia política de estos años, creyentes e iglesias consideraban como poderosa y dinámica la operación del Espíritu en medio de ellos.

Narsés (413-*ca.* 503)

Como se indicó, el centro del desarrollo del nestorianismo en Oriente, hacia mediados del siglo V, fue la escuela nestoriana de Nisibis, ciudad dentro del Imperio Persa. Allí encontraron refugio y oportunidad de ministerio muchos seguidores del nestorianismo que tuvieron que dejar Edesa y otras ciudades orientales en razón de las persecuciones, tanto de parte de la Iglesia como del Estado. Entre estos fugitivos se encontraba Narsés, quien llegó a dirigir la escuela de Nisibis por cerca de cincuenta años. Sus adversarios lo llamaban «el leproso», pero los nestorianos lo recordaban como «doctor admirable», «arpa del Espíritu Santo», «lengua de Oriente», etc. Probablemente, fue el pensador más profundo y original de la gran Iglesia del este o iglesia asiria, más conocida como iglesia nestoriana. Fue un escritor bastante fecundo, destacándose por sus homilías, una liturgia, una exposición de los sacramentos del bautismo y de la eucaristía y un tratado *Sobre la corrupción de las costumbres*.[1]

Al igual que otros escritores de su tiempo, tanto orientales como occidentales, Narsés asocia la unción del Espíritu Santo al sacramento del bautismo. Y ligado a este rito cristiano fundamental, destaca la virtud reveladora del Espíritu. En su bautismo, el Espíritu reveló a Jesús; y Juan el Bautista, llamado por el Espíritu a proclamar la venida del reino, lo vio venir y anheló encontrarse con aquel a quien los profetas y reyes habían estado buscando.[2] Fue allí, en su bautismo, que el hombre Jesús recibió al Espíritu bajo la figura de una paloma y fue ungido con un poder oculto, de modo que por el poder del Espíritu Él pudiese echar fuera demonios y sanar a los enfermos. El Espíritu lo ungió no con el aceite de la ley mosaica, sino con uno superior a todos los demás.[3] De este modo, Jesús fue armado con el Espíritu para redimir a su raza del mal al cubrirla con el ropaje del bautismo y al darle una corona totalmente trenzada con los sellos del Espíritu.[4] Así, pues, a través del don del Espíritu, Jesús completó y perfeccionó aquello que era deficiente en la humanidad, al permitir a otros miembros de su raza humana compartir en la riqueza del Espíritu.[5]

El Espíritu Santo se manifestó también poderosamente en la experiencia de la muerte y resurrección de Jesús. Pero fue en Pentecostés que el tesoro del Espíritu fue entregado en las manos de un nuevo sacerdocio, para que este lo dispense a

---

1. Sobre Narsés, véase, R. Hugh Connolly, ed., *The Liturgical Homilies of Narsai*, en *Studies and Texts* 8 University Press, Cambridge, 1909; y especialmente, Frederick G. McLeod, ed., *Narsai's Metrical Homilies on the Nativity, Epiphany, Passion, Resurrection and Ascension*, en *Patrología Orientalis* 40:1, Brepols, Turnhout, Bélgica 1979. En ambos casos, los números indican los números de página en estas obras.
2. McLeod, ed., *Narsai's Metrical Homilies*, 79, 85.
3. *Ibid.*, 89, 91, 99.
4. *Ibid.*, 67, 91, 95, 97, 137, 163.
5. *Ibid.*, 97.

otros. De este modo, mediante la imposición de manos, el
sacerdote recibe el poder del Espíritu, de suerte tal que es
capacitado para llevar a cabo los misterios divinos. El ropaje
del Espíritu adorna su alma y ahora tiene al Espíritu en la punta
de su lengua.[6]

La llenura o unción del Espíritu es descrita en términos
que resultan bastante familiares en nuestros días. Narsés se
refiere en varias partes a esta experiencia, generalmente asociada con la celebración de la eucaristía o el bautismo, y la llama
la «droga del Espíritu». En el culto eucarístico, el sacerdote
invita al Espíritu a descender sobre la congregación reunida, a
fin de que por su don ella pueda ser digna de recibir el Cuerpo
y la Sangre. El Espíritu hace que el poder de su deidad more
en el pan y el vino, completando el misterio de la resurrección
del Señor de entre los muertos. La presencia del Espíritu es
esencial para la celebración de la eucaristía.[7]

Algo similar ocurre con el sacramento del bautismo. En
este rito, el bautizado muere simbólicamente al pasar por la
tumba del agua, y es levantado en representación de la resurrección que tendrá lugar al final de los tiempos.[8] Narsai
también compara la pileta bautismal a un horno en el que el
Espíritu hornea la débil arcilla humana.[9] Mediante este calor
del Espíritu la escoria de cuerpo y alma del creyente es limpia-
da, y el bautizado sale del agua no como arcilla sino refundido
como oro espiritual, con la matriz de los seres celestiales.[10] En
este proceso, el sacerdote es como un pintor del Espíritu, sin
manos.[11] Y la «droga del Espíritu» (la unción) está en el agua
como en un horno, para purificar la imagen humana de toda
impureza.[12] De este modo, el sacerdocio fue establecido por

6. Connolly, ed., *Homilies of Narsai*, 40.
7. *Ibid.*, 20-23.
8. *Ibid.*, 51-52.
9. McLeod, ed., *Narsai's Metrical Homilies*, 87.
10. Connally, ed., *Homilies of Narsai*, 32, 49.
11. *Ibid.*, 34.
12. *Ibid.*, 43, 48-49, 64.

Dios para sanar la iniquidad y para proveer de sanidad también al cuerpo. El sacerdote sella (unge) también a sus ovejas en el nombre del Padre, del Hijo y del Espíritu Santo, a quienes los nuevos bautizados ahora pertenecen, y con estos nombres ellos son marcados.[13]

Pero la unción del Espíritu Santo no se agota con el actó del bautismo. Por el contrario, después del bautismo, el Espíritu toca a aquellos que tienen enfermedad en sus almas e iniquidad en sus pensamientos para que corran al sacerdote continuamente a fin de recibir esta «droga del Espíritu».[14] De este modo, a través de la unción, el sacerdote ayuda a los bebés espirituales a crecer con el alimento del Espíritu (la comida del pan y el vino de la eucaristía). A lo largo de todos los escritos de Narsés hay exhortaciones que alientan a los creyentes a procurar las riquezas del Espíritu, la promesa del rey que no puede ser quebrantada: «¡Venid! ¡Esforcémonos para recibir gratis la riqueza del Espíritu!»[15]

Filoxeno de Mabbug (ca. 440-523)

Sus padres se habían convertido al cristianismo siendo él todavía un niño. Fue educado en la escuela persa de Edesa. Desde joven se vio involucrado en las controversias teológicas en oposición al nestorianismo. Dejó Edesa y fue a Antioquía, de donde fue expulsado por monofisita, hasta que llegó a ser obispo de Mabbug o Hierópolis («ciudad santa»). Tuvo mucho éxito en la evangelización de su ciudad, si bien estuvo envuelto en controversias de manera continuada con las autoridades civiles y militares del lugar. En su adultez, Filoxeno desarrolló un carácter más conciliatorio y pacífico. Parece que ejerció alguna influencia en el cierre de la escuela de Edesa en 489, mientras mantenía una firme postura en contra de las conclusiones del

13. *Ibid.*, 35, 44.
14. *Ibid.*, 73.
15. McLeod, ed., *Narsai's Metrical Homilies*, 103.

Concilio de Calcedonia (451). En el año 519, cuando subió al trono imperial Justino y este respaldó la postura ortodoxa, Filoxeno fue capturado y deportado a Tracia, donde murió de muerte violenta por ahogamiento.

Conocemos a Filoxeno como un celoso representante y defensor de una teología monofisita en oposición al credo calcedónico. Algunos de sus escritos han llegado a nuestros días, especialmente ochenta obras dogmáticas, exegéticas, ascéticas y homiléticas. Hizo también una versión del Nuevo Testamento, revisada más tarde por Tomás de Heraclea, además de cartas y otros escritos menores. Lamentablemente, muchos de sus escritos todavía no han sido traducidos, o no han sido publicados.

Según él, el Espíritu Santo está ocupado en una obra creadora constante a través de la fe, que hace que lo imposible se torne real. La fe es la fuerza a través de la cual se hacen los milagros y ocurren otros eventos sobrenaturales. Santos siervos y siervas de Dios obran maravillas por la fe, hablando en nombre de Dios, haciendo caer fuego del cielo, levantando a los muertos, y hablando a los muertos como si viviesen.[16]

La obra del Espíritu en el creyente comienza con el bautismo en agua. Es a través del bautismo que el creyente se une a Cristo y al Espíritu, nace de nuevo al mundo del Espíritu, y es introducido a la vida en el Espíritu.[17] Es allí que el nuevo bautizado recibe directamente de Cristo el don del Espíritu, al «vestirse del Espíritu». Esto ocurre de suerte tal que, «en vez de agua vemos el bautismo del Espíritu, y en vez de aceite, el poder de Cristo».[18] Ahora, si bien es en el momento del bautismo que el Espíritu es dado al creyente, es solo con la experiencia personal de Pentecostés (llenura del Espíritu) que

16. Filoxeno de Mabbug, *Segunda homilía sobre la fe*. Véase, E.A. Wallis Budge, *The Discourses of Philoxenus, Bishop of Mabbogh, AD 485-519*, Asher and Co., Londres, 1894, 34-42.
17. Filoxeno de Mabbug, *Novena homilía sobre la pobreza*.
18. Filoxeno de Mabbug, *Tercer homilía sobre la fe*.

el receptor acepta conscientemente el don y comienza más plenamente a beneficiarse de Él. En este momento, el Espíritu unge a los fieles con el óleo de gozo en una medida que está más allá de aquellos que todavía no han experimentado Pentecostés.[19] Incluso, Filoxeno observa que a veces pasan muchos años desde el tiempo del bautismo en agua hasta que uno experimenta la experiencia de la llenura del Espíritu (Pentecostés), es decir, «cuando una persona es renacida por su propia libre voluntad de un estilo de vida corporal a uno espiritual, y ella misma se transforma en un seno que da a luz a una rendición completa».[20]

Como sacerdote del Espíritu, Jesús después que fue glorificado, envió al mismo Espíritu que obró a través de Él, a morar con sus seguidores. Y al darles los dones del Espíritu, los capacitó para que pudiesen hacer milagros y así, transformarse ellos también en sacerdotes, introduciendo a otros en una vida en el Espíritu.[21] Este don del Espíritu permanece con el creyente y es retenido solo por la fe y no por las buenas obras. No obstante, si bien el Espíritu no deja al creyente, sus dones no operarán hasta que «la voluntad muestre su fruto».[22] Esto está directamente relacionado con el proceso de santificación, que también es obra del Espíritu, y que se conoce como la vida en el Espíritu.

A medida que la fe aumenta, así crece el creyente en el reino espiritual. Todo lo que el cristiano necesita aprender, el Espíritu de Dios se lo enseña; cosas tales como el significado de los nombres y palabras de Dios. La luz espiritual brillará de manera gloriosa, revelando las cosas de Dios y fortaleciendo la fe.[23] De este modo, la presencia del Espíritu en la vida del

---

19. Filoxeno de Mabbug, *De uno et sancta Trinitate incorporato et passeo*, 9.151. Véase, Maurice Briere y François Graffin, eds., *Philoxeni Mabbugensis: De uno et sancta Trinitate incorporato et passeo*, en *Patrologia Orientalis* 40:2, Brepols, Turnhout, Bélgica, 1979-1981, 263.
20. Filoxeno de Mabbug, *Novena homilía sobre la pobreza*.
21. Filoxeno de Mabbug, *De uno et sancta Trinitate*, 10.88-89.
22. Filoxeno de Mabbug, *Novena homilía sobre la pobreza*.
23. Filoxeno de Mabbug, *Segunda homilía sobre la fe*.

creyente es comparada con la luz en el ojo, que hace posible la visión. Sin el Espíritu, una persona es como un hombre ciego que no puede ver a su alrededor, aun cuando está en la presencia de objetos visibles y tiene ojos.

El Espíritu es también quien provee de las fuerzas y la voluntad para producir la espiritualización del cuerpo, es decir, el control del cuerpo por el alma.[24] Es a través de la unión con el Espíritu Santo que se puede poner fin a la lujuria de la carne, de modo de dar lugar a la «lujuria del alma», que es ese impulso que nos mueve hacia Dios.

Monjes de Egipto

Es imposible hacer mención de la enorme cantidad de padres del desierto egipcio que han dejado testimonios de la acción del Espíritu Santo. En muchos casos, sus escritos todavía están en forma manuscrita o no han sido traducidos a una lengua moderna. Muchos otros recién han llegado a conocerse en Occidente en las últimas décadas, y todavía se están investigando críticamente. Suponemos que buena parte de la ignorancia del testimonio monástico egipcio se debe al rechazo del que han sido objeto en Occidente desde tiempos antiguos, en razón de que representa un cristianismo no católico, o condenado como hereje por el cristianismo troncal. No obstante, es posible mencionar a algunos pocos ejemplos, a modo de ilustración, que dan cuenta de la obra del Espíritu en sus días.

Uno de estos padres del desierto egipcio más destacados fue Shenoute de Atripe (¿334- *ca.* 451), considerado como el más grande de los autores de la literatura saídica (una lengua copta).[25] De él tenemos algunas homilías y una biografía detallada escrita por su discípulo y sucesor como abad en el

---

24. Filoxeno de Mabbug, *Décimoprimera homilía sobre la abstinencia.*
25. Theodor Mommsen, *The Provinces of the Roman Empire from Caesar to Diocletian*, 2 vols. Charles Scribner's Sons, Nueva York, 1906, 2:265.

Monasterio Blanco de Panopolis, Besa. Desde pequeño se caracterizó por su piedad, al punto que, a la muerte de su padre, se hizo monje. Su talento como organizador y administrador le dieron un lugar destacado en la comunidad monástica. Pero su liderazgo se extendió más allá de las paredes del monasterio, ya que sus reglas y su sabiduría carismática fue seguida por muchos que no estaban ligados al cenobitismo. Un hombre de carácter fuerte, supo manejar con mano firme su comunidad de monjes. Participó del Concilio de Éfeso (431), y no es probable que haya estado en el de Calcedonia (451).

A pesar de que quedan pocos escritos suyos, Shenoute fue un escritor prolífico, especialmente de cartas espirituales sobre una variedad de temas. Su testimonio sobre la acción del Espíritu está desparramado en sus escritos. Al leer este material, queda la impresión que no le interesaba mucho el debate teológico, tan caliente en sus días. En consecuencia, la mayor parte de sus referencias al Espíritu Santo se dan en el contexto de su propia lucha constante contra el pecado y las fuerzas del mal. Para él hay un conflicto permanente entre las fuerzas del mal y las fuerzas del bien por el alma humana.[26] El deseo de la carne está en conflicto con el del Espíritu y el del Espíritu contra el de la carne.[27] Precisamente, es necesario conquistar al pecado, porque el Espíritu Santo no va a habitar en un alma que está controlada por un espíritu inmundo.

Para poder vencer el pecado, el creyente necesita de la asistencia del Espíritu Santo. Por eso, todos los que aman a Dios invocan al Espíritu, y este responde transformándose en una fuerza vivificadora para aquellos que lo invocan.[28] Cuando el corazón es purificado y el Espíritu divino entra en él, entonces esa persona ya no está controlada por la vieja naturaleza

---

26. E. Amélineau, ed., *Oeuvres Schenoudi*, 2 vols., Ernest Leroux, Paris, 1907-1911, 2:509.
27. K.H. Kuhn, ed., *Pseudo-Shenoute on Christian Behaviour*, en *Corpus Scriptorum Christianorum Orientalium* 207, Coptic 30, Secrétariat du CorpuSCO, Lovaina, 1960), 17.5-6.
28. Amélineau, ed., *Oeuvres Schenoudi*, 2:499.

pecaminosa, sino más bien por el Espíritu de Dios que mora en ella (Romanos 8.9).[29] La persona es sellada por el Espíritu y puede ser llena del Espíritu. Pero esto requiere de vigilancia constante. Para ello, Shenoute señala con frecuencia al ejemplo de los profetas y los apóstoles, cuyas vidas dependieron y fueron llenas con el Espíritu Santo.[30] De este modo, el creyente lleno del Espíritu puede recibir también los frutos del Espíritu.

Para Shenoute, el papel del Espíritu Santo no está limitado a ayudar al creyente a evitar el pecado y triunfar sobre él, sino también a proveer sanidad para el alma herida por los demonios. En uno de sus escritos, el padre del desierto señala:

> El Espíritu de Dios nos invita siempre a través de su santo profeta [Jeremías]: «Sube a Galaad, y toma bálsamo, virgen hija de Egipto». Así que, para los cristianos que somos llamados con el llamamiento santo, es correcto que sigamos la proclamación del Espíritu Santo, y subamos a Galaad y recibamos el bálsamo sobre nuestras heridas dolorosas con las que los espíritus malos nos han lastimado.[31]

Otro de los padres del desierto digno de mención es Besa (m. *ca.* 465), de quien casi no tenemos información. Lo que sabemos de él nos viene a través de la biografía que él escribió de su maestro y abad, el famoso Shenoute de Atripe, y de sus propias cartas y sermones. Como abad del Monasterio Blanco, tenía bajo su supervisión a más de 2.200 monjes y unas 1.800 monjas. Su tema favorito era la lucha contra el pecado. La presencia del mal es evidencia de que el espíritu del diablo está presente en el mundo. La satanología y la demonología ocupan un lugar muy importante en la religión de Besa. El diablo, que envidia a los miembros de la comunidad religiosa, procura endurecer el corazón de los monjes, para destruir en ellos la

---

29. *Ibid.*, 2:273-275.
30. *Ibid.*, 1:101, 336, 348-349; 2:140.
31. Kuhn, ed., *Pseudo-Shenoute on Christian Behaviour*, 1.11-16.

buena dirección y propósito por el cual han avanzado en la obediencia a Dios. Por eso, quienes le dan lugar al diablo siempre resisten también al Espíritu Santo.[32] Y el Espíritu de Cristo no puede vivir allí donde hay indignidad y donde habitan los espíritus inmundos. Por eso, el Señor no habitará en los corazones entenebrecidos por los demonios. El Señor Jesús no le permitirá a su Espíritu Santo habitar en tal oscuridad. De igual modo, es imposible que el espíritu de los profetas y los apóstoles venga a los débiles y desobedientes, en quienes los demonios se multiplican y triunfan. El Espíritu solo puede morar en aquellos que son «hijos de paz» (Lucas 10.5-6).[33]

Sin embargo, si una persona avanza hacia Dios y le sirve con todo su corazón, entonces se le dará el gran poder de Dios y esta persona experimentará el amor de Cristo y el amor del Espíritu Santo, e incluso orará en el Espíritu.[34] Allí donde reside el Espíritu Santo hay libertad de toda acción diabólica.[35] De este modo, parece claro que para Besa la morada del Espíritu en una persona depende de la dignidad del recipiente. Esto contrasta con las enseñanzas del apóstol Pablo e incluso de Filoxeno de Mabbug, quienes enseñaron que la permanencia del espíritu no depende de la dignidad o del mérito humanos.

Finalmente, la biografía que Besa escribió sobre su antecesor Shenoute contiene un considerable número de relatos de milagros. Parece evidente, a la luz de su testimonio, que ciertos carismas o poderes milagrosos todavía estaban vigentes en aquellos días, especialmente en relación con el estilo de vida ascético. No obstante, como indica Burgess, «es imposible decir

---

32. Johannes Leipoldt y W.E. Crum, eds., *Sinuthii archimandritae vita et opera omnia*, en *Corpus Scriptorum Christianorum Orientalium*, 41-42, Coptic 1-2, Imprimerie Orientaliste, L. Durbecq, Lovaina, 1951, 41:47, 63-65.
33. *Ibid.*, 41:114-116.
34. *Ibid.*, 41:1, 5.
35. *Ibid.*, 41:31.

si Besa o sus monjes se atribuían alguno de los dones que ellos vieron operar en Shenoute».[36]

Cristiandad occidental

En Occidente, a lo largo del siglo V, la cristiandad va tomando la forma del modelo de la organización política, administrativa y económica del Imperio Romano en decadencia. Poco a poco, el obispo se va transformando en el jefe supremo de la comunidad cristiana en una ciudad. A su vez, las iglesias de cada ciudad se integran a una provincia eclesiástica, trazada según la división política de las provincias del Imperio. El obispo de la capital provincial, la metrópoli, adquiere una autoridad jerárquica superior, y puede incluso convocar a sínodos provinciales. Es así como en estos años se afirma el prestigio y autoridad de ciertas sedes episcopales, incluso por encina de los metropolitanos. Estos eclesiásticos son los que están establecidos en las ciudades principales del Imperio y que están ligadas con los orígenes del cristianismo: Roma, Alejandría, Antioquía, y también Cartago. Los obispos de estas ciudades ejercen su influencia más allá del territorio de su provincia, y convocan concilios, confirman obispos, y definen la doctrina.

Para el siglo V, el obispo de Roma representaba en el Occidente latino un papel semejante al que el obispo de Alejandría tenía en Egipto y en Libia. Pero su prestigio y poder se iban incrementando a medida que el Imperio Romano se venía abajo. Es decir, la Iglesia de Roma fue ocupando la posición de poder y de control social que había tenido el Imperio. Los argumentos en favor de la primacía del obispo de Roma se perfeccionan para este siglo. Con León I el Grande (390-461) tales pretensiones se consolidan. Basándose en Mateo 16.18-19 para desarrollar una teología de su primado, León se atribuía el derecho y el deber de dirigir el conjunto de

---

36. Burgess, *Eastern Christian Traditions*, 161.

la iglesia, como sucesor de Pedro. Los demás obispos solo podían «participar de su solicitud pastoral, pero no de la plenitud de su poder». Para León, el obispo de Roma era un obispo universal, un obispo de obispos, la fuente de la autoridad episcopal.

En un contexto así, tan saturado de pretensiones de poder humano, es fácil suponer una disminución del poder divino. Hay una relación directa entre el proceso de institucionalización de la Iglesia y la acumulación de poder humano en las manos de sus obispos, y la disminución de las evidencias de las manifestaciones del poder del Espíritu Santo y sus carismas. Esto puede verse al considerar al más grande y destacado de los padres latinos de este período: Agustín de Hipona.

Agustín de Hipona (354-430)

Nació en Tagaste, en la provincia africana de Numidia, y murió en Hipona poco antes de que esta ciudad fuese incendiada por los vándalos, que habían invadido África. Luego de una infancia, adolescencia y juventud traspasadas por todas las tentaciones del mundo y del intelecto, se destacó como profesor de retórica en Roma y de elocuencia en Milán. Había sido educado como cristiano, pero se había hecho maniqueo. En Milán se sintió atraído por las enseñanzas y predicación de Ambrosio, y de nuevo fue introduciéndose en la fe cristiana. Regresó a Tagaste y se hizo ermitaño. Más tarde (396) fue designado obispo de Hipona. Argumentó contra el maniqueísmo, el donatismo y el pelagianismo. Contribuyó en gran manera a la exposición de la doctrina cristiana.

Agustín puede ser considerado el primer filósofo del cristianismo. Una de sus obras más famosas son las *Confesiones*, de gran valor literario y humano. En esta pieza inmortal, el autor, al mismo tiempo que traza su biografía, presenta un sólido conocimiento de Dios. Se deben a él también muchos otros escritos de gran valor. Ningún padre de la iglesia latina ha dejado una obra escrita tan amplia, minuciosa y de mayor dinamismo espiritual y religioso. En verdad, Agustín escribió más de lo que una persona puede leer en toda su vida.

El obispo de Hipona es la cumbre de la era patrística. En él se combinaron de manera maravillosa lo mejor de la espiritualidad y la reflexión teológica oriental con lo más eficiente del pragmatismo romano. Abrevando de la teología nicena, Agustín le dio forma definitiva a la teología occidental. A diferencia de la iglesia oriental, que sostiene que el Espíritu Santo procede del Padre a través del Hijo, Agustín fijó la posición de la iglesia occidental que afirma la doble procedencia del Espíritu (del Padre y del Hijo). El Espíritu Santo es Dios, y es el don del Padre y el Hijo a la Iglesia. La neumatología agustina ha sido sumamente influyente en el desarrollo de la neumatología protestante. Sin embargo, Agustín está muy lejos de ser un «carismático».

La neumatología agustina expresa el genio de este gran doctor de la Iglesia, que combina el calor místico y la profundidad intelectual de Oriente con el pragmatismo de la mente latina. A su vez, Agustín se fundamenta sólidamente en la tradición del pasado, pero su síntesis teológica tiene una extraordinaria vitalidad espiritual no solo para su presente sino para todos los tiempos. Para él, el Espíritu Santo es tanto Dios como el Don de Dios, tanto del Padre como del Hijo, a la Iglesia[37] Él es consubstancial y coeterno con el Padre y con el Hijo, por lo tanto, Él es el Espíritu del Padre y del Hijo, y en consecuencia, procede de ambos. En la Trinidad, el Espíritu opera a semejanza de la facultad de la voluntad humana, es decir, es Dios en acción. Agustín apela a diversas metáforas para describir la acción del Espíritu: lo compara con el fuego; lo llama la corriente del río que alegra la Ciudad de Dios; lo describe como la Espada del Señor, el Creador, el Pan, el Pastor, el Espíritu Incambiable, el Energizador y el Maestro. Además, el don del Espíritu es pura gracia.

El Espíritu Santo, según Agustín, solo opera en la Iglesia, porque fuera de la Iglesia no hay Espíritu Santo. El Espíritu se recibe solo en la Iglesia, y esto mediante la imposición de

---

37. Agustín, *Sermón* 21.18; véase también, Agustín, *Enchiridion*, 21.117.

manos.[38] Es Él quien obra la justificación del creyente por gracia mediante la fe, y quien lo nutre, llena de amor y del conocimiento de Dios. A su vez, es también el Espíritu quien asiste a los santos en la oración, cuando estos no saben cómo orar (Romanos 8.26), y quien hace de ellos verdaderos intercesores. Además, el Espíritu Santo es quien introduce a los creyentes en las cosas secretas de Dios.

Según Agustín, en las primeras comunidades cristianas había señales adecuadas a aquellos tiempos fundacionales del cristianismo. Pero estas señales disminuyeron o desaparecieron con el tiempo. El descenso del Espíritu en Pentecostés estuvo signado por las lenguas de muchas naciones. El fenómeno de las lenguas en Pentecostés (Hechos 2.4, 8-11) fue un símbolo de que la predicación del evangelio llevaría al Espíritu Santo por todo el mundo. Para Agustín ya era un hecho comprobado en sus días que la Iglesia, en virtud de sus congregaciones esparcidas por todo el orbe, hablaba los idiomas que habían estado representados por los individuos que estuvieron presentes en aquel día único. Así que, para él, aquellas lenguas consistieron en idiomas de varias naciones, que más tarde no fueron necesarios como prueba de la presencia sobrenatural del Espíritu, porque la Iglesia ahora estaba en todo el mundo, predicando el evangelio en todos los idiomas. De este modo, las lenguas de Pentecostés fueron reemplazadas con posterioridad como una prueba de la presencia del Espíritu, por el vínculo de la paz. Señala Agustín:

Con miras a esta comunión, aquellos a quienes Él vino primero hablaron con las lenguas de todas las naciones. En razón de que por las lenguas la comunión de la humanidad está más estrechamente unida, era necesario que esta comunión de los hijos de Dios y miembros de Cristo, que debía existir entre todas las naciones, fuese representada por las lenguas de todas las naciones; para que así como en

38. Agustín, *Sobre el bautismo contra los donatistas*, 3.16.21.

aquel tiempo él [el creyente] fue conocido como alguien que había recibido el Espíritu Santo, porque hablaba con las lenguas de todas las naciones, así también ahora él [el creyente] puede reconocer que ha recibido el Espíritu Santo, porque Él es tenido como el vínculo de la paz de la Iglesia, que está esparcida por todas las naciones. De donde el apóstol dice: «Solícitos en guardar la unidad del Espíritu en el vínculo de la paz».[39]

Una y otra vez, Agustín niega la continuidad del don de lenguas en la Iglesia. Los siguientes son algunos ejemplos:

En los primeros tiempos, «el Espíritu Santo cayó sobre los que creyeron, y hablaron con lenguas», que no habían aprendido, «según el Espíritu les daba que hablasen». Estas fueron señales adaptadas a ese momento. Porque era necesario que hubiese esa demostración del Espíritu Santo en todas las lenguas, para mostrar que el evangelio de Dios iba a esparcirse a través de todas las lenguas por sobre toda la tierra. Esto fue hecho como una demostración, y luego pasó. En la imposición de manos, ahora, para que las personas puedan recibir al Espíritu Santo, ¿esperamos que ellas hablen en lenguas?

O cuando impusimos las manos sobre estos infantes, ¿esperó ver cada uno de ustedes si ellos hablaban con lenguas? Y cuando vio que ellos no hablaban con lenguas, ¿estuvo alguno de ustedes tan extraviado como para decir: Estos no han recibido el Espíritu Santo? ... Si, entonces, el testimonio de la presencia del Espíritu Santo ahora no es dado a través de estos milagros, ¿por medio de qué es dado? ¿Por medio de qué uno llega a saber que alguien ha recibido el Espíritu Santo? Que tal persona le pregunte a su propio corazón. Si él ama a su hermano, el Espíritu de Dios mora en él.[40]

---

39. Agustín, *Sermón* 21.28.
40. Agustín, *La epístola de San Juan*, homilía 6.10.

Respondiendo a los argumentos de Petiliano, Agustín señala:

> Bien sabes por otra parte, y tú mismo lo recuerdas, que la venida del Espíritu Santo tuvo tal eficacia que hizo hablar en todas las lenguas a cuantos entonces llenó. ¿Qué significaba aquel milagro prodigioso? ¿Por qué al presente se da el Espíritu Santo de tal suerte que nadie que lo recibe puede hablar en todas las lenguas, sino porque un milagro tan grande anunciaba que todas las naciones habían de creer y así el evangelio había de hacerse presente en todas las lenguas?[41]

De este modo, para Agustín, las lenguas de Pentecostés fueron un anticipo profético de la universalidad del evangelio y de su alcance ecuménico. Para él, la llegada del Espíritu Santo en Pentecostés con lenguas significó «que el evangelio había de estar en todas las naciones y que el Cuerpo de Cristo había de resonar en todas las lenguas por todo el orbe de la tierra».[42]

Así, pues, en el caso de las lenguas, como de otras manifestaciones de la acción sobrenatural del Espíritu, Agustín sostiene una interpretación bastante cesacionista. Hay abundancia de afirmaciones suyas en el sentido de que las lenguas terminaron como práctica carismática en la experiencia de la Iglesia. Entre muchos otros pasajes, leemos el siguiente, en el que discute la llenura del Espíritu asociada a la práctica del bautismo en agua, y las lenguas:

> ¿Qué, pues, quiere decir eso, hermanos? Porque el que se bautiza ahora en Cristo y cree en Cristo, pero no habla en las lenguas de todas las naciones, ¿se debe creer que no ha recibido el Espíritu Santo? Lejos de nuestro corazón tan pérfida tentación. Ciertos estamos que todo hombre recibe

---

41. Agustín, *Réplica a las cartas de Petiliano*, 2.32.74.
42. *Ibid.*

el Espíritu Santo, y recibirá tanto más cuanto mayor sea el vaso de la fe que lleve a la fuente. Pues, si ahora se recibe también el Espíritu Santo, preguntará alguien: ¿Por qué no habla nadie las lenguas de todas las naciones? Porque la Iglesia misma habla ya las lenguas de todas las naciones. Al principio solo existía la Iglesia en una nación, y en ella hablaba las lenguas de todas. Señal era esto de lo que había de acontecer: que, esparcida la Iglesia por las naciones, llegaría a hablar las lenguas de todas ellas.[43]

En general, Agustín no esperaba ninguna manifestación sobrenatural o extraordinaria del Espíritu en sus días, o al menos, no la consideraba tan necesaria como fue al principio del testimonio cristiano en el mundo. La vida en el Espíritu ya estaba bien regulada por los ritos de la iglesia institucional. En respuesta a los donatistas, dice Agustín:

Porque el Espíritu Santo no es dado solo mediante la imposición de manos en medio del testimonio de milagros sensibles y temporales, como fue dado en días anteriores para ser las credenciales de una fe rudimentaria, y para la extensión de los primeros comienzos de la Iglesia. Porque, ¿quién espera en estos días que aquellos sobre quienes se imponen las manos para que reciban el Espíritu Santo inmediatamente van a comenzar a hablar con lenguas?[44]

Las palabras de Agustín parecen dichas por algún cristiano «cesacionista» o «dispensacionalista» de hoy. Con él, pues, se puede marcar un cambio, ya que a partir de comienzos del siglo quinto hay poca evidencia de glosolalia o de cualquier otro don extático del Espíritu. El concepto agustino del carácter simbólico de las lenguas fue confirmado y ampliado por el papa León el Grande (440-461). La mayor parte de las evidencias que

---

43. Agustín, *Tratado sobre el Evangelio de San Juan*, 32.7.
44. Agustín, *Sobre el bautismo contra los donatistas*, 3.16.

encontramos durante la Edad Media se refieren a xenolalia, es decir, la capacidad de hablar idiomas desconocidos, dada por el Espíritu Santo.

No obstante, Agustín admite ciertas operaciones sobrenaturales del Espíritu, y en particular, de los dones espirituales. En general, para él, los dones del Espíritu son como estrellas, a las que se permite mirar a los creyentes inmaduros, hasta que sean capaces de mirar directo al Sol (a Cristo), para ser iluminados por Él y comer carne sólida.[45] A pesar de su cesacionismo, Agustín parece hacer mención del don de discernimiento de espíritus, cuando dice: «Por lo tanto por esto entended el espíritu que es de Dios. Dad a los vasos de barro una tapa, sometedlos a prueba, si quizás se quiebran y dan un sonido incierto: ved si suenan nítidos y claros, ved si hay amor allí.[46]

Si bien Agustín niega vigencia de las lenguas en sus días, sí admite la realidad de numerosos milagros contemporáneos.

> También al presente se hacen milagros en su nombre, ya sea por medio de sus sacramentos, ya por las oraciones o memorias de sus santos; aunque no son tan claros ni ilustres y famosos ni se divulguen con tanta gloria como aquellos; porque el Canon de la Sagrada Escritura, el cual convino que se promulgase, hace que se lean aquellos por todo el mundo y que queden fijos en la memoria de todo el pueblo; pero estos, donde quiera que sucedan, apenas se saben en toda la ciudad o por alguno de los que están en el lugar, porque la mayor parte aun allí lo saben poquísimos, ignorándolos los demás, principalmente si es grande la ciudad.[47]

Es interesante que Agustín no cuestiona la autenticidad de los milagros de sus días ni su naturaleza en relación con los

---

45. Agustín, *Confesiones*, 12.18.23.
46. Agustín, *La epístola de San Juan*, homilía 6.13.
47. Agustín, *La ciudad de Dios*, 22.8.2.

milagros bíblicos. La diferencia está en el alcance de un testimonio y el del otro, y, en consecuencia, en la autoridad de cada
uno. Esto es importante, pues el propio obispo de Hipona
presenta un argumento anticesacionista valioso: la ignorancia
de lo milagroso no es argumento suficiente para negar su
realidad y actualidad. Que yo ignore las evidencias de la
operación sobrenatural del Espíritu Santo no significa que el
Espíritu Santo no actúe sobrenaturalmente.

Algunos párrafos más adelante, Agustín repite la misma
idea:

> Así, pues, también ahora se hacen muchos milagros, obrán-
> dolos el mismo Dios por medio de quien quiere y como
> quiere, el que hizo igualmente aquellos que leemos, aunque
> estos no son tan notorios como los otros, y para que no se
> olviden, se suelen renovar con la frecuente lección de ellos,
> como preservativo de la memoria. Porque aun donde se
> pone exacta diligencia, como la que se ha empezado a
> poner aquí entre nosotros de que se reciten al pueblo los
> memoriales o relaciones instrumentales de los que reciben
> los oficios divinos, los que se hallan presentes lo oyen solo
> una vez, y los más no se hallan presentes, de manera que
> ni los que lo presenciaron, pasados algunos días se acuer-
> dan de lo que oyeron, y apenas se halla uno que quiera
> contar lo que oyó al que sabe que estuvo ausente.[48]

De manera detallada, Agustín relata ciertas maravillas que
ocurrieron en su propia iglesia en Hipona, que se asemejan
mucho con los «dones de sanidades por el mismo Espíritu», a
los que hace referencia el apóstol Pablo en 1 Corintios 12.9.
Incluso, hay una referencia en la que aparentemente toda su
congregación, llena de entusiasmo por un gran milagro que
ocurrió, estalló en gritos que, como el propio Agustín los
califica, eran insoportables: «Gritaban en alabanza a Dios no

---

48. *Ibid.*, 22.8.22.

palabras, sino voces sin sentido».[49] Agustín, por cierto, no desaprobó esta expresión de alabanza y gozo tan singular. Por el contrario, esperó a que la congregación se sosegase y guardase silencio, antes de leer la Biblia y predicar el sermón del día.

Entre los dones del Espíritu, Agustín parece hacer referencia a un don de revelación, cuando refiere la manera en que el obispo de Milán, Ambrosio, supo de la ubicación de los cadáveres de dos mártires (Gervasio y Potasio). «Estos cuerpos, que estaban enterrados y eran casi desconocidos, fueron descubiertos en sueños al obispo Ambrosio».[50] Un caso similar es el de Inocencia, una dama de Cartago, a la que más adelante haremos referencia en relación con un milagro de sanidad, y el de un médico de la misma ciudad.[51] Un extranjero que padecía de gota, «tuvo una revelación que le mostró el remedio que debía aplicar cuando sintiese el dolor. Aplicaba ese remedio, y el dolor se calmaba al instante».[52]

La guerra espiritual y la liberación no son desconocidas para el obispo de Hipona, quien cuenta de un vecino de su ciudad, Hesperio, que tenía una quinta fuera de la ciudad. «Habiendo visto que en su casa los espíritus malignos atormentaban a sus siervos y a sus animales, rogó a nuestros sacerdotes, en ausencia mía, que se dirigiera allí alguno de ellos para ahuyentarlos con sus oraciones. Fue uno, ofreció allí el sacrificio del Cuerpo de Cristo [la eucaristía] con las más fervientes oraciones para que cesara la vejación. Y al instante cesó por la misericordia de Dios».[53] Más adelante haremos referencia al caso de un adolescente que, «estando a mediodía y en pleno verano bañando su cabello en el río, fue poseído por un demonio». Según Agustín:

---

49. *Ibid.*
50. *Ibid.*, 22.8.2.
51. *Ibid.*, 22.8.3-4.
52. *Ibid.*, 22.8.14.
53. *Ibid.*, 22.8.6.

Estaba allí tendido, próximo a la muerte o muy semejante
a un muerto. La señora del lugar, al caer de la tarde, entró,
como de costumbre, con sus criadas y algunas religiosas a
cantar los himnos vespertinos y a hacer sus oraciones.
Entonan los himnos y sigue el canto. El demonio, como
herido por esa voz y no pudiendo o no atreviéndose a
mover el altar, lo asía con una conmoción terrible, como
si estuviera atado o clavado a él. Luego, rogando con
grandes lamentos que le perdonasen, confesaba dónde,
cuándo y cómo había entrado en el adolescente. Por fin,
prometiendo que saldría de allí, nombraba cada uno de los
miembros y amenazaba que al salir los cortaría. Y entre esas
palabras salió del joven.[54]

El testimonio de Agustín en cuanto a casos de liberación
es valioso e interesante: «Yo conozco una señorita de Hipona
que, habiéndose frotado con el aceite en que el sacerdote que
oraba por ella había mezclado sus lágrimas, fue al instante
librada del diablo. Sé, además, que lo mismo acaeció a un
muchacho la primera vez que un obispo, sin haberlo visto, oró
por él».[55]

Por cierto que en los casos de milagros, sanidades y
liberaciones que refiere Agustín se mezclan algunas prácticas
no evangélicas (veneración de reliquias, culto a los mártires,
sacramentalismo, etc.). No obstante, es de notar que, en casi
todos los casos, el obispo de Hipona destaca el lugar de la
oración a Dios como el factor al que responde la acción
sobrenatural y milagrosa del Señor. En todos estos casos que
refiere Agustín, es evidente que él no tiene dudas que se trató
de acciones sobrenaturales de origen divino. De hecho, él las
relata como testimonios probados por él y hechos públicos en
la comunidad como acciones milagrosas obradas por Dios.

_____

54. *Ibid.*, 22.8.7.
55. *Ibid.*, 22.8.8.

El argumento de que estos testimonios de Agustín carecen de valor como prueba de la acción poderosa de Dios a través de su Espíritu en sus días, en razón de que parecen teñidos de superstición y son más bien expresión de una mentalidad pre-científica, es insostenible. Con el mismo criterio habría que descalificar a Agustín en su teología, a pesar de que se lo considera el fundador de la teología cristiana occidental. Además, el teólogo norafricano en estos pasajes no está argumentando a favor de los milagros, sino a favor de la resurrección de Cristo. Precisamente, porque Él es un Dios vivo es que por su Espíritu Santo puede hacer estas cosas maravillosas en medio de su pueblo. Como Agustín mismo señala: «Estos milagros, ¿de qué otra fe dan auténtico testimonio sino de esta en que se predica que Cristo resucitó en carne, y que subió a los cielos con su propia carne?»[56]

Por otro lado, Agustín no niega la posibilidad de las operaciones sobrenaturales del Espíritu Santo. De hecho, para él la continuidad y universalidad de la iglesia cristiana es en sí mismo un verdadero milagro. A quienes negaban los milagros, él les responde: «Este solo grande milagro nos basta; que todo el mundo haya creído sin milagros».[57] Es así que Agustín llega a admitir algunos milagros que ocurrieron en sus días, e incluso, como indiqué, en su propia iglesia en Hipona.

En respaldo de su argumentación sobre la realidad de la resurrección de los muertos, Agustín discute la cuestión de los milagros (pasados, presentes y futuros), en el último libro de *La ciudad de Dios*. Sus opositores levantaban la cuestión de por qué los milagros de que habla la Biblia no se producían en sus días. La respuesta de Agustín es: «Podría decir que fueron necesarios antes de que el mundo creyera, para que creyera el mundo. Hoy el que pida todavía milagros para creer se convierte él en un gran milagro, pues no cree creyendo ya todo el mundo. Más hablar así parece hacer dudar de la realidad de

---

56. *Ibid.*, 22.9.
57. *Ibid.*, 22.5.

los milagros de entonces». Según Agustín, los milagros bíblicos cumplieron un fin misiológico. «Las cosas increíbles que se realizaban, y que todos veían, han persuadido de una cosa increíble que nadie veía». Es por eso que, según él, «no se puede negar que se obraron muchos milagros para afirmar este grande y saludable milagro: que Cristo resucitó y subió al cielo con su carne». Es por eso que tales prodigios «están consignados en las veracísimas Letras, que recogen la realidad del milagro y la verdad que intimaban. Los milagros se han manifestado para dar fe, y la fe que han dado los manifestó con mayor claridad. Se leen a los pueblos para que los crean, pero no se les leyeran si no los creyeran ya».[58]

Luego de esta afirmación de la veracidad y propósito de los milagros bíblicos, Agustín declara algo interesante, como ya citamos: «También ahora se hacen milagros en su nombre, sea por sus sacramentos, sea por las oraciones o las reliquias de los santos; pero no se extiende su fama y su gloria como la de aquellos». La diferencia está en que los milagros bíblicos son bien conocidos a través del testimonio escriturario, que los pregona por todas partes. Por el contrario, los milagros que ocurren en sus días, «no son conocidos más que en los lugares en que se realizan, y apenas los conoce la ciudad entera. Con frecuencia en las ciudades, sobre todo si son grandes, los conocen unos pocos y los demás los ignoran. Añadid que los fieles que los cuentan a los fieles de otras regiones no llevan avalada su autoridad por un reconocimiento que no deja lugar a duda».[59]

No obstante, la cantidad de hechos milagrosos de los que Agustín puede dar testimonio fehaciente es asombrosa. Si bien hace referencia a muchos casos, el obispo de Hipona se ve obligado por cortesía a excusarse de no poder mencionar a todos. «¿Qué haré? La promesa de dar fin a esta obra me urge y no me permite citar aquí todos los milagros que conozco. No

58. *Ibid.*, 22.8.1.
59. *Ibid.*

dudo que muchos de los nuestros, cuando lean esto, se quejarán de que he pasado por alto muchos milagros que conocen como yo. Desde ahora les pido que me excusen... Tomé esta decisión [de relatar solo algunos de los milagros ocurridos] al ver que también en nuestros días son corrientes milagros semejantes a los antiguos y que no deben pasar inadvertidos».[60]

Agustín refiere uno tras otro varios casos de milagros, de los cuales él mismo fue testigo. Algunos tienen que ver con la resucitación de muertos. «Un día unos bueyes desmandados, que llevaban un carro, atropellaron con la rueda a un niño pequeñito que jugaba en la era y le mataron. Su madre, tomándolo en brazos, lo colocó en la misma memoria [las reliquias de San Esteban], y el chico no solo recobró la vida, sino que apareció completamente ileso».[61] Ligada a las mismas reliquias de San Esteban está la resucitación de un sacerdote español. Este hombre, fue «presa de una enfermedad que le dejó tan abatido que ya le habían atado los pulmones», pero «resucitó con la gracia del dicho mártir». Ocurrió que «llevaron la túnica del sacerdote para tocar la reliquia, la pusieron sobre el cuerpo del yacente y al instante volvió a la vida».[62] Algo similar pasó con una religiosa muy enferma, cuyo vestido fue llevado a la misma memoria, o sea, el lugar donde se rendía culto al santo. Pero la mujer murió antes de llegar el vestido puesto en contacto con las reliquias. «No obstante, sus padres cubrieron el cadáver con ese vestido, y recobró el espíritu, y quedó curada».[63]

La mayor parte de los hechos sobrenaturales a los que Agustín hace referencia tienen que ver con milagros de sanidad. Su propio testimonio parece indicar la práctica de los dones de sanidades mencionados por el apóstol Pablo en 1 Corintios 12.9. En un caso, él dice: «El milagro se obró en Milán, estando

---

60. *Ibid.*, 22.8.20.
61. *Ibid.*, 22.8.15.
62. *Ibid.*, 22.8.12.
63. *Ibid.*, 22.8.16; otros casos similares en 22.8.17, 18, 19.

yo allí. Un ciego recobró la vista. Y este llegó a conocimiento de muchos».[64] Otro caso interesante es el de un tal Inocencio, de Cartago, que por mucho tiempo había sufrido aparentemente de hemorroides ulcerosa, a pesar de varias operaciones. Finalmente, cuando todo estaba listo para una última operación, Agustín y otros se pusieron a clamar en oración junto con el enfermo. Al otro día, cuando el médico que lo iba a operar saca las vendas y descubre la herida, «busca y rebusca la fístula que había de sajar; ausculta, toca, usa todos los medios a su alcance, y por fin halló una cicatriz muy cerrada». Agustín, que fue testigo ocular de todo esto, señala: «Mis palabras son febles para expresar la alegría, la alabanza y la acción de gracias que brotó de la boca de todos, entre gozosas lágrimas, al Dios misericordioso y omnipotente». Y concluye: «La escena se presta más para una meditación que para un discurso».[65]

Agustín da crédito a otro milagro de sanidad. «En Cartago mismo, Inocencia, mujer muy piadosa y distinguida dama de la ciudad, tenía en el pecho un cáncer, enfermedad, según la ciencia médica, incurable». La mujer se encomendó a Dios en oración. «Próxima ya la Pascua, fue advertida en sueños que la primera mujer que topase en la parte que mira al bautisterio le hiciese la señal de la cruz sobre el miembro dolorido. Hízolo, y al instante recobró la salud». También en Cartago ocurrió un milagro en relación con un médico, conocido de Agustín, que padecía de fuertes dolores en los pies y de podagra (gota en el pie). Según este hombre, estas dolencias se debían a demonios que lo afligían para que no obedeciese el mandato del bautismo. Pero él, no obstante, «se bautizó, a despecho de ellos, y en el acto del bautismo quedó libre no solo de sus extraordinarios dolores, sino también de la podagra, sin que en adelante se haya resentido, a pesar de que ha vivido largos años».[66] Un caso similar de curación en ocasión del bautismo fue el de un

---

64. *Ibid.*, 22.8.2.
65. *Ibid.*, 22.8.3.
66. *Ibid.*, 22.8.4.

antiguo actor escénico de Curube (hoy Kurbah, en el norte de África). «Con el bautismo [él] fue curado de una parálisis y de una hernia. Y salió de la fuerte de la regeneración libre de ambas molestias, como si no hubiera tenido ningún mal en el cuerpo».[67] Agustín cuenta de otro paralítico, un joven campesino, que pidió a sus padres que lo llevaran a un lugar de oración.

«Una vez allí, oró, y al momento se alejó de allí por sus propios pies, perfectamente curado».[68]

Un joven adolescente fue liberado de un demonio por el canto piadoso de un grupo de mujeres (ver más arriba), pero casi pierde un ojo. «Al ver esto los circunstantes (pues habían acudido otros al oír las voces y se habían postrado también en oración por él), aunque gozosos por ver al joven en su sano juicio, se dolían por la pérdida del ojo y se decían que era preciso buscar al médico. En esto, el marido de su hermana, que lo había llevado allí, dijo: Poderoso es Dios, que ahuyentó al demonio por las oraciones de los santos, para devolverle la vista. Luego colocó como pudo el ojo en su sitio y lo ató con el pañuelo. Así lo mantuvo durante siete días. Al cabo de ellos lo halló perfectamente curado». Agustín agrega: «En el mismo lugar fueron curados otros, cuya enumeración sería larga».[69] Agustín asocia muchos milagros de sanidad a las reliquias de los mártires, particularmente, como vimos, las reliquias de San Esteban. Una mujer ciega, un obispo que padecía de una fístula, un sacerdote que sufría del mal de piedra, un hombre llamado Marcial que estaba a punto de morir, dos gotosos, y otros fueron curados por la supuesta intercesión de Esteban.[70]

Más allá de los detalles folklóricos y de religiosidad popular de cada caso particular, es interesante notar que los milagros eran muy frecuentes en los días de Agustín. Era costumbre establecida poner por escrito el testimonio de cada hecho

67. *Ibid.*, 22.8.5.
68. *Ibid.*, 22.8.6.
69. *Ibid.*, 22.8.7.
70. *Ibid.*, 22.8.10-14.

milagroso, una vez que este había sido probado convenientemente por las autoridades religiosas, a fin de que el mismo fuese leído al pueblo.[71] Por otro lado, el obispo de Hipona no duda en afirmar: «Se realizan, pues, aún hoy muchos milagros, y los realiza el mismo Dios que hizo los que leemos y por las personas que quiere y como quiere».[72]

Quizás conviene aquí transcribir el testimonio completo de unos milagros que el propio Agustín refiere con gran emoción, y que suenan no solo como casos de sanidad física sino también de sanidad interior y liberación:

> Diez hermanos (siete varones y tres hembras), oriundos de Cesarea de Capadocia y de condición no humilde, habiendo sido recientemente maldecidos por su madre por una injuria que le habían hecho después de la muerte del padre, fueron castigados con una pena consistente en un horrible temblor de miembros. No pudiendo soportar las miradas de sus paisanos, se fueron cada uno por su sitio, en vagabundeo por casi todo el Imperio Romano. Dos de ellos llegaron a nuestra ciudad, un hermano y una hermana, Pablo y Paladia, conocidos ya en otros muchos lugares por la publicidad de su miseria. Llegaron unos quince días antes de la Pascua. Visitaban a diario la iglesia y en ella la memoria del gloriosísimo San Esteban, rogando a Dios que se apiadara y les devolviese la salud. Allí y dondequiera que iban se atraían las miradas del pueblo. Los que los habían visto en otra parte y conocían la causa de su temblor lo contaban a los demás a su modo. Llegó la Pascua, y el domingo por la mañana, cuando ya un gran gentío llenaba la iglesia, el joven, asido a las verjas del lugar santo donde estaban las reliquias del mártir, orando, cayó de golpe y quedó tendido como si durmiera. Mas no temblaba, como solía hacer durante el sueño. El accidente infundía a unos

---

71. *Ibid.*, 22.8.21.
72. *Ibid.*

dolor y a otros temor. Unos querían levantarlo, pero otros se lo prohibían, diciendo que era mejor esperar el desenlace. Y he aquí que el joven se levantó sin temblor, porque había curado y estaba perfectamente, mirando a los curiosos. ¿Quién no alabó a Dios entonces? Una oleada de voces, clamores y enhorabuenas llenó las naves de la iglesia. Corren hacia mí, que estaba ya dispuesto para salir. Venían unos tras otros, contando el último lo mismo que había contado el primero. Yo, alborozado y dando interiormente gracias a Dios, vi llegar entre la multitud al agraciado. Se postró a mis pies, y yo le abracé y le levanté. Nos dirigimos al pueblo. Estaba la iglesia de bote en bote. Resonaban las voces de júbilo y solamente se oían de aquí y de allá estas palabras: «¡Gracias a Dios! ¡Bendito sea Dios!» Saludé al pueblo y se oyó un nuevo clamor aún más ferviente. Por fin, ya en silencio, se leyeron las lecciones de la divina Escritura. Al llegar al pasaje de mi sermón dirigí unas palabras según el tiempo y la grandeza de aquella alegría, pues preferí que gustasen la elocuencia de Dios en una obra tan grandiosa a que escuchasen mis palabras.[73]

Tres días más tarde, la hermana del que había sido curado recibió sanidad. Nuevamente la congregación estalló en gozo. «Alababan a Dios porque aún no habían orado por ella y ya había oído sus plegarias. Gritaban en alabanza a Dios no palabras, sino voces sin sentido, tan fuertes, que apenas nuestros oídos podían aguantarlas. ¿Qué había en los corazones de este pueblo tan jubiloso sino la fe de Cristo, por la que San Esteban había derramado su sangre?»[74]

Por eso, Agustín concluye:

Sea que Dios obre esos milagros según el modo maravilloso que tiene el eterno de obrar en los efectos temporales, sea que los obre por sus ministros; y, en este último caso, sea

---

73. *Ibid.*, 28.8.22.
74. *Ibid.*

que emplee en unos como ministros a los espíritus de los
mártires, como a hombres aún con cuerpos, o en todos a
los ángeles, a quienes manda invisible, inmutable e incor-
poralmente, interponiendo los mártires solamente sus pre-
ces, no su operación; sea que los obre de cualquiera otra
manera incomprensible para los mortales, lo cierto es que
siempre dan testimonio de la fe que predica la resurrección
eterna de la carne.[75]

La pregunta que surge, entonces, es: ¿por qué en la
cristiandad occidental parece como que «cesó» el ejercicio de
los carismas hacia el año 400? Se pueden sintetizar varias
razones. (1) Los dones sobrenaturales se refugiaron en los
monasterios, cuando la iglesia en general comenzó a criticarlos.
(2) Hubo un intento de «institucionalizar» al Espíritu Santo en
la vida de la iglesia. (3) Existía el sentir de que las cuestiones
más controversiales debían quedar en manos de los sacerdotes.
(4) El ingreso de miembros «convertidos a medias», después de
la «conversión» del emperador Constantino, hizo respetable al
cristianismo, pero le quitó fuerza espiritual. (5) El control
clerical de los carismas se transformó en una salvaguarda
contra el fanatismo entusiasta, pero anuló al creyente común.
(6) Sacerdotes y obispos querían regular la acción del Espíritu
para guiarla a los canales sacramentales. (7) La decadencia
moral y espiritual de la iglesia se incrementó, ya que estuvo
más interesada en el poder mundano que en el poder divino,
con lo cual se neutralizó la obra del Espíritu Santo.

Así y todo, como hemos visto, el Espíritu no se quedó
quieto ni dejó de actuar poderosamente en medio de su pueblo
a lo largo de los primeros quinientos años de testimonio
cristiano en el mundo. La razón de esta operación sobrenatural
y maravillosa es muy simple: Jesucristo nos dio el Espíritu
Santo para cumplir su propósito redentor en la vida de todos
aquellos que confiesan su nombre. Y Él «es el mismo ayer, y
hoy, y por los siglos» (Hebreos 13.8).

---

75. *Ibid.*, 22.9.

BIBLIOGRAFÍA CITADA Y CONSULTADA

Adam, A. «Erwägungen zur Hernkunft der Didache». *Zeitschrift für Kirchengenschichte* 67 (1957): 1-47.

Aland, Kurt. «Bemerkungen zum Montanismus und zur frühchristlichen Eschatologie». En *Kirchengeschitliche Entwürfe*, ed. por Kurt Aland. Gütersloh: Gütersloher Verlaghaus Gerd Mohn, 1960.

Amélineau, E., ed. *Oeuvres Schenoudi*. 2 vols. París: Ernest Leroux, 1907-1911.

Aranda, Antonio. «El Espíritu Santo en la *Exposición de la fe* de San Gregorio Taumaturgo». *Scripta Theologica* 10:2 (1978): 373-407.

Ash, James L., Jr. «The Decline of Ecstatic Prophecy in the Early Church». *Theological Studies* 36 (Junio 1976): 227-252.

Athanassakis, Apostolos N., ed. *The Life of Pachomius*. Missoula, Montana: Scholars Press, 1975.

Audet, Jean-Pierre. *La Didaché: instructions des Apôtres*. París: J. Gabalda, 1958.

Babut, E.-Charles. *Saint Martin de Tours*. París: Librairie Ancienne H. Champion, 1912.

Bardy, Gustave. *La théologie de l'Eglise: de Saint Clément de Rome à Saint Irénée*. En *Unam Sanctam* 13. París: Éditions du Cerf, 1945.

Barnard, L.W. *Justin Martyr: His Life and Thought*. Cambridge: At the University Press, 1967.

Baynes, A.C. «St. Anthony and the Demons». *Journal of Egyptian Archaeology* 40 (1954): 7-10.

Belval, Norman Joseph. *The Holy Spirit in Saint Ambrose*. Roma: Officium Libri Catholici, 1971.

Benoit, A. «Le Saint Esprit et l'Eglise dans la théologie patristique des quatre premiers siecles». En *L'Esprit Saint et l'Eglise*. París: 1969.

Bernard, John Henry. *The Odes of Solomon*. En *Text and Studies* 8.3. Cambridge: Cambridge University Press, 1912.

Bilaniuk, Petro B.T. «The Monk as Pneumatophor in the Writings of St. Basil the Great». *Diakonía* 15.1 (1980): 49-63.

Blackman, Edwin Cyril. *Marcion and His Influence*. Londres: SPCK, 1948.

Blanchetière, F. «Le montanisme originel». *Revue des Sciences Religieuses* 52 (1978): 118-134; y 53 (1979): 1.22.

Böhlig, Alexander y Frederik Wisse, eds. *Nag Hammadi Codices III, 2 and IV, 2: The Gospel of the Egyptians*. En *Nag Hammadi Studies* 4. Leiden: E.J. Brill, 1975.

Bresson, Bernard L. *Studies in Ecstasy*. Nueva York: Vantage Press, 1966.

Briere, Maurice y François Graffin, eds. *Philoxemi Mabbugensis: De uno et sancta Trinitate incorporato et passeo*. En *Patrología Orientalis* 40:2. Turnhout, Bélgica: Brepols, 1979-1981.

Brown, Colin. *That You May Believe: Miracles and Faith Then and Now*. Gran Rapids, Michigan: Eerdmans, 1985.

Budge, E.A. Wallis. *The Discourses of Philoxemus, Bishop of Mabbug, AD 485-519*. Londres: Asher and Co., 1894.

Burgess, Henry. *Selected Metrical Hymns and Homilies of Ephraem Syrus*. Londres: Robert B. Blackader, 1853.

Burgess, Stanley M. *The Holy Spirit: Ancient Christian Tradition*. Peabody, Massachusetts: Hendrickson Publishers, 1994.

_____. *The Holy Spirit: Eastern Christian Tradition*. Peabody, Massachusetts: Hendrickson Publishers, 1993.

«Proclaiming the Gospel with Miracles Gifts in the Postbiblical Early Church». En *The Kingdom and the Power*, ed. por Gary S. Greig y Kevin N. Springer. Ventura, California: Regal Books, 1993.

_____. *The Spirit and the Church: Antiquity*. Peabody, Massachusetts: Hendrickson Publishers, 1984.

Calvino, Juan. *Institución de la religión cristiana*. Buenos Aires y Gran Rapids, Michigan: Eerdmans y Nueva Creación, 1988.

Campbell, Ted A. «Charismata in the Christian Communities of the Second Century». *Wesleyan Theological Journal* 17:2 (Fall 1982): 7-25.

Campenhausen, Hans von. *Ecclesiastical Authority and Spiritual Power in the Church of the First Three Centuries*. Stanford, California: Stanford University Press, 1969.

Chadwick, Henry. «Origen, Celsus, and the Resurrection of the Body». *Harvard Theological Review* 41 (Abril 1948): 83-102.

_____,ed. *Origen: Contra Celsum*. Cambridge: University Press, 1965.

Charlesworth, James H., ed. y trad. *The Odes of Solomon*. En *Texts and Translations* 13. Chico, California: Scholars Press, 1977.

_____. «The *Odes of Solomon*: Not Gnostic». *Catholic Biblical Quarterly* 31 (1969): 357-369.

Chitty, Derwas J., ed. *The Letters of Ammonas: Successor of Saint Anthony*. Oxford: Sisters of the Love of God Press, 1979.

Clarke, W.K.L. *The Ascetic works of St. Basil*. Londres: SPCK, 1925.

Collins, James J. «The Holy Spirit Transforming Activity in Gregory of Nyssa's Sacramental Theology». *Diakonía* 12:3 (1977): 234-243.

Congar, Yves M.-J. *El Espíritu Santo*. Barcelona: Editorial Herder, 1983.

Connolly, R. Hugh, ed. *The Liturgical Homilies of Narsai*. En *Studies and Texts* 8. Cambridge: University Press, 1909.

Criswell, W.A. *The Holy Spirit in Today's World*. Grand Rapids: Zondervan, 1967.

Culpepper, Robert H. *Evaluating the Charismatic Movement: A Theological and Biblical Appraisal*. Valley Forge: Judson Press, 1977.

Currie, Stuart D. «Speaking in Tongues». *Interpreter* 19 (1965): 275-290.

Cutten, George Barton. *Speaking with Tongues: Historically and Psychologically Considered*. New Haven: Yale University Press, 1927.

D'Ales, A. «La doctrine de l'Esprit Saint chez Saint Irénée». *Recherches de Science Religieuse* 14 (1924): 426-538.

_____. *La théologie de Saint Cyprien*. París: Éditions du Cerf, 1922.

Dalton, Robert Chandler. *Tongues Like As of Fire: A Critical Study of Modern Tongues Movements in the Light of Apostolic and Patristic Times*. Springfield, Missouri: Gospel Publishing House, 1945.

Daniélou, Jean. *From Shadows to Reality*. Westminster, Maryland: The Newman Press, 1960.

_____. «Les démons de l'air dans la *Vie d'Antoine*». *Studia Anselmiana* 38 (1956): 136-145.

De Cádiz, Luis M. *Historia de la literatura patrística*. Buenos Aires: Editorial Nova, 1954.

Deferrari, Roy Joseph. *Early Christian Biographies*. Washington: The Catholic University of America Press, 1952.

Delehaye, H. «Saint Martin et Sulpice Sévere». *Analecta Bollandiana* 38 (1920): 5-136.

De Simone, Russell J. *The Treatise of Novatian, the Roman Presbyter on the Trinity*. Roma: Institutum Patristicum Agustinianum, 1970.

Dix, Gregory. *The Treatise on the Apostolic Tradition of St. Hippolytus of Rome*. Londres: SPCK, 1968.

Doresse, Jean. *The Secret Books of the Egyptian Gnostics*. Nueva York: Viking Press, 1970.

Dyer, Luther B., ed. *Tongues*. Jefferson City, Mississipi: Le Roi Publishers, 1971.

Easton, Burton Scott, ed. *The Apostolic Tradition of Hippolytus.* Cambridge: University Press, 1934.

England, Stephen Jackson. «Simon Magus and Simonianism in the First Four Centuries». Tesis de Ph.D., Yale University, 1940.

Evans, H.M. «Tertullian: Pentecostal of Carthage». *Paraclete* 9:4 (Fall 1975): 17-21.

Fedwick, Paul Jonathan. *The Church and the Charisma of Leadership in Basil of Caesarea.* Toronto: Pontificial Institute of Mediaeval Studies, 1979.

Floris, Andrew T. «Chrysostom and the Charismata». *Paraclete* 5:1 (Winter 1971): 17-22.

Foerster, Werner. «Two Four-Century Witnesses on the Charismata». *Paraclete* 4:4 (Fall 1970): 17-22.

Fox, Robin Lane. *Pagans and Christian.* Harmondsworth, Inglaterra: 1988.

Gaselee, Stephen. *The Copts.* Londres: The Royal Central Asian Society, n.f.

Gelpi, Donald L. *Pentecostalism: A Theological Viewpoint.* Nueva York: Paulist Press, 1971.

Giet, Stanislas. *Hermas et les Pasteurs: les trois auteurs de Pasteur d'Hermas.* París: Presses Universitaires de France, 1963.

Glover, R. «The Didache's Quotations and the Synoptic Gospels». *New Testament Studies* 5 (1958-1959): 12-29.

Grant, Robert M. *The Letter and the Spirit.* Nueva York: Macmillan, 1957.

_____. *Miracle and Natural Law in Graeco-Roman and Early Christian Thought.* Amsterdam: North-Holland Publishing Co., 1952.

_____. «The *Odes of Salomon* and the Church of Antioch». *Journal of Biblical Literature* 63 (1944): .

Green, Samuel G. *Handbook of Church History: From Apostolic Era to the Dawn of the Reformation.* Londres: Religious Tract Society, 1907.

Gribomont, Jean. «Saint Basile et le monastichisme enthousiaste». *Irenikon* 53:2 (1980): 123-144.

Gromacki, Robert Glenn. *The Modern Tongues Movement.*

Filadelfia: Presbyterian and Reformed Publishing Co., 1967.

Guy, Jean-Claude. «Educational Innovation in the Desert Fathers». *Eastern Churches Review* 6:1 (Spring 1974): 44-51.

Harnack, Adolf von. «Cyprian als Enthusiast». *Zeitschrift für neutestamentliche Wissenschaft* 5 (1902): 177-191.

_____. *History of Dogma.* 7 vols. Nueva York: Russell and Russell, 1958.

Harper, Michael. «Are You a Gnostic?» *Logos Journal* 40 (Mayo-Junio 1972): 42-43.

Harris, James R. y A. Mingana. *The Odes and Psalms of Solomon.* 2 vols. Manchester: The University Press, 1916-1920.

Hart, L.D. «A Critique of American Pentecostal Theology». Tesis de Ph.D., Southern Baptist Theological Seminary, Louisville, Kentucky, 1978.

Harvey, Wigan W. *Sancti Irenaei ep. Lugdunensis libros quinque adversus haereses.* 2 vols. Cambridge: University Press, 1857, reimp. 1949.

Hedrick, Charles W. «Christian Motifs in the Gospel of the Egyptians». *Novum Testamentum* 23 (1981): 242-260.

Hennecke, E. y W. Schneemelcher, eds. *New Testament Apocrypha.* 2 vols. Londres: Lutterworth Press, 1963-1965.

Hinson, Glenn E. «A Brief History of Glossolalia». En *Glossolalia: Tongue Speaking in Biblical, Historical, and Psychological Perspective,* por Frank Stagg, E. Glenn Hinson y Wayne E. Oates. Nasville: Abingdon Press, 1967.

«The Significance of Glossolalia in the History of Christianity». En *Speaking in Tongues: Let's Talk About It,* de. por E. Mills. Waco, Texas: Word Books, 1973.

Hoekema, Anthony A. *¿Qué de las lenguas?* Grand Rapids: Subcomisión de Literatura Cristiana de la Iglesia Cristiana Reformada, 1977).

Horn, William M. «Speaking in Tongues: A Retrospective Appraisal». *Lutheran Quarterly* 17 (Noviembre 1965): 316-329.

Hulen, Amos Berry. *Porphyry's Work Against the Christians: An Interpretation.* Scottdale, Pennsylvania: Yale University Press, 1933.

Hunter, Harold. «Tongues-Speech: A Patristic Analysis». *Journal of the Evangelical Theological Society* 23:2 (Junio 1980): 125-137.

Jaschke, Hans-Jochen. *Der Heilige Geist im Bekenntnis der Kirche: Eine Studie zur Pneumatologie des Irenäus von Lyon im Aufgang von Altchristliche Glaubensbekenntnis.* Munster: Verlag Aschendorff, 1976.

Jullian, C. «Remarques critiques sur les sources de la *Vie de Saint Martin*, sur la vie et les oeuvres de Saint Martin». *Revue des Etudes Anciennes* 24 (1922).

Kalin, Everett R. «The Inspired Community: A Glance at Canon History». *Concordia Theological Monthly* 43 (Septiembre 1971): 541-549.

Kee, Howard Clark. *Miracle in the Early Christian World: A Study in Sociohistorical Method.* New Haven y Londres: Yale University Press, 1983.

Kelsey, Morton T. *Healing and Christianity: In Ancient Thought and Modern Times.* Nueva York: Harper's & Row, 1973.

_____. *Tongue Speaking: An Experiment in Spiritual Experience.* Garden City, Nueva York: Doubleday, 1964.

Knox, Ronald A. *Enthusiasm: A Chapter in the History of Religion-With Special Reference to the Seventeenth and Eighteenth Centuries.* Oxford: At the Clarendon Press, 1959.

Kraft, Heinz. «Die altkirchliche Prophetie und die Entstehung des Montanismus». *Theologisches Zeitschrift* 11 (1955): 249-271.

Kuhn, K.H., ed. *Pseudo-Shenoute on Christian Behaviour.* En *Corpus Scriptorum Christianorum Orientalium* 207, Coptic 30. Lovaina: Secrétariat du CorpuSCO, 1960.

Kydd, Ronald A.N. *Charismatic Gifts in the Early Church.* Peabody, Massachusetts: Hendrickson Publishers, 1984.

_____. «Novatian's *De Trinitate* 29: Evidence of the Charismatic?» *Scottish Journal of Theology* 30 (1977): 313-318.

Labriolle, Pierre C. de. *La crise montaniste.* París: Ernest Leroux, 1913.

_____. *La réaction païenne: étude sur la polémique antichretienne du Ier au Vte siècle*. París: L'Artisan du Livre, 1934.

_____, ed. *Les sources de l'histoire du montanisme*. Friburgo y París: Librairie de l'Université, 1913.

Lake, Kirsopp. «The Shephered of Hermas and Christian Life in the Second Century». *Harward Theological Review* 4 (1911).

Lampe, G.W.H. *A Patristic Greek Lexicon*. Oxford: At the Clarendon Press, 1961.

Latourette, Kenneth Scott. *Historia del Cristianismo*. 2 Tomos. El Paso: Casa Bautista de Publicaciones, 1959.

_____. *A History of the Expansion of Christianity*. 7 vols. Grand Rapids, Michigan: Zondervan, 1970.

Lawlor, H.J. «The Heresy of the Phrigians». En *Eusebiana*. Oxford: At the Clarendon Press, 1912.

Leipoldt, Johannes y W.E. Crum, eds. *Sinuthii archimandritae vita et opera omnia*. En *Corpus Scriptorum Christianorum Orientalium* 41-42, Coptic 1-2. Lovaina: Imprimerie Orientaliste L. Durbecq, 1951.

Lemonnyer, Antonie. «Les Apôtres comme docteurs de la foi d'après S. Thomas». *Mélanges Thomistes* 13 (1923): 153-173.

Lewis, Warren. *Witnesses to the Holy Spirit*. Valley Forge, Pennylvania: Judson Press, 1978.

Lietzmann, Hans. *A History of the Early Church*. Vol. 2: *The Funding of the Church Univeral*. Trad. por B.L. Woolf. Londres: Lutterworth Press, 1961.

Lombard, Emile. «Le montanisme et l'inspiration». *Revue de Théologie et de Philosophie* 3 (1915).

MacArthur, John F. *The Charismatics: A Doctrinal Perspective*. Grand Rapids, Zondervan, 1979.

McDonnell, Kilian y George L. Montague. *Christian Initiation and Baptism in the Holy Spirit: Evidence from the First Eight Centuries*. Collegeville, Montana: Liturgical Press, 1991.

McLeod, Frederick G., ed. *Narsai's Metrical Homilies on the Nativity, Epiphany, Passion, Resurrection and Ascension*. En *Patrología Orientalis* 40:1. Turnhout, Bélgica: Brepols, 1979.

MacMullen, Ramsay. *Christianizing the Roman Empire: A.D. 100-400*. New Haven: Yale University Press, 1984.

Martin, J.P. *El Espíritu Santo en los orígenes del cristianismo: estudio sobre I Clemente, Ignacio, II Clemente y Justino Mártir*. En *Biblioteca di Scienze Religiose* 2. Zurich: 1971.

Mason, Arthur James. «Conceptions of the Church in Early Times». En *Essays on the Early History of the Church and the Ministry*, ed. por H.B. Swete. Londres: Macmillan, 1918.

_____. *Fifty Spiritual Homilies of St. Macarius the Egyptian*. Londres: SPCK, 1921.

Metzger, Bruce M. *An Introduction to the Apocrypha*. Nueva York: Oxford University Press, 1957.

Middleton, Conyers. *A Free Inquiry into the Miraculous Powers Which Are Supposed to Have Subsisted in the Christian Church from Earliest Ages Through Several Sucessive Centuries . . . After the Days of the Apostles*. Londres: Sherwood and Co., 1825.

Mommsen, Theodor. *The Provinces of the Roman Empire from Caesar to Diocletian*. 2 vols. Nueva York: Charles Scribner's Sons, 1906.

Moule, Charles F.D., ed. *Miracles: Cambridge Studies in Their Philosophy and History*. Londres: A.R. Mowbray, 1965.

Mundle, W. «Das Apostelbild der Apostelgeschichte». *Zeitschrift für die neutestamentliche Wissenschaft* 27 (1928): 36-54.

Neyt, François. «A Form of Charismatic Authority». *Eastern Churches Review* 6:1 (Spring 1974): 52-65.

Oeyen, C. «Las potencias de Dios en los dos primeros siglos cristianos». Tesis de Th.D., Pontificia Universidad Gregoriana de Buenos Aires, 1963.

Orbe, Antonio. *Espiritualidad de San Ireneo*. Roma: Editrice Pontificia Universitá Gregoriana, 1989.

Owen, E.-C.E. *Some authentic Acts of the Early Martyrs*. Oxford: Oxford University Press, 1927.

Parmentier, M.F.G. «Montanisme als etiket voor religieus enthousiasme». *Netherlands Theologisch Tijdschrift* 32:1 (1978): 310-317.

Patout Burns, J. y Gerald M. Fagin. *The Holy Spirit*. Vol. 3 *en Message of the Fathers of the Church*. Wilmington, Delaware: Michael Glazier, 1984.

Penn, Granville, ed. *Macarius the Egyptian: Institutes of Christian Perfection*. Londres: John Murray, 1816.

Piepkorn, Arthur Carl. «Charisma in the New Testament and the Apostolic Fathers». *Concordia Theological Monthly* 42 (1971): 369-389.

Pont, Gabriel. *Les dons de l'Esprit Saint dans la pensée de saint Augustin*. Sierre, Martigny: Éditions Chateau Ravire, 1974.

Powell, Douglas. «Tertullianists and Cataphrygians». *Vigiliae Christianae* 29 (1975): 33-54.

Purves, G.T. *The Testimony of Justin to Early Christianity*. Londres: James Nisbet, n.f.

Quasten, Johannes. *Patrología*. 3 vols. Madrid: Biblioteca de Autores Cristianos, 1961-1963.

Remus, Harold. *Pagan-Christian Conflict Over Miracle in the Second Century*. Cambridge, Massachusetts: The Philadelphia Patristic Foundation, 1983.

Ritter, Adolph Martin. *Charisma im Verständnis des Joannes Chrysostomes und seiner zeit*. Göttingen: Vandenhoeck und Ruprecht, 1972.

Robeck, Cecil M., Jr. «Montanism: A Problematic Spirit Movement». *Paraclete* 15:3 (Summer 1981): 24-29.

_____. «Visions and Prophecy in the Writings of Cyprian». *Paraclete* 16:3 (Summer 1982): 21-25.

Robinson, J. Armitage. *St. Irenaeus: The Demostration of the Apostolic Preaching*. Londres: SPCK, 1920.

Robinson, James M. ed. *The Nag Hammadi Library*. Nueva York: Harper & Row, 1981.

Robinson, John A.T. *Redating the New Testament*. Londres: SCM, 1976.

Sagnard, F.M.M. *La gnose valentinienne et le témoignage de St. Irénée*. París: Librairie Philosophique J. Vrin, 1947.

Schepelern, Wilhelm. *Der Montanismus und die phrygischen Kulte: Eine religionsgeschichtliche Untersuchung*. Tübingen: Mohr, 1929.

Schilling, F.A. «The Mysticism of Ignatius of Antioch». Tesis de Ph.D., The University of Pennsylvania, 1932.

Schmidt, Carl, ed. *Koptisch-gnostische Schriften*. Berlín: G.C.S., 1905.

____, ed. *Pistis sofía*. Leiden: E.J. Brill, 1978.

Shepherd, M.H. «Didache». En *The Interpreter's Dictionary of the Bible*, 4 vols. Ed. por E.S. Burke. Nueva York: Abingdon Press, 1962.

Smeaton, George. *The Doctrine of the Holy Spirit*. Londres: The Banner of Truth Trust, 1961.

Smith, R.G. «Tertullian and Montanism». *Theology* 46 (1943): 127-136.

Snell, Frederick John. *Wesley and Methodism*. Nueva York: Charles Scribner's Sons, 1900.

Snyder, G.F. *The Shephered of Hermas, in The Apostolic Fathers: A New Translation and Commentary*. Ed. por Robert M. Grant. 6 vols. Camden, N.J.: Thomas Nelson and Sons, 1968.

Stam, John E. «*Charismatic Theology in the Apostolic Tradition of Hippolytus*». En *Current Issues in Biblical and Patristic Interpretation*. Ed. por Gerald F. Hawthorne. Grand Rapids, Michigan: Eerdmans, 1975.

Stephanou, Eusebius A. «The Charismata in the Early Church Fathers». *The Greek Orthodox Theological Review* 21 (Summer 1976): 125-146.

Swete Barclay, Henry. *The Holy Spirit in the Ancient Church: A Study of Christian Teaching in the Age of the Fathers*. Londres: Macmillan, 1912.

Synan, Vinson. *In the Latter Days: The Outpouring of the Holy Spirit in the Twentieth Century*. Ann Arbor, Michigan: Servant Books, 1984.

____, ed. *Aspects of Pentecostal-Charismatic Origins*. Plainfield, Nueva Jersey: Logos International, 1975.

Thomson, Robert W., ed. *Agathangelos: History of the Armenians*. Albany, Nueva York: State University of New York Press, 1976.

Thomson, Robert M., ed. *The Teaching of St. Gregory: An*

Early Armenian Catechism. Cambridge, Massachusetts: Harvard University Press, 1970.

Tillich, Paul. *Pensamiento cristiano y cultura en occidente*. Vol. 1: *De los orígenes a la Reforma*. Buenos Aires: Editorial La Aurora, 1976.

Trigg, Joseph W. «The Charismatic Intellectual: Origen's Understanding of Religious Leadership». *Church History* 50 (1981): 5-19.

Turner, Max. «Spiritual Gifts Then and Now». *Vox Evangelica* 15 (1985): 41-43.

Wagner, C. Peter. *How to Have a Healing Ministry in Any Church*. Ventura, California: Regal Books, 1988.

____. *Your Spiritual Gifts Can Help Your Church Grow*. Ventura, California: Regal Books, 1994.

Wamble, G. Hugh. «Glossolalia in Christian History». En *Tongues*. Ed. por Luther B. Dyer. Jefferson City, Mississipi: Le Roi Publishers, 1974.

Ward, Benedicta, trad. *The Sayings of the Desert Fathers*. Londres y Oxford: Mowbray, 1975.

Warfield, Benjamin B. *Counterfeit Miracles*. Nueva York: Charles Scribne's Sons, 1918.

Weinel, Heinrich. *Die wirkungen des geistes und der geister in nachapostoischen zeitalter bis auf Irenäus*. Tubinga: Druck von H. Laupp, 1898.

Welliver, Kenneth Bruce. «Pentecost and the Early Church: Patristic Interpretation of Acts 2». Tesis de Ph.D., Yale University, 1961.

Williams, Charles. *The Descent of the Dove: The History of the Holy Spirit in the Church*. Nueva York: Meridian Books, 1956.

Williams, George H. y Edith Waldvogel. «A History of Speaking in Tongues and Related Gifts». En *The Charismatic Movement*, ed. Michael P. Hamilton. Grand Rapids, Michigan: William B. Eerdmans, 1975.

Wright, David F. «Why Were the Montanists Condemned?» *Themelios* 2 (1976): 15-22.